D0513250

Géographie contemporaine offre une tribune aux géographes et aux spécialistes d'autres disciplines intéressés, en tant que chercheurs, acteurs ou étudiants, aux différentes problématiques territoriales.

Toutes les questions relatives au territoire sont au cœur des débats sociaux contemporains. Le phénomène de la mondialisation a provoqué de nombreuses remises en cause des structures territoriales du monde; l'environnement est devenu un argument de poids dans les options de développement; de nouveaux besoins en termes d'aménagement des territoires se sont manifestés et les outils de traitement de l'information géographique pour y faire face sont devenus incontournables; les groupes et les collectivités se redéfinissent par rapport à l'espace global et à leur environnement immédiat. Voilà autant de sujets qui seront traités dans cette collection.

Juan-Luis Klein
Directeur de la collection

Sports et villes

Collection sous la direction de
Juan-Luis Klein

Eaux et territoires
Tensions, coopérations
et géopolitique de l'eau
Frédéric Lasserre et Luc Descroix
2003, ISBN 2-7605-1206-1, 500 pages

**Grands projets urbains
et requalification**
*Sous la direction de Gilles Sénécal,
Jacques Malézieux et Claude Manzagol*
2002, ISBN 2-7605-1184-7, 280 pages

Géographie et société
*Sous la direction de Suzanne Laurin,
Juan-Luis Klein et Carole Tardif*
2001, ISBN 2-7605-1090-5, 334 pages

L'espace économique mondial
Les économies avancées
et la mondialisation
Jean-Paul Rodrigue
2000, ISBN 2-7605-1037-9, 534 pages

Les espaces dégradés
Contraintes et conquêtes
*Sous la direction de Gilles Sénécal
et Diane Saint-Laurent*
2000, ISBN 2-7605-1071-9, 280 pages

Le Québec en changement
Entre l'exclusion et l'espérance
Sous la direction de Pierre Bruneau
2000, ISBN 2-7605-1058-1, 242 pages

L'éducation géographique, 2e édition
Formation du citoyen
et conscience territoriale
*Sous la direction de Juan-Luis Klein
et Suzanne Laurin*
1999, ISBN 2-7605-1052-2, 270 pages

PRESSES DE L'UNIVERSITÉ DU QUÉBEC
Le Delta I, 2875, boulevard Laurier, bureau 450
Sainte-Foy (Québec) G1V 2M2
Téléphone : (418) 657-4399 • Télécopieur : (418) 657-2096
Courriel : puq@puq.uquebec.ca • Internet : www.puq.uquebec.ca

Distribution :

CANADA et autres pays
DISTRIBUTION DE LIVRES UNIVERS S.E.N.C.
845, rue Marie-Victorin, Saint-Nicolas (Québec) G7A 3S8
Téléphone : (418) 831-7474 / 1-800-859-7474 • Télécopieur : (418) 831-4021

FRANCE
DIFFUSION DE L'ÉDITION QUÉBÉCOISE
30, rue Gay-Lussac, 75005 Paris, France
Téléphone : 33 1 43 54 49 02
Télécopieur : 33 1 43 54 39 15

SUISSE
SERVIDIS SA
5, rue des Chaudronniers, CH-1211 Genève 3, Suisse
Téléphone : 022 960 95 25
Télécopieur : 022 776 35 27

ENJEUX ÉCONOMIQUES ET SOCIOCULTURELS

Sous la direction de
Sylvain Lefebvre

2003

Presses de l'Université du Québec
Le Delta I, 2875, boul. Laurier, bur. 450
Sainte-Foy (Québec) Canada G1V 2M2

Données de catalogage avant publication (Canada)

Vedette principale au titre :

Sports et villes : enjeux économiques et socioculturels

(Géographie contemporaine)
Comprend des réf. bibliogr.
Textes en français et en anglais.

ISBN 2-7605-1210-X

1. Sports professionnels – Aspect social. 2. Sports professionnels – Aspect économique. 3. Sports – Politique gouvernementale. 4. Équipements sportifs. 5. Équipes sportives. 6. Sports professionnels – Québec (Province) – Montréal. I. Lefebvre, Sylvain, 1964- . II. Collection.

GV734.S66 2003 306.4'83 C2002-941951-4F

Nous reconnaissons l'aide financière du gouvernement du Canada par l'entremise du Programme d'aide au développement de l'industrie de l'édition (PADIÉ) pour nos activités d'édition.

Révision linguistique : Mireille Côté

Mise en pages : Caractéra production graphique inc.

Couverture : Richard Hodgson

1 2 3 4 5 6 7 8 9 PUQ 2003 9 8 7 6 5 4 3 2 **1**

Dépôt légal – 1er trimestre 2003
Bibliothèque nationale du Québec / Bibliothèque nationale du Canada
Imprimé au Canada

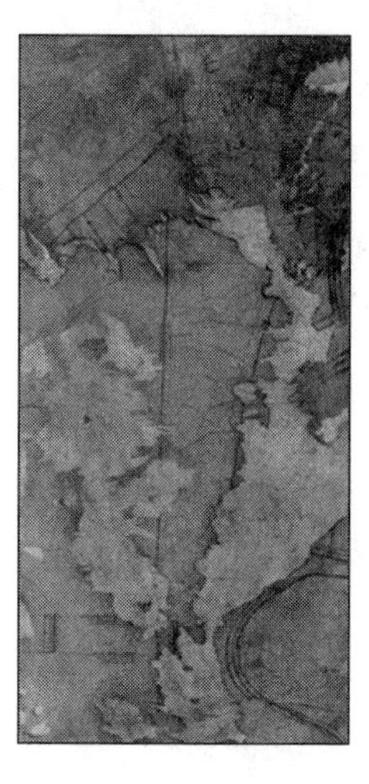

AVANT-PROPOS

Le sport dans nos sociétés modernes s'impose partout, dans chaque interstice de notre réalité sociale, culturelle, économique et politique. À la fois agent dynamique dans la transformation de nos sociétés et traduction condensée de ces sociétés en profonde et rapide transformation, le sport ne peut faire l'économie d'une étude approfondie, et ce, dans toutes ses dimensions. Quand Marcel Mauss disait à propos du sport qu'il était un « phénomène social total », il voulait d'abord traduire cette complexité et cette richesse d'un objet d'étude qui a longtemps été marginalisé dans certains cercles universitaires. Ce n'est plus le cas : les sciences humaines et les sciences sociales ont, depuis plusieurs années, investi ce vaste objet de recherche.

Le sport est partout. Les performances des athlètes et des équipes sportives inondent les médias sur fond de prouesses techniques et humaines, mais aussi sur fond de scandales (finances mal gérées, conflits d'intérêts, dopage, racisme, ségrégation, violence, etc.). L'industrie des articles et des vêtements de sport a pris d'assaut des sphères qui sont parfois éloignées des pratiques sportives (la mode, les loisirs ne nécessitant aucun effort physique, la contre-culture, la marginalité, etc.). Les grands conglomérats de l'industrie du divertissement, des communications et des loisirs contrôlent progressivement les industries du sport professionnel et les grands équipements urbains (arénas, stades) permettant à ces dernières de prendre ancrage dans le paysage d'une ville. L'olympisme et le sport de haute performance comme instruments de valorisation de l'identité nationale et de la fierté collective sont confrontés à de multiples scandales : irrégularités dans l'octroi des compétitions internationales à certaines villes ou pays, mécanismes d'évaluation des performances des athlètes et arbitrage sous influence, acrobaties des pourfendeurs et des partisans du dopage des athlètes, commercialisation à outrance des jeux olympiques, etc. Plus près du citoyen, les pratiques sportives dans la rue, l'accessibilité à des équipements sécuritaires et bien aménagés, la présence obligatoire de certaines formes d'éducation physique dans les écoles sont autant d'enjeux qui viennent s'insérer dans le paysage médiatique du sport. Et si le sport était partout, force est de constater qu'il l'est toujours plus aujourd'hui mais, cette fois, en empruntant aux forces dominantes de la mondialisation, à celles de l'individualisation des pratiques et du loisir, à l'instrumentalisation des symboles et des identités.

UNE MISE EN RÉSEAU DES EXPERTISES

Depuis 1997, un projet de mise en réseau de diverses expertises a été motivé par l'urgence de doter les principaux acteurs du sport professionnel de concepts et d'outils méthodologiques adéquats en matière d'évaluation des impacts réels du sport professionnel en milieu urbain. Ces besoins ont été déterminés par plusieurs groupes de recherche universitaire, par Statistique Canada ainsi que par plusieurs autres intervenants publics. Le chantier de recherches « Sports et villes festives » du Département de géographie de l'Université du Québec à Montréal amena plusieurs chercheurs canadiens, français et américains à se rencontrer afin de partager leurs résultats de recherche. Les principales questions soulevées touchent la qualification et la quantification de la portée véritable de la présence de franchises sportives professionnelles en ce qui a trait aux retombées économiques directes et indirectes (intangibles), la valeur culturelle et symbolique attribuée par la collectivité locale et régionale à la présence d'une équipe de sport professionnel, de même que le potentiel de revitalisation urbaine de certains équipements majeurs.

L'octroi d'une subvention du Conseil de recherches en sciences humaines du Canada (CRSHC), qui s'est échelonné sur une période de 18 mois, visait à instaurer et à structurer des mécanismes d'échanges intensifs entre des chercheurs internationaux parmi les plus réputés et quelques groupes de recherche intéressés par l'objet central de cette problématique. Au terme de la démarche, le programme a permis de mettre en place un programme de recherches qui a orienté les équipes dirigées par ces mêmes chercheurs, équipes s'intéressant plus particulièrement au rôle et à l'impact de l'industrie du sport professionnel dans les économies urbaines. Ce processus a ainsi véritablement posé les bases d'une consolidation des travaux en cours à l'échelle internationale et devrait finalement apporter un éclairage nouveau pour les décideurs publics et la communauté scientifique. Certains acteurs y puiseront des informations fondamentales pour la prise de décisions relevant du soutien public (subventions, aides directes et indirectes, etc.), tandis que d'autres y verront un creuset d'outils méthodologiques se prêtant à des états comparatifs sur des bases locales, nationales et internationales. La convergence des expertises et des efforts de chacune des équipes du programme améliore l'état des connaissances transversales, liées à une problématique diverse, sur l'allocation optimale des ressources publiques.

Le colloque international « Sports et villes ; enjeux économiques et socioculturels », organisé à Montréal les 4 et 5 octobre 2000, répondait à l'objectif principal de ce réseau de recherche, qui est de rassembler diverses expertises ; trois sessions de travail et une journée de séminaire devaient permettre d'établir les orientations et les priorités de recherche, et de mettre à l'essai de nouvelles méthodes et de nouveaux outils d'évaluation. Ces objectifs sont d'ores et déjà considérés comme prioritaires par les membres de l'équipe et par plusieurs autres membres de la communauté scientifique intéressés par la problématique des sports et de l'espace urbain.

Le présent ouvrage s'inscrit dans le contexte d'un flagrant besoin de conceptualisation et d'élaboration d'outils méthodologiques largement sollicités à des fins scientifiques et pragmatiques. Sans prétendre répondre à toutes les questions pertinentes sur le sujet, les textes se distinguent de plusieurs contributions qui restent muettes sur certains aspects de la signification réelle et de l'impact du sport professionnel en milieu urbain. De plus, c'est un appel des plus clairs à la communauté scientifique que lance Statistique Canada (*Culture Statistics Program*) dans son rapport d'avril 1998 : *The Vitality of the Sport Sector in Canada*. On y relève l'absence de données statistiques et d'analyses empiriques plus exhaustives, de même que l'incapacité de plusieurs décideurs publics à bien justifier certains investissements dans les différents créneaux de l'activité sportive au Canada.

Sans pour autant viser un quelconque consensus rassemblant diverses écoles de pensée, une définition opérationnelle s'imposerait sur l'activité sportive, le spectacle sportif, le double statut (culturel et économique) de l'activité sportive professionnelle et, enfin, son positionnement stratégique dans la vocation festive de plusieurs métropoles. Les travaux (novembre 1998) de Statistique Canada et du sous-comité de l'industrie sportive du Canada, présidé par Dennis Mills du Comité permanent du patrimoine canadien, ont établi des priorités relevant d'une grille thématique axée sur les dimensions liées à la signification socioculturelle, aux mesures économiques, aux services d'aide et de soutien, et aux subventions mises à la disposition de cette industrie. Par la suite, informés des travaux menés par plusieurs groupes de recherche sur le volet touchant les impacts économiques directs du sport dans les villes et les modes d'intervention gouvernementale[1], des chercheurs et des spécialistes s'intéressant aux outils conceptuels et méthodologiques ont formé un réseau. Le programme Initiatives de développement de la recherche du CRSHC a permis d'organiser une série de rencontres et d'échanges entre ces chercheurs dans le but de faire le point sur l'état de leurs travaux.

Les signes d'un intérêt enthousiaste soulevé par notre démarche dans la communauté universitaire – intérêt qui n'altère en rien les implications plus appliquées des résultats – sont désormais garants d'un prolongement et d'une consolidation des travaux en cours à l'échelle internationale et, surtout, d'un éclairage nouveau pour les décideurs publics et la communauté scientifique. Pour les uns, il s'agira d'y puiser des informations donnant prise à des décisions relevant du soutien public (subventions, aides directes ou indirectes, etc.) ; pour les autres, ce qui primera selon toute apparence, ce sera l'aspect essentiellement définitoire-opérationnel, fournissant des outils méthodologiques qui se prêtent à des états comparatifs sur différentes bases territoriales. Plus globalement, notre compréhension du sport, des pratiques sportives et de l'industrie du sport ne s'en portera que mieux.

La première partie du présent ouvrage s'intéresse au pouvoir structurant des activités sportives dans l'espace urbain. Le sport façonne et articule plusieurs éléments du cadre bâti. Au-delà des équipements et des théâtres sportifs qui accaparent bien sûr une part non négligeable de l'emprise au sol, on trouve des événements sportifs occasionnels qui

1. Rosentraub, Mark S. (1997). *Major League Losers : The Real Costs of Sports and Who's Paying for It*, New York, Basic Books.

s'insèrent dans une logique allant du local à l'international, de même que des lieux de pratique sportive qui revendiquent tous, à leur façon, le territoire de l'urbain. De la rue à la voie cyclable, de l'espace public à l'espace semi-commercial, les nouvelles manifestations des pratiques sportives sont représentatives d'une tendance lourde en Amérique du Nord : la reconquête des centres-villes et la réappropriation des lieux centraux à des fins d'animation festive et ludique.

La deuxième partie du livre s'intéresse à toute la polémique concernant l'industrie du sport professionnel en Amérique du Nord : la justification d'une aide publique directe ou indirecte destinée au fonctionnement des équipes de sport des ligues majeures professionnelles ou à la construction de nouveaux stades et arénas. En effet, la mesure précise de l'impact réel, direct ou indirect, économique ou socioculturel, du sport professionnel dans une ville d'accueil reste un défi de taille. Plus spécifiquement, c'est l'évaluation des impacts économiques directs des franchises professionnelles qui demeure encore aujourd'hui la dimension la plus étudiée dans les monographies et les études empiriques exhaustives réalisées aux États-Unis. Plusieurs facettes de l'impact économique direct et indirect sont encore mal documentées. L'aire d'influence d'un stade, ou des activités entourant une manifestation sportive à même ce stade, est difficile à délimiter. Isoler et mesurer même approximativement cet impact est tout aussi hasardeux. On imagine bien que les effets indirects (rayonnement international, fierté collective, valeur symbolique, culturelle ou identitaire) représentent toujours des éléments qui sont indescriptiples, non quantifiables, intangibles.

Sylvain Lefebvre

REMERCIEMENTS

Mes remerciements vont d'abord au Conseil de recherches en sciences humaines du Canada (CRSHC) qui a soutenu plusieurs étapes et initiatives qui ont mené à la publication de cet ouvrage. En effet, le programme Initiatives de la recherche du CRSHC a appuyé les travaux du chantier de recherches « Sports et villes festives » de juillet 1999 à mars 2001. Merci à tous ceux qui ont investi des efforts considérables dans l'organisation du Colloque « Sport et villes ; enjeux économiques et socioculturels » qui s'est tenu à Montréal les 4 et 5 octobre 2000. Parmi ceux-ci, mentionnons le Département de géographie de l'Université du Québec à Montréal, le Groupe Culture et Ville de l'INRS Urbanisation, Culture et Société, les organisateurs des Entretiens Jacques Cartier et le personnel de Montréal Arts interculturels (MAI). Merci surtout à tous les collègues et étudiants – Carole Tardif, Robert Morin, Martin Lecomte, Ève Couture, Mélanie Tremblay – qui ont participé au colloque et au travail de correction et d'édition de cet ouvrage.

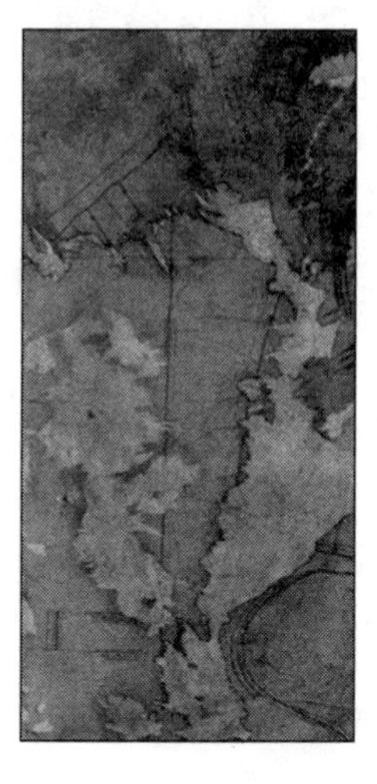

TABLE DES MATIÈRES

INTRODUCTION

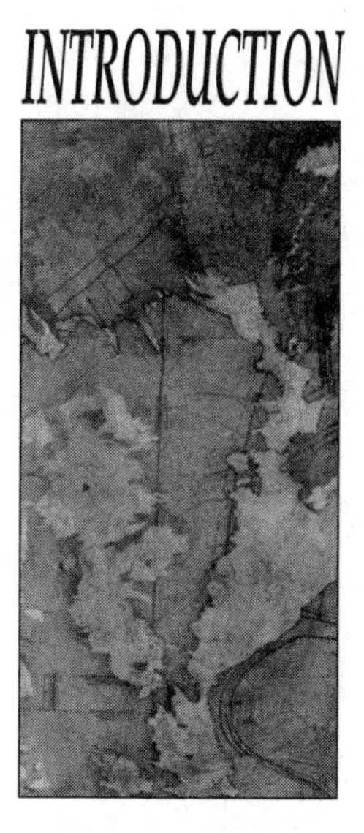

UNE NOUVELLE TERRITORIALITÉ POUR LE SPORT PROFESSIONNEL

Au cours des deux dernières décennies, l'industrie du tourisme urbain a bien su exploiter la festivalisation croissante des centres-villes en Amérique du Nord. Profitant de ce momentum, tout le secteur du sport professionnel s'est particulièrement démarqué en créant de toutes pièces des besoins nouveaux en matière de lieux et d'équipements sportifs. Toute une nouvelle génération de stades et d'arénas sportifs s'est substituée depuis une quinzaine d'années à plusieurs équipements multifonctionnels situés dans les périphéries des villes centrales. Géographiquement, plusieurs villes ont connu un retour des stades et des arénas de taille plus réduite, monofonctionnels, d'une facture architecturale nouvelle et situés dans leur centre-ville. Ces nouvelles configurations procèdent d'une logique qui dépasse celle des propriétaires de franchises professionnelles à la recherche de profits plus substantiels (Lefebvre et Latouche, 1997 ; Lefebvre, 1998). Il s'agit souvent de modifier les gabarits des bâtiments et les choix d'aménagement afin de rendre plus convivial, mieux intégré et plus « humain » un lieu sportif ou un théâtre festif où une expérience architecturale et urbaine joint la foule de spectateurs. Utiliser des matériaux et des formes de stades du début du siècle, éliminer les toits rétractables, ramener les surfaces de gazon naturel et ouvrir des perspectives visuelles sur le centre-ville sont autant de moyens utilisés pour faire valoir un héritage historique qui a marqué les centres-villes en Amérique du Nord.

Avec l'importance croissante de l'impulsion économique générée par le tourisme, les fonctions récréatives, le loisir, la culture et les arts dans les métropoles américaines et canadiennes, le sport professionnel s'est taillé une place de choix. En effet, les propriétaires privés de ces franchises ont d'abord su imposer à plusieurs villes de nouvelles dynamiques de localisation et de réaffectation des investissements publics. C'est parfois sous la menace de déménager leurs équipes professionnelles (baseball, football américain, basketball, hockey) dans d'autres villes que les propriétaires de clubs imposent aux municipalités et aux paliers de gouvernement supérieur la construction de nouveaux stades ou de nouveaux équipements sportifs dans les centres-villes, tout près de la clientèle commerciale et des centres d'affaires.

Ainsi, ces dix dernières années, plusieurs équipes de la National Football League (NFL) et de la National Hockey League (NHL) ont été courtisées et déménagées sous la promesse de la construction de stades, arénas et autres nouveaux « temples sportifs » modernes, tous équipés des dernières trouvailles et à la fine pointe des technologies de communication pour la transmission télévisuelle. Au football professionnel, St. Louis, Oakland, Baltimore et Nashville ont détrôné Los Angeles, Cleveland et Houston. Au hockey, les villes de Québec, Winnipeg et Minnesota ont été désertées par leurs équipes au profit de Denver, Phoenix et Dallas.

Ces projets de stades de baseball ou d'arénas pour le hockey ont la particularité d'être souvent localisés dans les centres-villes ou très près de ceux-ci, alors que, traditionnellement, on les trouvait dans les banlieues ou dans les périphéries immédiates, notamment le long des grands axes routiers. Plusieurs stades construits dans les années 1960 et 1970 (Pittsburgh, Cincinnati, Philadelphie, Houston, St. Louis) sont isolés et noyés dans d'immenses superficies consacrées au stationnement de véhicules. L'architecture est souvent imposante et mal intégrée au cadre bâti environnant. Les nombreux projets de stades urbains dans les centres-villes nord-américains sont donc caractérisés par des équipements qui n'ont rien du gigantisme et de la démesure des infrastructures construites pour des jeux olympiques ou des expositions universelles. La taille de certains stades est réduite à des proportions plus locales – à Baltimore,

Denver et Cleveland, on les qualifie d'« urbains » surtout pour cette raison – et ils se distinguent généralement par une architecture plus modeste et mieux intégrée à leur milieu environnant[1]. Néanmoins, malgré cette réduction dans la vocation des projets, on estime que le plus modeste de ces stades nécessite un investissement minimal de 100 millions de dollars américains (Baade, 1996 : 1). La justification de tels investissements – l'injection de fonds publics devenant incontournable dans la plupart des cas – se fonde donc sur l'évaluation des retombées positives sur l'économie locale[2]. Pourtant, la démonstration des retombées économiques positives du sport professionnel sur les économies urbaines et de la rentabilité des investissements publics dans leurs activités n'a pas encore été faite de façon satisfaisante. Les débats sont pour le moins houleux sur cette question. Certains s'évertuent à dénoncer cette forme de chantage économique exercé auprès des métropoles en déclin en faisant la preuve qu'il n'y a pas de corrélation entre la venue d'une nouvelle équipe ou la construction d'un stade dans une ville et l'accroissement du revenu par habitant dans cette même ville (Baade, 1994 ; Rosentraub *et al.*, 1994).

À l'inverse, certains prétendent que la clé de la compréhension de l'impact positif sur l'économie locale réside dans la localisation stratégique au sein d'une armature urbaine et dans les interactions ainsi générées avec les infrastructures existantes (Chema, 1996). L'activité créée par la présence de deux millions d'individus dans un périmètre relativement restreint du centre-ville ne pourrait, selon ces mêmes auteurs, qu'induire des revenus additionnels, de nouveaux emplois et des retombées positives sur une base annuelle. La rentabilité des investissements publics devrait ainsi se mesurer non pas en nouveaux dollars en valeur absolue générés par le stade lui-même, mais plutôt en création de nouveaux emplois dans la restauration, l'hôtellerie et les autres activités complémentaires qui entourent le sport en question. À Cleveland, depuis l'ouverture du nouveau complexe de baseball en 1994, le Jacobs Field, plus de 20 nouveaux restaurants employant près de 900 personnes se sont installés dans un rayon de deux pâtés de maisons (Chema, 1996 : 20). Les projets immobiliers dans le secteur commercial se sont multipliés, la construction

1. Aux États-Unis, on préfère d'ailleurs au mot « stadium », pour le baseball, les expressions « *baseball parks* », « *fields* », « *yards* », etc. On observe toutefois que certains nouveaux stades et arénas ne respectent pas systématiquement ce type de gabarits ou d'insertion en milieu urbain.

2. Une équipe professionnelle américaine tenta ainsi de convaincre les autorités publiques de Jacksonville (Floride) que la venue d'une nouvelle équipe de football professionnel pouvait générer plus de 130 millions de dollars américains par année dans la ville et créer près de 3 000 nouveaux emplois. Source : E. Norton, « Football at any cost : one city's mad chase for an NFL franchise », *Wall Street Journal*, 13 octobre 1993.

résidentielle a connu un regain inusité et les quelque cinq millions de visiteurs annuels ont amorcé une nouvelle vague de fréquentation du centre-ville, pratiquement désert dans les trente dernières années.

Les projets de stades urbains récents seraient généralement conçus pour dynamiser et relancer la fréquentation des centres-villes (Euchner, 1993). Dans bon nombre d'entre eux, on cherche à créer une interaction étroite entre le stade et le quartier d'accueil, et on tente d'amener les usagers à dépenser dans les zones limitrophes du stade. Les promoteurs immobiliers et les propriétaires d'équipes professionnelles ont surtout compris que les spectateurs privilégiaient une localisation centrale pour les activités d'un club sportif. L'accessibilité à un site bénéficiant de la proximité immédiate de plusieurs fonctions et activités centrales est devenue un critère majeur du succès de la fréquentation des stades.

La valeur symbolique et culturelle d'une équipe sportive et de son appartenance au stade lui-même est très difficile à quantifier en plus-value économique. Plusieurs analyses convergent néanmoins vers la reconnaissance du sport professionnel au centre de la scène culturelle et récréative des villes nord-américaines (Rosentraub, 1996 ; Rosentraub *et al.*, 1994). En effet, rares sont les campagnes de promotion urbaine qui ignorent la valeur intrinsèque d'un club professionnel local ayant une certaine réputation continentale ou internationale. Ainsi, les promoteurs soutiennent l'idée que si un orchestre symphonique, un musée, une salle de concert prestigieuse ou encore une troupe de théâtre peuvent servir d'instruments de valorisation urbaine, des équipes professionnelles de baseball, de basketball, de football américain ou de hockey seraient, elles aussi, des atouts pour une ville nord-américaine désirant assumer la demande réelle en matière de loisirs, de culture et de divertissement.

La valeur accordée au sport professionnel est énorme dans nos sociétés modernes. Imaginons une ville connaissant un développement économique vigoureux, une scène culturelle et artistique dynamique et une bonne qualité de vie. Il serait impensable, au Canada ou aux États-Unis, de ne pas doter cette ville de quelques équipes sportives professionnelles pouvant représenter symboliquement la fierté et la réputation qu'elle s'efforce de faire valoir à l'étranger. Le maintien de telles équipes passerait-il inévitablement par la construction d'équipements et d'infrastructures urbaines majeures pour l'exercice de leurs activités ? Poser la question, c'est un peu y répondre. Toutes les sphères d'activités, qu'elles soient culturelles ou économiques, doivent renouveler leurs équipements et leurs infrastructures dans certaines conjonctures. Il n'est pas dit toutefois que toutes les économies urbaines aient la capacité ou la volonté d'appuyer ce renouvellement.

L'identité sportive d'une ville est cruciale et fondamentale en Amérique du Nord (Rosentraub, 1996 ; Quirk et Fort, 1992). Cette identité passe par les équipes, certes, mais surtout par les lieux et les symboles qu'elle porte et qu'elle véhicule au fil de son existence. Les manifestations sportives savent bien mettre en évidence l'héritage et la valeur symbolique de ces lieux. On personnalise les stades ou les arénas en leur prêtant des propriétés et des caractéristiques qui dépassent de loin toutes celles des autres équipements publics. Les stades deviennent des forums et des agoras où les citoyens-spectateurs expriment leur fierté, leurs frustrations, leurs appartenances et combien d'autres aspects de leurs quotidien. Sans tomber dans la sociologie du jeu et du rassemblement des foules, resituer et reconnaître l'importance du sport professionnel dans la vie urbaine contemporaine permet de mieux relativiser des éléments de polémique (Raitz, 1995 ; Vigneau, 1998).

L'identité sportive des villes modernes en Amérique du Nord serait devenue une condition *sine qua non* du développement économique métropolitain. Des auteurs ont estimé la perte que subiraient les villes de Pittsburgh et d'Anaheim – deux villes qui ont, chacune à leur façon, connu une forme de déclin économique – si leurs équipes professionnelles (respectivement les Pirates et les Rams) déménageaient dans une autre ville (Rosentraub, 1996 : 28 ; Applebaum *et al.*, 1995). Cette évaluation tenait compte du coût du nouveau stade urbain qui devrait être construit afin de retenir les équipes. L'étude estima qu'il fallait un investissement annuel de 3 millions de dollars américains pour maintenir l'équipe des Pirates à Pittsburgh. Cette somme était comparable au coût du maintien du musée ou du très célèbre orchestre symphonique de Pittsburgh qui génèrent, ensemble, beaucoup moins de retombées économiques que l'équipe de baseball. On comprendra que, sur la base de telles comparaisons, les dérapages sont devenus monnaie courante dans l'actualité. En effet, le double statut (économique et culturel) du sport professionnel exige souvent un débat public sur l'importance des investissements publics affectés à la vocation festive de certaines villes.

Montréal n'a pas échappé à la reconfiguration de ses équipements sportifs professionnels. Entre 1997 et 2001, son équipe de baseball professionnel, les Expos de Montréal, a tenté désespérément de convaincre les amateurs de baseball, les paliers de gouvernement et la population en général qu'un nouveau stade au centre-ville était vital pour maintenir financièrement la franchise dans la métropole. Au-delà des effets d'entraînement positifs d'un tel projet dans le secteur sud-ouest du centre-ville, la viabilité financière du marché du baseball professionnel à Montréal ne semblait pas faire le poids avec les subventions publiques exigées par les nouveaux propriétaires américains de la franchise. De plus, la désaffection à l'égard des activités sportives du très controversé stade olympique (secteur Maisonneuve à l'est du centre-ville de Montréal) n'incite toujours pas à un enthousiasme débordant. Paradoxalement, la construction du Centre Molson (aréna du club de hockey Les Canadiens), du stade Du Maurier (tennis professionnel) au parc Jarry et la présence d'une franchise professionnelle de football américain dans le petit stade universitaire Percival Molson, à flanc de montagne et à quelques minutes de marche du centre-ville, viennent renforcer l'idée du renouvellement des équipements sportifs majeurs. Montréal compte ainsi parmi ces villes nord-américaines déchirées entre le désir de conserver leurs équipes sportives professionnelles et le besoin de renouveler leurs théâtres sportifs en réaction à l'industrie du sport professionnel et aux nouvelles tendances de localisation de ces équipements.

Depuis nombre d'années, une couverture médiatique pour le moins impressionnante documente la débâcle de l'industrie du sport professionnel en Amérique du Nord. Cette crise vient alimenter les passions et les discours les plus irrationnels, car l'industrie du sport professionnel est une affaire de rentabilité pour les uns et un levier de fierté collective pour les autres. Le sport marchand et ses artisans y sont présentés comme des pilleurs de temple et des gaspilleurs de fonds publics. L'image n'est pas trop forte. Mais une fois qu'on a décelé les dysfonctionnements de l'industrie du sport professionnel, plusieurs questions fondamentales restent sans réponse et créent un certain malaise. A-t-on affaire ici à la seule dimension marchande d'une industrie ? Les dimensions sociales, culturelles et symboliques sont-elles pertinentes ? Si oui, comment en tenir compte ?

Les enjeux socioéconomiques du sport professionnel en milieu urbain existent, mais sont, paradoxalement, peu étudiés ou mal évalués au sein de notre société contemporaine, particulièrement en milieu urbain. Malgré la présence d'équipes professionnelles dans plusieurs grandes villes nord-américaines, on connaît assez mal l'ampleur de leur contribution ainsi que les retombées réelles des équipements sportifs et des activités sportives. Toutefois, il semble y avoir un consensus implicite sur les bénéfices symboliques et culturels de cette activité pour la collectivité ; quant aux bénéfices économiques directs, ils sont relativement faibles en comparaison avec d'autres secteurs d'activité.

Depuis le début des années 1990, le débat sur l'aide publique au sport professionnel bat son plein. On peut penser, par exemple, à la polémique qui a entouré la vente du club de hockey Les Canadiens de Montréal. Ce débat a déstabilisé l'opinion publique montréalaise, confrontée au fait qu'elle pouvait perdre non seulement son principal pilier identitaire sur la scène sportive, mais aussi les retombées économiques engendrées par cette institution ainsi qu'une partie de son patrimoine culturel et social.

D'autres préoccupations se font jour relativement au sport professionnel, tels le financement des équipes et le coût des équipements et des infrastructures. Les acteurs des secteurs privé et public sont nécessairement intéressés par le développement de ces activités avec, toutefois, des objectifs différents, voire divergents, les uns visant des profits et les autres, un développement harmonieux et optimal du territoire. Ces objectifs sont difficiles à concilier, et il est souvent difficile d'en arriver à un consensus.

Les retombées économiques et sociales du sport professionnel sont généralement présentées par les promoteurs des événements comme étant considérables. Toutefois, comme nous l'avons dit, il est très difficile de les évaluer adéquatement. Quels sont, en effet, les impacts de cette activité sur l'industrie hôtelière et de la restauration d'une ville, sur l'industrie manufacturière ou encore sur l'emploi ? Ces questions ne représentent d'ailleurs qu'une partie des enjeux que plusieurs groupes de recherche, dont le milieu universitaire, s'emploient à étudier. Et c'est à eux que revient le devoir de définir des méthodes et des outils d'analyse pertinents et performants dans le but d'établir le plus fidèlement possible les répercussions du sport professionnel, particulièrement en milieu urbain.

Le sport dépasse largement toutefois le sport professionnel, même si ce dernier représente un centre d'intérêt, de loisir et de détente pour une grande partie de la population. Le sport s'insère dans la vie de tous les jours et touche, d'une façon ou d'une autre, toutes les strates de la collectivité. Les activités plus marginales, comme le sport extrême, émergent comme contre-culture sportive, mais elles sont rapidement commercialisées et encadrées en vertu de nouvelles balises, de nouveaux processus d'uniformisation des pratiques. En milieu urbain, la planche à roulettes, le patin à roues alignées et, plus récemment, la trottinette expriment des tendances qui démontrent l'impact d'activités sportives dépassant la seule nécessité de l'effort physique. Facteur d'intégration et de désintégration, mode de transport, levier d'affirmation identitaire, ces nouveaux instruments, ces nouveaux visages du sport se multiplient à un rythme effarant.

En fait, le sport fait partie de notre quotidien à toutes les étapes de notre vie : des parties de soccer et de hockey dans les ruelles aux clubs de tennis ou de golf, le sport influence et modifie nos perceptions du milieu et oriente nos actions sur celui-ci. L'activité sportive et ses ramifications commerciales ont une influence sur les médias, les technologies nouvelles, la mondialisation, la publicité et le secteur de l'alimentation. Le sport et la ville ont une histoire commune. Avec leurs facteurs de rassemblement, leur concentration d'individus et d'activités, l'espace urbain et l'espace sportif se confondent dans des lieux et dans des symboles qui imprègnent fortement le quotidien et les interactions sociales. Microcosme de la vie urbaine, la vie sportive porte en elle les ruptures, les alliances, les confrontations, les richesses et l'exaltation de la vie urbaine dans son ensemble. Ainsi, aux questions d'ordre économique devant être étudiées par les chercheurs s'ajoute le volet social des pratiques sportives, de ces équipements et de ces infrastructures qui ne peuvent être étudiés sans que l'on tienne compte des facteurs économiques.

BIBLIOGRAPHIE

APPLEBAUM, R. *et al.* (1995). *Ballparks Systems Synthesis Project ; Final Report*, Pittsburgh, Carnegie Mellon University.

AUGUSTIN, Jean-Pierre (1995). *Sport, géographie et aménagement*, Paris, Nathan.

BAADE, Robert A. (1996). « Professional Sports as Catalysts for Metropolitan Economic Development », *Journal of Urban Affairs*, vol. 18, nº 1, p. 1-17.

BAADE, Robert A. (1994). « Stadiums, Professional Sports, and Economic Development : Assessing the Reality », *Heartland Policy Study*, vol. 62, mars.

BAADE, Robert A. et Richard F. DYE (1990). « The Impacts of Stadiums and Professional Sports on Metropolitan Area Development », *Growth and Change*, vol. 21, nº 2, p. 1-14.

BAIM, Dean V. (1994). *The Sports Stadium as a Municipal Investment*, Westport, Connecticut, Greenwood Press.

BALE, John (1993). « The Spatial Development of the Modern Stadium », *International Review for Sociology of Sport*, vol. 28, nºs 2-3, p. 121-133.

BALE, John, (1989). *Sports Geography*, New York, E. & F.N. Spon.

BOOGAARTS, Inez (1993). « La festivalomanie ; À la recherche du public marchand », *Les Annales de la recherche urbaine : Espace publics en villes*, vol. 57-58, décembre 1992-mars 1993, p. 115-119.

CAIRNS, J., J. JENNETT et P.J. SLOANE (1986). « The Economics of Professional Team Sports : A Survey of Theory and Evidence », *Journal of Economic Studies*, vol. 13, nº 1, p. 3-80.

CHAIRE DE TOURISME (1996). *Étude de positionnement touristique des quatre grands festivals d'été de Montréal*, Montréal, Université du Québec à Montréal, janvier.

CHEMA, Thomas V. (1996). « When Professional Sports Justify the Subsidy », *Journal of Urban Affairs*, vol. 18, nº 1, p. 19-22.

CLARKE, Susan E. et Gary L. GAILE (1998). *The Work of Cities*, Minneapolis, University of Minnesota Press.

COOKE, Andrew (1994). *The Economics of Leisure and Sport*, Londres, Routledge.

EUCHNER, C. Charles (1993). *Playing the Field : Why Sports Teams Move and Cities Fight to Keep Them*, Baltimore, Maryland, The John Hopkins University Press.

FYFE, Nicholas R. (dir.) (1998). *Images of the Street ; Planning, Identity and Control in Public Space*, Londres, Routledge.

GARVIN, Alexander (1995). *The American City ; What Works, What Doesn't*, New York, McGraw-Hill.

GOERG, Odile (dir.) (1999). *Fêtes urbaines en Afrique ; Espaces, identités et pouvoirs*, Paris, Karthala.

HANNIGAN, John (1998). *Fantasy City ; Pleasure and Profit in the Postmodern Metropolis*, Londres, Routledge.

HEFNER, Frank L. (1990). « Using Economic Models to Measure the Impact of Sports on Local Economies », *Journal of Sport and Social Issues*, vol. 14, nº 1, p. 1-13.

IRANI, Daraius (1997). « Public Subsidies to Stadiums : Do the Costs Outweigh the Benefits ? », *Public Finance Review*, vol. 25, nº 2, p. 238-253.

JUDD, Dennis R. et Susan S. FAINSTEIN (dir.) (1999). *The Tourist City*, New Haven, Yale University Press.

JUNEAU, Albert (Consultant) (1998). *Impact économique des activités du secteur de la culture des cinq régions du Montréal métropolitain et de la région de l'île de Montréal*, décembre.

KARP, David A. et William C. YOELS (1990). « Sport and Urban Life », *Journal of Sport and Social Issues*, vol. 14, nº 2, p. 77-102.

KOTLER, Philip, Donald H. HAIDER et Irving REIN (1993). *Marketing Places ; Attracting Investment, Industry, and Tourism to Cities, States, and Nations*, New York, The Free Press.

LEFEBVRE, S. (1998). « Le sport professionnel et ses territoires dans la recomposition des centres-villes en Amérique du Nord », dans Jean-Pierre Augustin et Daniel Latouche (dir.), *Lieux culturels et contextes de villes*, Bordeaux, Maison des Sciences de l'Homme d'Aquitaine, p. 175-187.

LEFEBVRE, Sylvain et Daniel LATOUCHE (1997). *L'impact socioculturel d'un nouveau stade de baseball pour les Expos de Montréal*, Montréal, INRS-Urbanisation, juillet.

LIPSITZ, George (1984). « Sports Stadia and Urban Development : A Tale of Three Cities », *Journal of Sport and Social Issues*, vol. 8, nº 2, p. 1-18.

NÉGRIER, E. (1996). « The Professionalisation of Urban Cultural Policies in France : The Case of Festivals », *Environment and Planning C : Government and Policy*, vol. 14, p. 515-529.

NOLL, Roger G. et Andrew ZIMBALIST (dir.) (1997). *Sports, Jobs & Taxes ; The Economic Impact of Sports Teams and Stadiums*, Washington, D.C., The Brookings Institution Press.

PASSMORE, David L., Cynthia PELLOCK et Guoquing WANG (1996). « Ballpark Estimates : Impact of the 1994 Baseball Strike on the Pennsylvania Economy », *Journal of Sport & Social Issues*, vol. 22, mai, p. 161-172.

QUIRK, James et Rodney D. FORT (1992). *Pay Dirt : The Business of Professional Team Sports*, Princeton, Princeton University Press.

RAITZ, Karl B. (dir.) (1995). *The Theater of Sport*, Baltimore, The Johns Hopkins University Press.

ROSENTRAUB, Mark S. (1997). *Major League Losers ; The Real Cost of Sports and Who's Paying For It*, New York, Basic Books.

ROSENTRAUB, Mark S. (1996). « Does the Emperor Have New Clothes ? A Reply to Robert A. Baade », *Journal of Urban Affairs*, vol. 18, nº 1, p. 23-31.

ROSENTRAUB, Mark S. *et al.* (1994). « Sport and Downtown Development Strategy : If You Build It, Will Jobs Come ? », *Journal of Urban Affairs*, vol. 16, nº 3, p. 221-239.

SAGE, George H. (1996). « Public Policy in the Public Interest : Pro Franchises and Sports Facilities That Are Really Yours », dans D. Stanley Eitzen, *Sport in Contemporary Society ; An Anthology*, New York, St. Martin's Press, p. 264-274.

SCULLY, Gerald W. (1995). *The Market Structure of Sports*, Chicago, The University of Chicago Press.

SOMMERS, Paul M. (dir.) (1992). *Diamonds Are Forever; The Business of Baseball*, Washington, D.C., The Brookings Institution Press.

STATISTIQUE CANADA (1996). *Indicateurs nationaux du tourisme; Estimations historiques 1986 à 1995*, n° 13-220-XPB, juin.

TOURISME MONTRÉAL (1996). *Tourisme et culture à Montréal: Une nouvelle synergie*, octobre.

VIGNEAU, François (1998). *Les espaces du sport*, Paris, Presses universitaires de France, coll. Que sais-je?

WIGGINS, David K. (dir.) (1995). *Sport in America; From Wicked Amusement to National Obsession*, Champaign, Illinois, Human Kinetics.

ZIMBALIST, Andrew (1992). *Baseball and Billions*, New York, Basic Books.

ZIPP, John F. (1996). « The Economic Impact of the Baseball Strike of 1994 », *Urban Affairs Review*, vol. 32, n° 2, novembre, p. 157-185.

PARTIE

LE SPORT QUI FAÇONNE ET QUI STRUCTURE LA VILLE

CHAPITRE

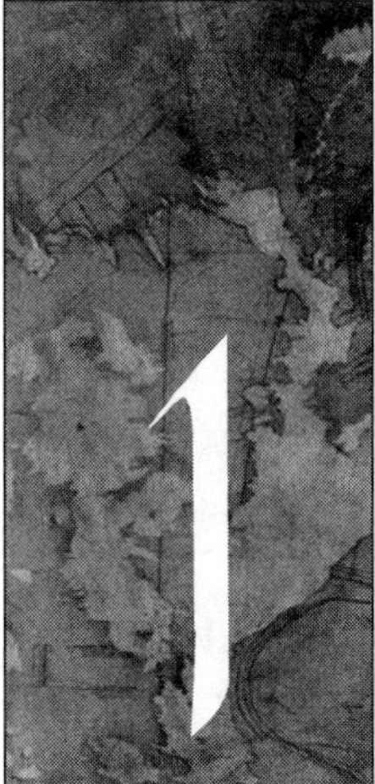

LE PATIN À ROUES ALIGNÉES À MONTRÉAL

EXPRESSION, ACCOMMODEMENT OU REVENDICATION[1]

Sylvain Lefebvre*
Université du Québec à Montréal
Jean-Marc Chouinard
Groupe DBSF

1.1. PLUS QU'UN PHÉNOMÈNE PASSAGER...

« Nul ne peut faire usage sur la chaussée de patins, de skis, d'une planche à roulettes ou d'un véhicule jouet. » Tel est le libellé de l'article 499 du Code de la sécurité routière du Québec. On ne peut être plus clair. L'intransigeance de l'article contraste toutefois avec l'omniprésence des patineurs à roues alignées dans les principales villes québécoises. Ce règlement n'est évidemment pas appliqué : on voit mal des policiers dressant des

* lefebvre.sylvain@uqam.ca – jmchouinard@dbsf.qc.ca

1. Ce texte s'appuie sur une étude réalisée par Sylvain Lefebvre et le Groupe DBSF : *Phénomène du patin à roues alignées. État de la situation et résultats de l'enquête sur la pratique du patin à roues alignées en 1998*, Montréal, ministère des Affaires municipales, Transports Québec et Tourisme Québec, janvier 1999.

contraventions pour mauvais usage de la voie publique. Curieusement, personne n'a encore demandé officiellement son abrogation comme s'il fallait à tout prix maintenir l'aura d'illégalité.

À Los Angeles comme à Vancouver, au sud comme au nord, en été comme en hiver, le patin à roues alignées (PARA), la planche à roulettes, le patin à roulettes et, depuis peu, les différentes formes de trottinettes plus ou moins high-tech sont en bonne voie de transformer non seulement les pratiques sportives et récréatives, mais aussi les modes de socialisation et de déplacement. Chose encore plus surprenante, cette glisse urbaine semble vouloir s'installer à demeure, comme si l'effet de mode ne semblait pas vouloir l'affecter. Certes, les types de glisse varient avec les années et les villes, mais la volonté de surfer dans la ville avec un minimum de frictions ne semble pas prête de s'effriter.

C'est surtout le phénomène du patin à roues alignées (PARA) qui est venu alimenter cette reconfiguration des « déplacements récréatifs sur roues » – dénomination officielle au ministère des Transports du Québec – avec des effets et un impact qui n'avaient pas toujours été prévus, même par ses plus ardents défenseurs.

En 1996, malgré une forte tolérance, les policiers de Montréal ont émis 125 contraventions à des patineurs plutôt indisciplinés dans les rues (slalom entre véhicules, manœuvres dangereuses, etc.). Chaque municipalité est cependant responsable de ses propres règlements sur l'utilisation de la chaussée publique ; certaines interdisent carrément l'utilisation des espaces publics aux patineurs, tandis que d'autres leur permettent l'accès aux rues à la condition qu'ils portent un casque protecteur. Par exemple, à Montréal-Est, le patineur n'a pas le droit d'entrer ni de circuler dans un parc public. À Mont-Royal, il ne peut utiliser la chaussée que pour traverser la rue à une intersection, mais comme la glisse est interdite sur les trottoirs, on peut se demander par quel miracle les patineurs peuvent effectivement se rendre aux intersections où l'on tolère leur présence. Le respect et le contrôle de ces divers règlements deviennent vite impossibles pour les policiers.

Un conseiller municipal de la Ville de Montréal causa tout un émoi, à l'été 1996, en déclarant qu'il fallait peut-être autoriser le patin à roues alignées sur la voie publique et soumettre ses adeptes au Code de la sécurité routière. Dans les faits, cette mesure semble tout à fait envisageable. En effet, les patineurs occupent tous les espaces urbains et utilisent les voies de circulation urbaines (pistes cyclables, rues, trottoirs). Selon une enquête menée dans la région métropolitaine de Montréal à l'été 1998, 69 % des répondants disaient respecter le Code de la sécurité routière et près de 47 % pensaient que la glisse était permise dans toutes les rues et dans tous les espaces publics. Puisqu'ils utilisent les infrastructures publiques de circulation, ne vaudrait-il pas mieux examiner sérieusement la possibilité de les soumettre au Code de la sécurité routière ?

Aux États-Unis, le nombre d'adeptes du PARA est passé de 3,6 millions en 1990 à 12 millions en 1993 et à 24 millions en 1995, soit des taux de progression annuels atteignant parfois les 50 %. En 1996, par contre, on ne dénombrait plus que 26 millions d'adeptes, soit une progression d'à peine 6 % par rapport à l'année précédente. Les chiffres préliminaires pour 1997 et 1998 indiquent un certain plafonnement de la croissance aux environs de 4 % à 5 % par année. Ce qui semble vouloir changer, par contre, c'est le profil des adeptes du patin ; les pratiques sportives de haut niveau ou qui exigent un entraînement de pointe paraissent vouloir laisser toute la place à une utilisation mixte de type promenade-déplacement et à des randonnées familiales ou en groupe.

Au Québec, les pratiquants du PARA (près de 400 000 personnes) sont aux deux tiers des hommes et se concentrent pour plus de 50 % dans le groupe d'âge des 16-25 ans. Les 26 ans et plus constituent 28 % des adeptes du patin comparativement à des pourcentages respectifs de 46 % et 26 % dans le cas du vélo. Dans les villes états-uniennes, par contre, la proportion hommes-femmes serait plus équilibrée, avec 53 % d'hommes. En Amérique du Nord, on estime que la pratique du patin a conquis de 30 % à 40 % du marché traditionnel du vélo.

1.2. UNE ENQUÊTE EXHAUSTIVE SUR LA PRATIQUE DU PATIN À ROUES ALIGNÉES

Validé par les mandants du ministère des Affaires municipales, du ministère des Transports et de Tourisme Québec, le questionnaire élaboré pour les besoins de la présente enquête a été conçu sur la base de trois thèmes centraux. Ce sont les aspects dominants de la pratique du patin à roues alignées qui ont, en fait, présidé à la détermination des thèmes privilégiés. Le premier de ces thèmes est le profil de la pratique du patin à roues alignées (il est ici fait référence aux modalités de pratique et de consommation) ; le second englobe les aspects liés à la sécurité, tandis que le troisième regroupe les informations sociodémographiques et socioéconomiques usuelles qui permettent de tracer le portrait type du patineur.

1.2.1. Sélection des sites

Notre souci de diversité quant aux lieux de pratique de l'activité en question nous a conduits à retenir les onze sites suivants :

- Piste cyclable du boulevard Gouin : secteur Ahuntsic-Cartierville
- Centre-ville : quadrilatère des rues Sainte-Catherine, Sherbrooke, McGill et Saint-Urbain
- Plateau Mont-Royal : quadrilatère des rues Saint-Denis, Saint-Laurent, Rachel et Mont-Royal
- Parc Maisonneuve
- Parc Jarry : piste extérieure
- Tazmahal : piste intérieure
- Parc Lafontaine
- Piste cyclable à proximité de la marina de Longueuil (Longueuil)
- Piste cyclable : Lachine – Dorval – Pointe-Claire (le long des berges)
- Vieux-Port de Montréal
- Canal Lachine

1.2.2. Sélection et formation des enquêteurs

La formation suivie par les cinq enquêteurs chargés de recueillir l'information comprenait, outre une familiarisation avec le domaine d'enquête, une description précise et détaillée de chacun des volets de l'étude.

1.2.3. Enquête terrain

Réalisées en situation climatique ensoleillée, à des jours et à des heures variables, les enquêtes ont eu lieu principalement les fins de semaine et les jours fériés. Ce choix s'explique par la combinaison de deux facteurs : les limites budgétaires et les expériences passées démontrant une plus grande circulation des patineurs durant ces journées particulières. Précisons, toutefois, qu'en raison des caractéristiques des sites d'enquête[2]

2. Outre les sites du centre-ville, du Plateau Mont-Royal et peut-être des pistes cyclables de Longueuil et de l'ouest de l'île, les sites d'enquête ont pour caractéristique première de représenter et d'offrir les conditions maximales de pratique du patin à roues alignées sur une base essentiellement récréative.

nous avons fort probablement rejoint des adeptes du patin à roues alignées qui se livrent à cette activité sur une base plus récréative qu'utilitaire. Ce qui nous amène à mettre en garde le lecteur relativement à une interprétation qui ne se ferait pas dans l'esprit autant qu'en concordance avec les conditions d'enquête et les contraintes de représentativité de l'échantillon.

Malgré les difficultés d'interception des patineurs aux points d'enquête situés dans la rue, nous avons été en mesure de remplir le questionnaire auprès de 578 adeptes de patins à roues alignées.

1.3. LES RÉSULTATS DE L'ENQUÊTE

1.3.1. LE PROFIL DES RÉPONDANTS

Certaines sources citées par la Régie de la sécurité dans les sports du Québec (RSSQ) révèlent que près de 70 % des pratiquants de cette activité aux États-Unis seraient âgés de 19 ans et moins et que 53 % seraient des hommes. Résultats que vient renforcer la maison de sondage canadienne Kormos, Harris and Associates. Dans le même sens, pour 1994, la RSSQ indique que plus de la moitié des patineurs canadiens sont âgés de 14 ans et moins (58 %), 13 % de 14 à 19 ans, 9 % de 20 à 24 ans ; viennent ensuite, avec des taux respectifs de 10 %, les 25-34 ans et les 35 ans et plus.

Les résultats de notre enquête viennent nuancer quelque peu ces informations. En effet, bien que les hommes représentent 60,5 % de notre échantillon, ce qui va dans le sens des résultats obtenus dans le cadre des études auxquelles nous faisons référence, une forte majorité des répondants (86,3 %) est âgée de moins de 44 ans. La tranche d'âge la plus représentée est celle des 25-34 ans, avec 31,8 %, suivie de celle des 15-24 ans (29,6 %) et des 35-44 ans (24,9 %) (voir figure 1.1). On assisterait donc à un **déplacement** de la tranche d'âge, et, par contrecoup à un **déplacement** de la moyenne d'âge des adeptes du patin à roues alignées.

À ce stade-ci de l'étude, la liste et la diversité des facteurs explicatifs ne sont pas limitées ; nous posons, à titre hypothétique, les facteurs suivants :

1) la tenue de l'enquête en milieu urbain où la clientèle pourrait être plus âgée ;
2) l'écart, en années, entre les enquêtes concernées et la présente étude, la clientèle plus âgée se prêtant de façon progressive à ce type d'activité ;
3) l'embarras des plus jeunes à répondre au questionnaire.

Les répondants, francophones[3] à 87 % (voir figure 1.1), résidents de l'île de Montréal à 60,6 % (voir figure 1.2), se sont avérés être à 28,5 % des étudiants et à 25,6 % des professionnels (voir figure 1.4) dont le revenu annuel est inférieur à 40 000 $ (voir figure 1.3).

FIGURE 1.1
Répartition des répondants selon le sexe, l'âge et la langue parlée

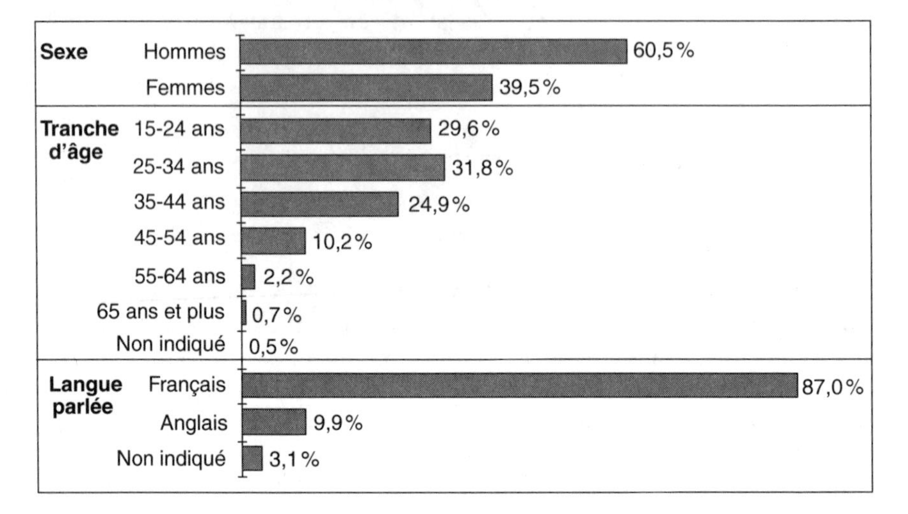

FIGURE 1.2
Répartition des répondants selon le lieu de résidence

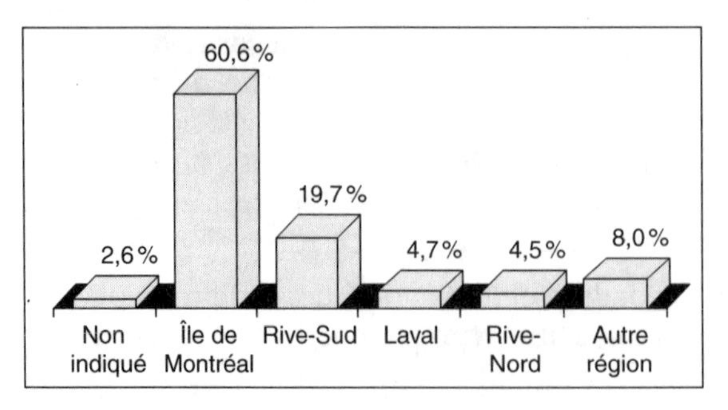

3. La figure 1.1 présente, entre autres éléments, la « langue parlée » par le répondant. À titre méthodologique, précisons qu'il s'agit de la langue d'usage, donc de la langue la plus couramment utilisée par le répondant. Il s'agit, en fait, de la langue *parlée à la maison*, qui peut différer de la langue maternelle (définie comme étant la première apprise et parlée).

FIGURE 1.3
Répartition des répondants selon le revenu

34,0 %
34,9 %
14,5 %
2,5 %
3,4 %
10,8 %
Moins de 20 000 $
20 000 $-40 000 $
40 000 $-60 000 $
60 000 $-80 000 $
80 000 $ et plus
Non indiqué

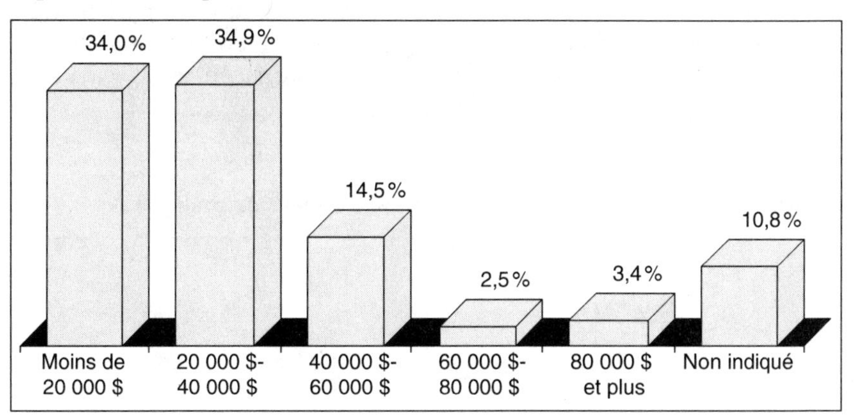

FIGURE 1.4
Répartition des répondants selon la profession ou l'occupation principale

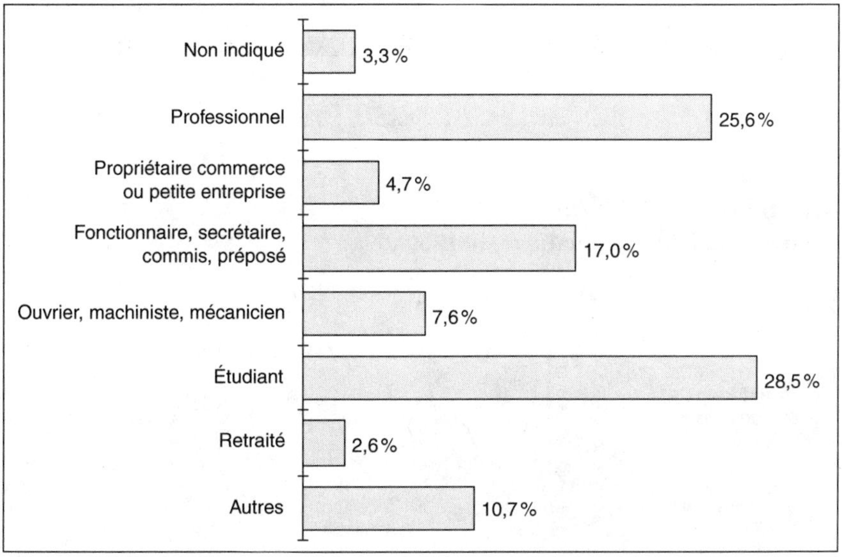

Non indiqué
3,3 %
Professionnel
25,6 %
Propriétaire commerce ou petite entreprise
4,7 %
Fonctionnaire, secrétaire, commis, préposé
17,0 %
Ouvrier, machiniste, mécanicien
7,6 %
Étudiant
28,5 %
Retraité
2,6 %
Autres
10,7 %

1.3.2. LE PROFIL DE LA PRATIQUE

C'est avec un fort pourcentage de 72,8 % que les patineurs participant à l'enquête disent pratiquer le PARA depuis trois ans et moins (voir figure 1.5). Parmi ceux-ci, une majorité (59,3 %) s'adonne de façon régulière à cette activité (voir figure 1.6).

FIGURE 1.5

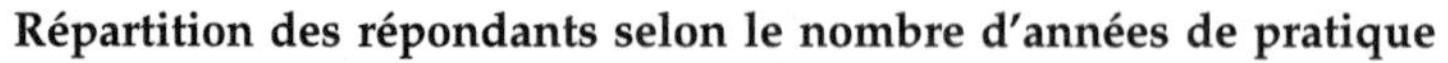

Répartition des répondants selon le nombre d'années de pratique

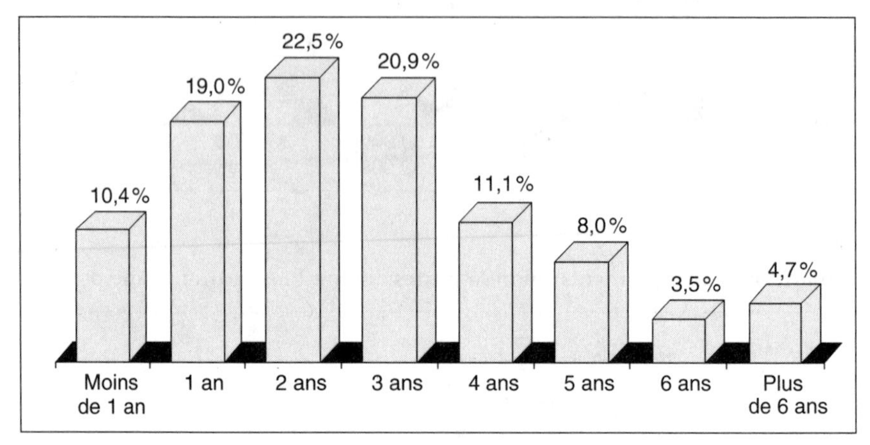

FIGURE 1.6
Répartition des répondants selon les modalités de pratique du PARA

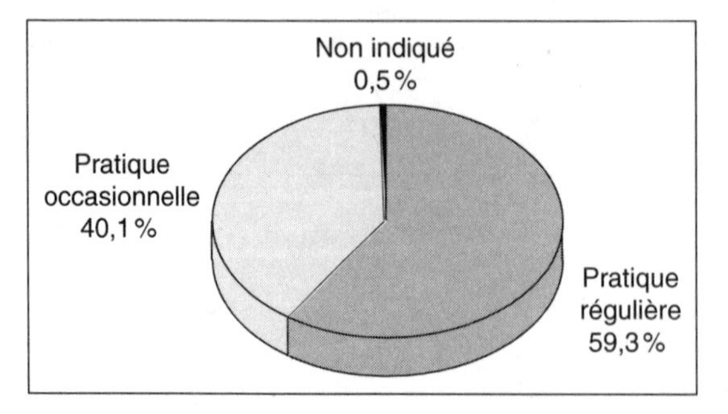

Du côté du rythme de sorties en PARA, notons que 66,6 % des répondants effectuent leurs sorties sur une base hebdomadaire, et 19,9 % toutes les une ou deux semaines. Parmi ces adeptes réguliers, 42,6 % ont un rythme de sorties hebdomadaires allant de une à trois, alors que 24 % d'entre eux effectuent quatre sorties par semaine (voir figure 1.7). Autant

FIGURE 1.7
Répartition des répondants selon le nombre de sorties

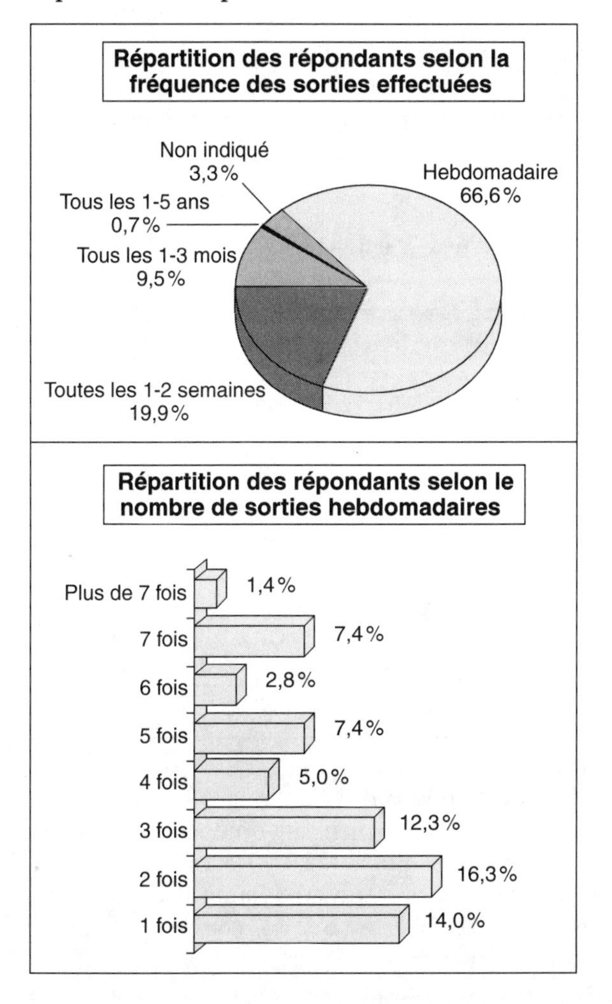

dire, donc, que lorsque la pratique du patin à roues alignées se fait sur une base régulière, elle se caractérise par une fréquence qu'il semble légitime de qualifier de **significative**.

La pratique du PARA prend la forme d'activités de loisir telles que la promenade (68,2 %) et les longues randonnées (10,7 %). Elle trouve aussi sa place dans des occupations plus ponctuelles ou encore plus centrées sur des besoins spécifiques, et le PARA se transforme alors en mode de transport (8,5 %) ou en outil de vitesse ou d'entraînement (8,3 %), comme le montre la figure 1.8.

Dans un contexte de pratique diversifiée, seuls 40,6 % des répondants précisent s'adonner à des activités dites **secondaires**. La longue randonnée (11,1 %) vole, alors, la vedette à la promenade (10,6 %), tandis que la course de vitesse (7,4 %) surclasse l'utilisation du PARA comme mode de transport (6,9 %). Ce qui ne laisse aucun doute sur le fait que la pratique récréative compte plus d'adeptes, que l'on parle de promenade ou de longue randonnée[4].

FIGURE 1.8
Répartition des répondants selon le type d'activité

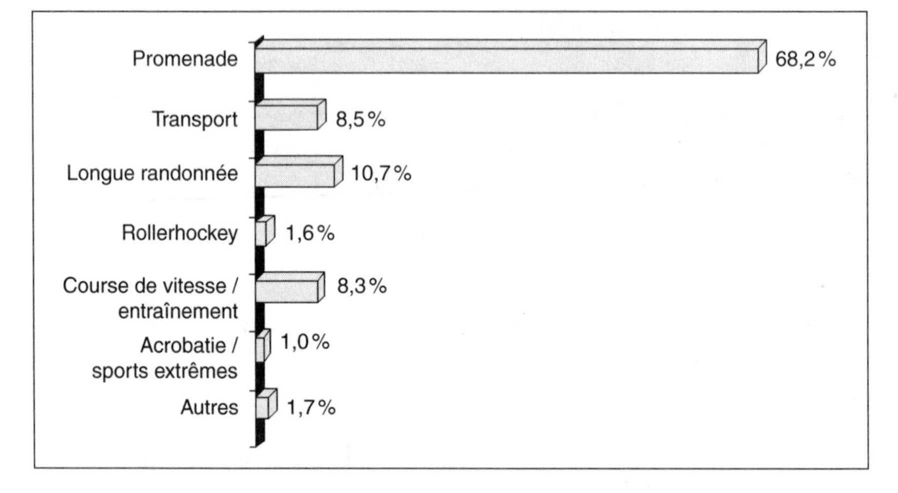

Les facteurs de motivation **principale** du patineur viennent confirmer cette tendance, puisque le loisir et le plein air occupent la première position avec 35,3 %, la deuxième position (32,7 %) étant occupée par l'exercice physique et le sport, suivis par une motivation liée aux sensations procurées et au sentiment de liberté (20,2 %), comme l'illustre la figure 1.9. En tant que motivation **secondaire**, l'exercice physique (26 %) surclasse le loisir et le plein air (21,1 %), ce qui, là aussi, renforce la tendance observée pour les activités secondaires, puisque la longue randonnée, qui se plaçait en tête de liste, y est perçue comme un exercice physique.

Seulement 27,7 % des répondants pratiquent le PARA en solitaire. Parmi les 72,3 % qui s'adonnent à cette activité en compagnie d'une ou de plusieurs personnes, 52,2 % le font avec des amis, 28 % en couple et

4. Rappelons qu'une des contraintes liées à la plus grande partie des sites d'enquête est celle d'un échantillonnage à forte représentativité de la pratique récréative.

FIGURE 1.9
Répartition des répondants selon la principale motivation de pratique du PARA

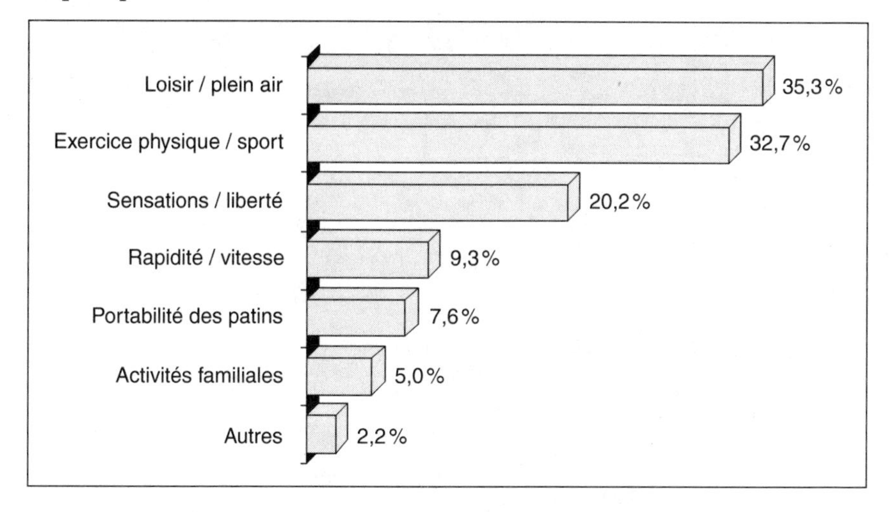

FIGURE 1.10
Proportion des répondants pratiquant le PARA accompagné

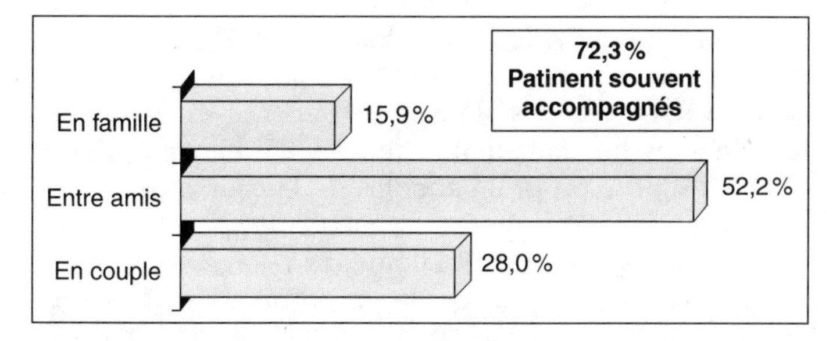

15,9 % en famille (voir figure 1.10). Ces résultats renforcent le caractère récréatif collé à la pratique de cette activité. Celle-ci prend des allures d'activité familiale (couples accompagnés ou non d'enfants) ou encore d'activité à laquelle il semble légitime d'attribuer le qualificatif de **sociale** (pratique avec des amis).

Voilà qui nous renseigne sur l'assiduité, sur la régularité autant que sur les **modalités** de la pratique. L'intensité nous est apparue comme étant complémentaire à ce type d'informations. Hebdomadairement, 36,5 % des répondants parcourent entre 10 et 49 kilomètres, 18 % entre 50 à 100 kilomètres et 10,6 %, de 1 à 9 kilomètres. Près de 2,8 % d'entre eux font plus de 100 kilomètres par semaine (voir figure 1.11). On constate donc qu'une

FIGURE 1.11
Nombre de kilomètres parcourus par semaine en PARA

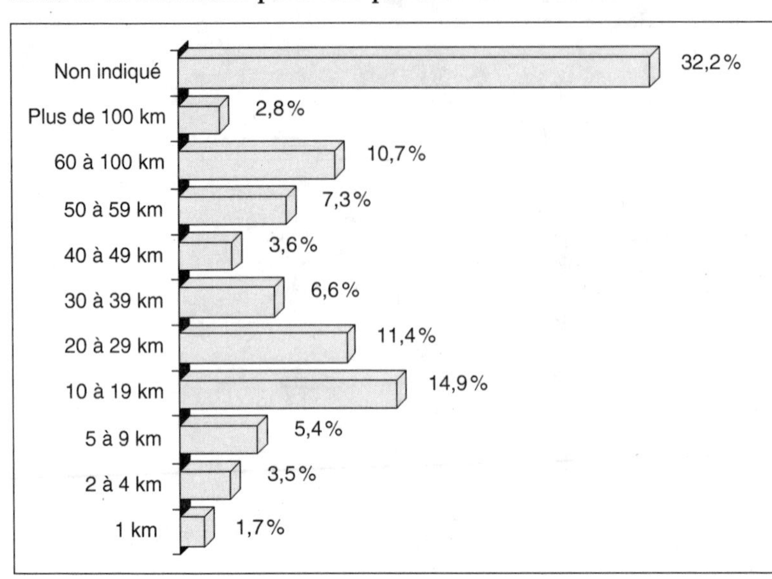

forte proportion des adeptes couvre, chaque semaine, des distances assez **substantielles**, puisque l'on parle de 10 à 49 kilomètres. Une telle distribution des répondants au regard de l'intensité de la pratique rejoint le mode d'utilisation du patin à roues alignées. En effet, il est permis de supposer que les distances hebdomadaires de 50 à 100 kilomètres et de 100 kilomètres et plus sont le propre d'adeptes de la course de vitesse, de longues randonnées à caractère sportif ou encore de sports extrêmes, alors que les distances maximales de 49 kilomètres rejoignent, fort probablement, les promeneurs et, en plus petite proportion, les adeptes de la pratique utilitaire.

Lorsque cette activité est pratiquée sur un mode utilitaire, la distance moyenne parcourue est de 5 à 15 kilomètres pour 42,8 % des répondants, et de 4 kilomètres et moins pour 39,7 % d'entre eux. De telles distances sont couvertes en moins d'une heure (48 %), et ce, en grande partie sur la voie publique. Bien qu'empruntant les pistes cyclables pour 35 % de la distance moyenne à parcourir, ces patineurs effectuent 32 % de la distance à couvrir dans les petites rues, 18,7 % de ce même parcours sur les grandes artères et les boulevards et, enfin, 6,9 % sur les trottoirs. Comme en fait foi le tableau 1.1, ils n'empruntent que dans un infime pourcentage les sentiers et parcours non asphaltés (0,4 %), ainsi que les sentiers multifonctionnels (2,1 %). On peut donc dire que le PARA utilitaire **transforme** les patineurs en **grands** utilisateurs de la voie publique.

Du côté des patineurs qui voient dans le PARA une activité à dominante récréative, les parcours dépassent 10 kilomètres (62,7 %) et sont d'une durée moyenne de une à deux heures (69,8 %). Les patineurs promeneurs empruntent les pistes cyclables pour couvrir 74 % de la distance moyenne parcourue et effectuent 13,1 % de cette même distance dans les petites rues. Les « délaissés » sont les sentiers et parcours non asphaltés (0,7 %), ainsi que les grandes artères et les boulevards (14,9 %). Les patineurs récréatifs sont donc de grands utilisateurs des pistes cyclables, ce qui n'étonne en rien (voir tableau 1.1). La piste cyclable est aussi la voie la plus empruntée par les patineurs de longue distance. En effet, les parcours moyens, d'une distance de 10 kilomètres (90,5 %) ou de 30 à 50 kilomètres (34,3 %), sont à 76 % effectués sur ces voies cyclables et à 7 % dans les petites rues.

Nous l'avons vu précédemment, les répondants se sont, avec une forte majorité, avérés être des adeptes de PARA depuis trois ans et moins (72,8 %). Propriétaires de leurs patins dans un pourcentage élevé (89,6 %), les patineurs en ont majoritairement (79,3 %) fait l'acquisition il y a trois ans et moins (voir figure 1.12). Autant dire, donc, que l'achat de cet équipement coïncide avec les débuts de la pratique.

L'enquête indique aussi que les principales marques (Rollerblade, Oxygen, Bauer et K2) sont les modèles actuels les plus utilisés (64,3 %). Cette répartition correspond approximativement aux informations colligées auprès des principaux distributeurs de grandes marques de patins au Québec. Les répondants changent-ils assez fréquemment leur équipement ? Parmi les répondants qui ont renouvelé leur équipement (20 %), on parle généralement d'un seul renouvellement. Seuls 8,9 % disent n'avoir pas changé d'équipement. Le changement d'équipement, que ce soit pour des raisons d'usure, de non-satisfaction ou de performance, est donc peu fréquent.

Les dépenses annuelles moyennes liées à la pratique du PARA sont surtout consacrées à l'acquisition ou à la location d'équipement. On parle alors de dépenses moyennes annuelles allant de 50 à 149 $ pour 39,3 % des répondants, de 150 $ et plus pour 15 % d'entre eux, et de moins de 50 $ pour 8,5 % (voir figure 1.13).

L'un des objectifs de notre étude visait à cerner le potentiel touristique de cette activité, spécifiquement pour les segments de clientèle d'excursionnistes. Le PARA présente-t-il des attributs significatifs en tant

TABLEAU 1.1
Répartition des répondants selon le type d'activités effectuées en PARA, la distance moyenne des parcours, la durée moyenne des parcours et selon le type de voies empruntées lors de ces déplacements

	Utilitaire	Promenade	Longue distance
Nombre de répondants	**98**	**469**	**84**
A) Distance moyenne des parcours	(%)	(%)	(%)
– Moins de 1 km	2,0	0,4	0,0
– 1 à 2 km	25,5	3,6	1,2
– 3 à 4 km	12,2	4,5	0,0
– 5 à 9 km	22,4	13,0	2,4
– 10 à 15 km	20,4	40,1	25,0
– Plus de 15 km	6,1	22,6	65,5*
– Non indiqué	11,2	15,8	6,0
	100,0	100,0	100,0
	*(LD : 30 km et plus = 34,5 %)		
B) Durée moyenne des parcours	(%)	(%)	(%)
– Moins de 1 heure	48,0	7,0	3,6
– 1 heure	19,4	34,8	15,5
– 2 heures	11,2	35,0	46,4
– Plus de 2 heures	10,2	17,3	33,3
– Non indiqué	11,2	6,0	1,2
	100,0	100,0	100,0
C) Type de voies empruntées			
(Moyenne des % de la distance parcourue)	(%)	(%)	(%)
– Les grandes artères et boulevards	18,7	4,1	6,1
– Les petites rues	32,0	13,1	10,5
– Les sentiers multifonctionnels	2,3	3,4	1,9
– Les pistes cyclables	35,0	74,1	76,6
– Les trottoirs	6,9	3,3	3,4
– Sentiers et parcours non asphaltés	0,3	0,3	0,0
– Les arénas	3,6	0,5	1,3
– Autres (précisez) :	1,1	1,1	0,2
	99,9	99,9	100,0

que mode de découverte ou de liaison entre des points d'attraction et des activités ponctuelles ? Dans l'affirmative, il faudrait alors **tabler** sur ces attributs et en pousser l'exploitation. Ainsi, nos résultats indiquent que 49 % des répondants ont apporté leurs patins en vacances et que 11,2 % d'entre eux ont loué l'équipement lors d'excursions ou pendant leurs vacances (voir figure 1.15). Donc, environ 60 % des répondants pratiquent le PARA durant leurs vacances annuelles, ce qui laisse supposer qu'il devient, durant cette période, un outil de découverte ou de déplacement privilégié, sinon d'utilisation significative. Soulignons aussi le fait que

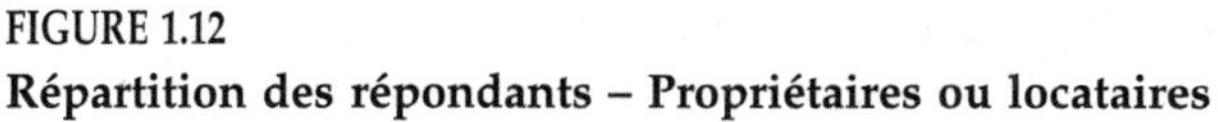

FIGURE 1.12
Répartition des répondants – Propriétaires ou locataires

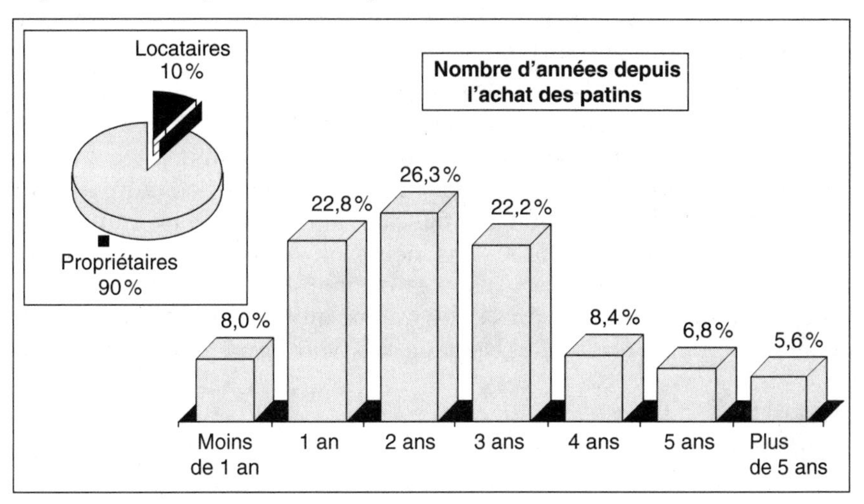

FIGURE 1.13
Dépenses annuelles moyennes liées à la pratique du PARA (activités et équipement)

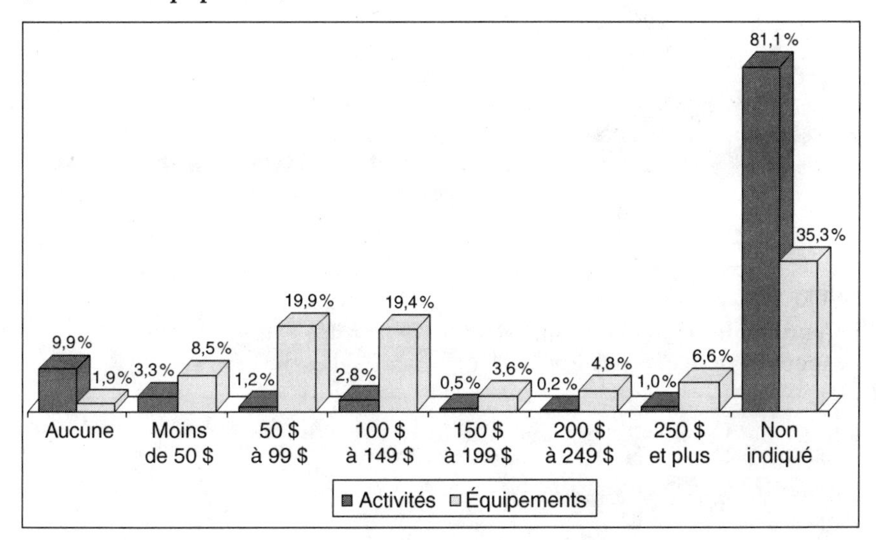

41 % des répondants se déplacent quelquefois dans une autre ville pour se prêter à cette activité. Les destinations les plus fréquentes sont, on s'en doute, assez diversifiées tout en étant principalement (45,8 %) centrées sur les régions du Québec (voir figure 1.14).

Pour terminer ce tour d'horizon du profil de la pratique du patin à roues alignées, les personnes interrogées devaient déterminer leurs principaux besoins liés à cette activité, selon un ordre d'importance. La plupart des demandes exprimées visaient l'amélioration de l'entretien des voies publiques, la réalisation de nouveaux parcours, la mise en place de sites réservés exclusivement aux patineurs, ainsi que l'obtention d'autorisations de circuler sur certains sites comme les places publiques, les centres commerciaux, les parcs et les métros ou lors d'événements particuliers tels que les festivals et les braderies (voir figure 1.16). Les besoins

FIGURE 1.14
Déplacement pour la pratique du PARA

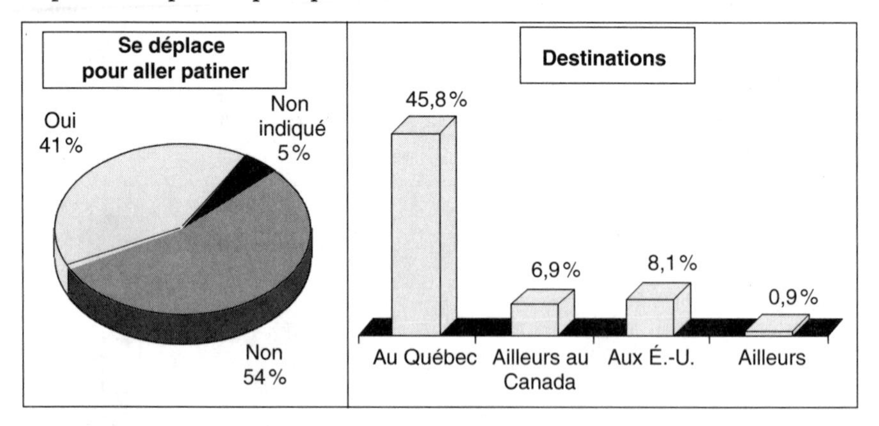

FIGURE 1.15
Proportion des répondants apportant ou louant des patins au moment de leurs vacances

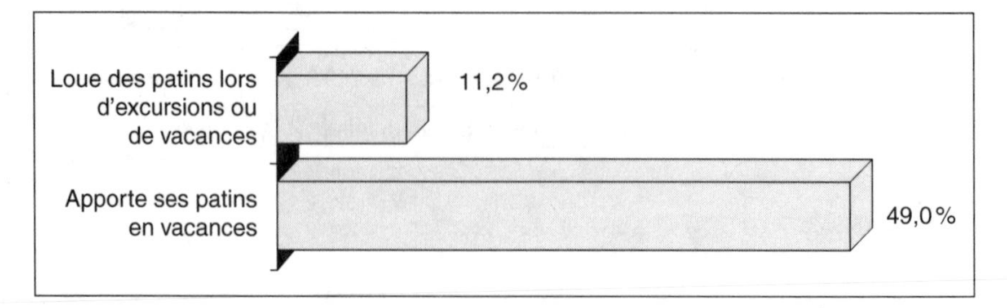

en perfectionnement des équipements de protection[5] ne semblent pas être ressentis comme étant prioritaires, puisque seuls 5 % des répondants en font mention (voir figure 1.16).

Les besoins en réglementation – bien qu'ils se classent quantitativement devant l'équipement – ne semblent pas, non plus, rejoindre des préoccupations centrales ou essentielles. En effet, seulement 9,7 % des répondants expriment la nécessité d'établir une signalisation routière plus explicite pour les patineurs, donc une signalisation qui, à l'enseigne de la signalisation déjà en place pour les cyclistes, serait réservée et établie expressément pour les adeptes du PARA, et 7,4 % seulement souhaiteraient une réglementation exclusive et normalisée à l'échelle de la province, dépassant donc les **conditions** locales et changeantes des différents territoires municipaux. Ainsi, les besoins exprimés par les répondants de notre enquête visent essentiellement une pratique plus sécuritaire et d'autant plus facilitée que plus agréable : un entretien adéquat des voies publiques, la conceptualisation de parcours et de sites exclusifs aux patineurs et une plus grande **latitude** quant à l'utilisation de ce mode de déplacement sur des sites ou lors d'événements particuliers.

FIGURE 1.16
Principaux besoins des patineurs

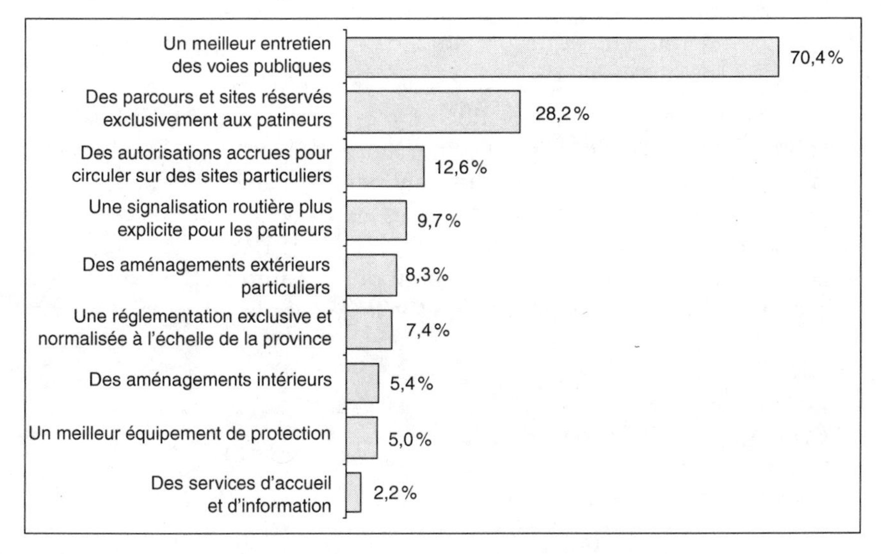

5. Il s'agit de l'équipement de base ou « classique », c'est-à-dire les protège-poignets, casques, protège-coudes et protège-genoux, ainsi que de tout autre type d'équipement de protection que le répondant utilise et conçoit comme en faisant partie.

1.4. LA SÉCURITÉ

C'est en matière de sécurité routière que le PARA suscite le plus de controverses. La vitesse relativement élevée de ce mode de déplacement cause des difficultés : une circulation rapide, parfois audacieuse et téméraire, augmente les possibilités d'accrochage avec les piétons ou avec tout autre usager des différents modes de transport partageant les voies publiques, ce qui, bien évidemment, accroît les risques de blessures. La compatibilité des modes de transport est-elle possible ? À cette étape de l'étude, nous pouvons tout au plus la mettre en relation avec une connaissance suffisante et une application rigoureuse de la réglementation concernant la circulation sur les voies publiques.

La connaissance de la réglementation en matière de circulation en PARA reste **floue**. En effet, alors que 69,4 % des répondants disent respecter le Code de la sécurité routière (voir figure 1.17), 46,7 % pensent que la circulation est permise dans toutes les rues et tous les espaces publics. La circulation sur les routes de campagne, sur les trottoirs et sur les grandes artères et les boulevards est considérée comme permise par respectivement 28,9 %, 24,4 % et 15,6 % des répondants (voir figure 1.18). Voilà qui traduit une méconnaissance de la réglementation réelle et, par contrecoup, permet de présumer une pratique quelque peu **périlleuse**. Il faut donc s'interroger sur la nature et sur les caractéristiques du « Code de la sécurité routière » que les répondants disent respecter et, donc, appliquer à leur pratique du PARA.

Dans les réponses à la question « Qu'est-ce qui menace le plus votre sécurité en PARA ? », deux grandes tendances se dégagent. La première, conforme aux besoins exprimés plus haut par ces mêmes répondants, vise l'état de la chaussée ainsi que les obstacles au sol (79,8 %). Dans cette catégorie, vient en tête de liste l'état de la chaussée avec 51,4 % (voir figure 1.19). La seconde tendance, quant à elle, établit que les autres utilisateurs de la voie publique – véhicules motorisés et vélos – sont la principale menace

FIGURE 1.17
Attitude des répondants à l'égard du Code de la sécurité routière

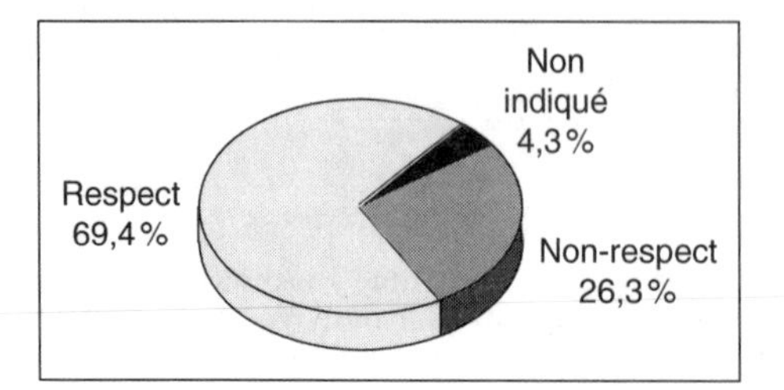

FIGURE 1.18
Perception ou connaissance des répondants quant à l'autorisation de circuler sur certaines voies

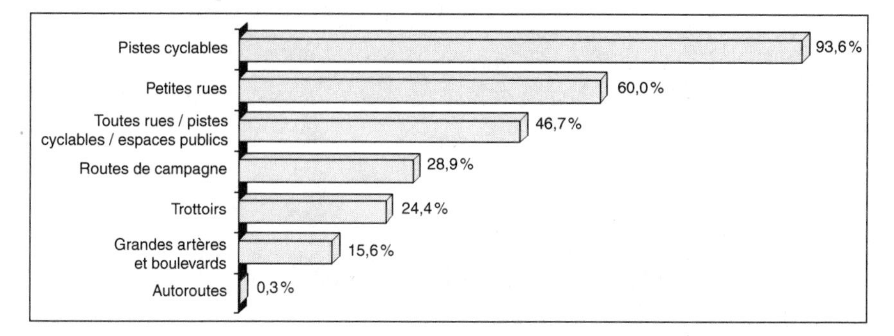

FIGURE 1.19
Aspects constituant une menace pour la sécurité du patineur

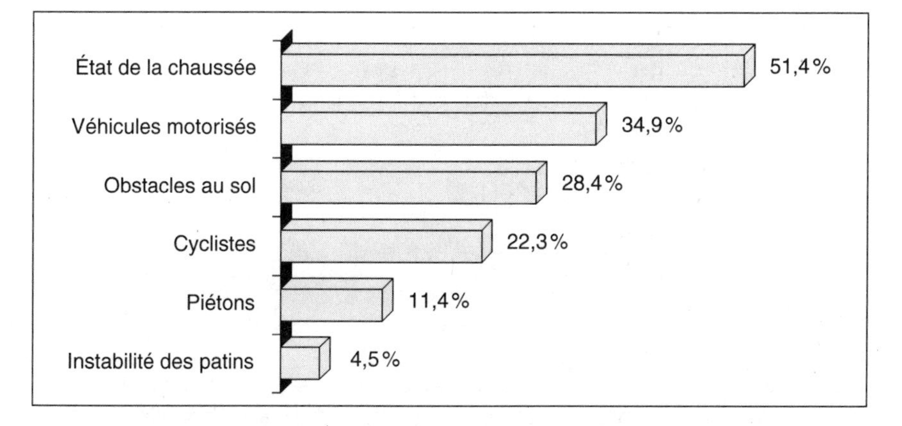

à leur sécurité (57,2 %). Les piétons ainsi que l'instabilité des patins constituent de faibles menaces, puisque seulement 11,4 % et 4,5 % des répondants y accordent une certaine importance.

La situation aux États-Unis laisse voir, entre les années 1994 et 1996, une tendance à la stabilité quant au nombre d'accidents associés à la pratique du PARA, et ce, malgré une augmentation significative du nombre d'adeptes. Cette décroissance relative du nombre d'accidents serait liée directement à la mise sur pied de campagnes de formation, de prévention et de sensibilisation en matière de sécurité routière s'adressant spécifiquement aux adeptes de ce type d'activité. Toutefois, notre étude indique qu'une infime partie seulement des répondants (1,4 %) ont suivi un cours de PARA (voir figure 1.20). Rappelons que, par ailleurs, nos résultats

FIGURE 1.20
Proportion des répondants ayant suivi un cours de PARA

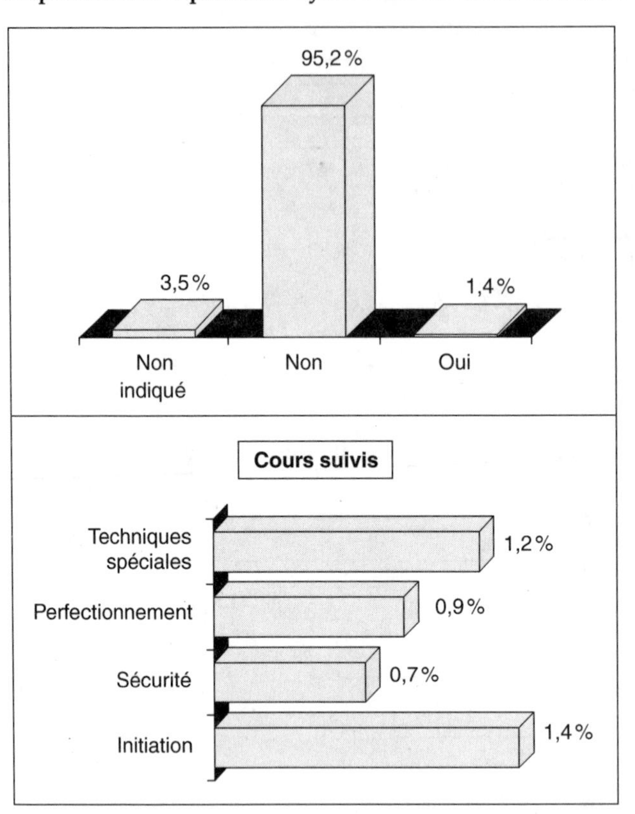

d'enquête soulignent une méconnaissance de la réglementation réelle en matière de circulation en patins à roues alignées. L'addition de ces deux constats met en place **un contexte de pratiques à risques**.

Dans le même souffle, 48,3 % disent ne maîtriser les techniques de freinage que moyennement ou avec difficulté (voir figure 1.21). Voilà qui vient **alourdir** le contexte mis en place par la méconnaissance de la réglementation et l'absence[6] de formation ou de sensibilisation en matière de sécurité routière.

Qu'en est-il des conséquences d'un tel contexte de pratiques ? Selon notre enquête, 43,4 % des répondants ont déjà subi de un à trois accidents ou chutes en PARA, 12,1 % de quatre à dix, et seulement 5,9 % affirment

6. Chez le répondant.

FIGURE 1.21
Capacité des répondants à appliquer les techniques de freinage

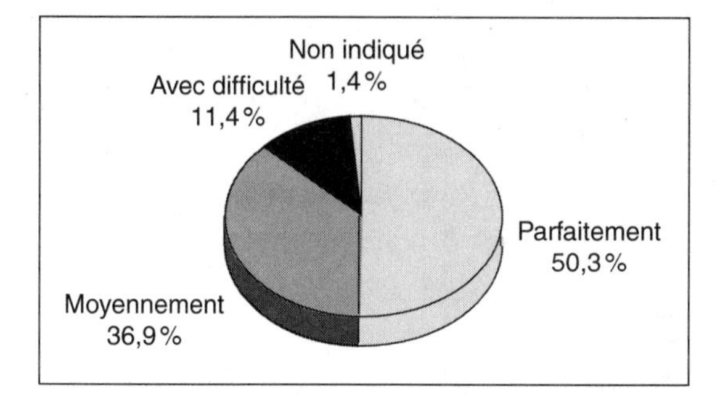

n'avoir eu aucun accident ni fait aucune chute (voir figure 1.22). Les types de blessures les plus fréquents lors de ces chutes ou accidents sont les ecchymoses et les éraflures aux jambes, aux coudes ou encore aux genoux. Dans un plus petit nombre de cas on parle de traumatismes musculaires, de fractures mineures et, avec un faible pourcentage, de fractures graves (voir les détails plus bas).

C'est dans des proportions assez semblables (24,0 % et 23,7 %) que les patineurs disent avoir subi un accident dans l'ensemble de leurs années de pratique et au cours de la dernière année. Par ailleurs, lorsque la période témoin couvre la dernière année seulement, c'est en grand nombre que les répondants affirment n'avoir subi aucun accident. Les chutes avec une fréquence annuelle de deux à dix sont le propre de 11,1 % des répondants (voir figure 1.22). Parmi les répondants ayant subi un accident ou fait une chute au cours de la dernière année, seulement 10,6 % disent ne pas avoir eu de blessures. Par ailleurs, 20,6 % de ces accidents ont entraîné au moins une blessure, ce qui semble être la situation la plus fréquente, puisque, dans 3,1 % des cas, de telles chutes causent deux blessures et que dans 1,9 % des cas on parle de trois à six blessures.

D'après les répondants, les accidents ayant entraîné des blessures sont surtout la conséquence (voir figure 1.24) d'une perte d'équilibre ou de contrôle (26,8 %) et d'une chute causée par la surface de roulement (18,7 %). Ce qui rejoint, en partie, les besoins exprimés par les patineurs, puisque, rappelons-le, 70,4 % des répondants ont dit souhaiter en priorité un meilleur entretien des voies publiques. Les autres utilisateurs de la voie publique, considérés par ailleurs comme l'élément principal de menace à la sécurité des patineurs, ne semblent représenter qu'un faible facteur d'accident, puisque seuls 5,2 % des patineurs les définissent comme tels.

FIGURE 1.22
Nombre total d'accidents ou de chutes en PARA et nombre d'accidents ou de chutes en PARA subis au cours de la dernière année

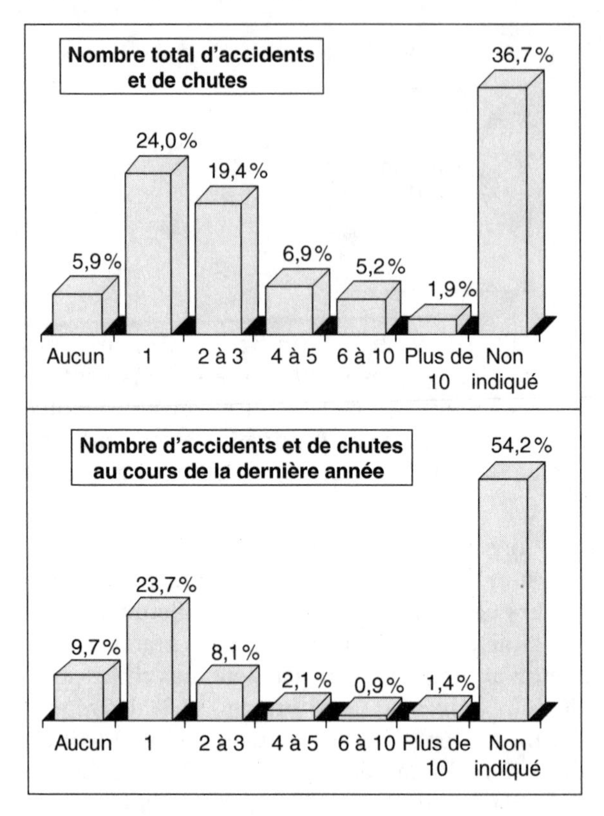

FIGURE 1.23
Nombre d'accidents ayant entraîné des blessures au cours de la dernière année

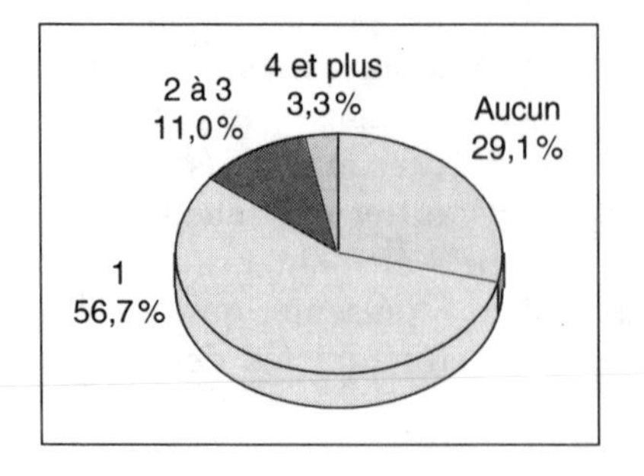

FIGURE 1.24
Causes des accidents subis au cours de la dernière année

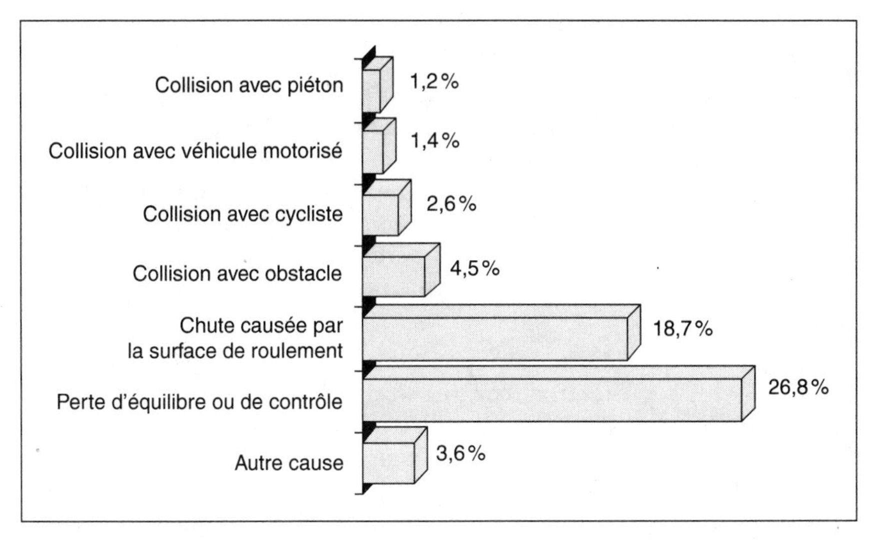

Du côté de l'attribution des fautes d'accident, c'est la manœuvre même du patineur qui est le plus souvent mise en avant (36,2 %). Un aménagement inadéquat n'est mis en cause que par 14,4 % des répondants et les manœuvres des autres usagers de la voie publique ou de la route ne sont désignées que par 5,9 % des patineurs interrogés (voir figure 1.25). Il faut donc en conclure que causes et fautes d'accident suivent, toutes proportions

FIGURE 1.25
Facteurs auxquels les répondants attribuent la faute des accidents

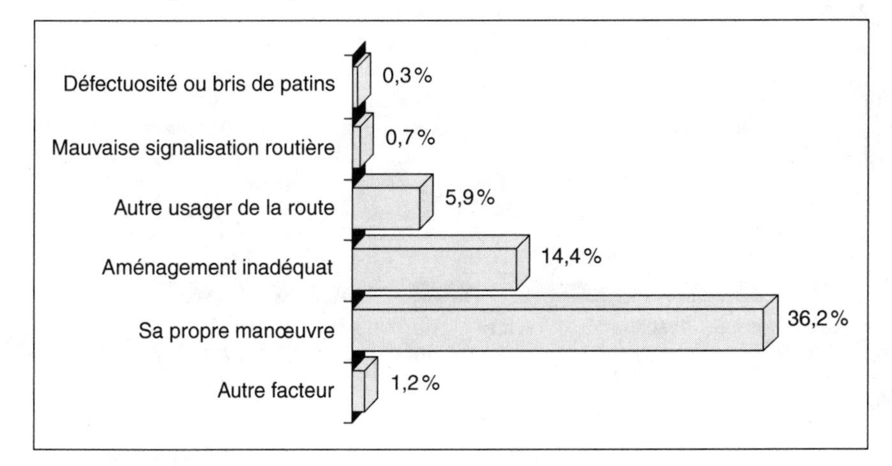

gardées, le même schéma. Le patineur se place en tête de liste avec une manœuvre augmentant les risques (perte d'équilibre, de contrôle, etc.), suivi par l'aménagement jugé inadéquat et présentant des conditions de pratique peu sécuritaires (surface de roulement).

Parmi les accidents avec blessures, quelles qu'en aient été la fréquence et la **période de référence** (voir figure 1.26), 27,2 % des répondants disent avoir surtout souffert d'ecchymoses et d'éraflures (jambes, genoux, coudes). Seulement 2,8 % des répondants ont subi des traumatismes musculaires, 1,7 % des fractures mineures (bras) et 1,2 % des fractures graves (poignet, clavicule). Tout porte donc à croire que la plus forte proportion des blessures subies présente un degré de gravité faible, pour ne pas dire nul.

Signalons que 24,6 % des répondants indiquent qu'ils portaient un équipement de protection (protège-poignets, protège-genoux) au moment de leur accident le plus grave. Par ailleurs, 61,1 % des répondants n'étaient pas en mesure de donner de réponse à cet égard (voir figure 1.27). Une mise en parallèle de ces pourcentages avec ceux obtenus pour le **port habituel** d'équipement et le **port au moment même de l'enquête** de cet équipement (voir au paragraphe suivant) laisse supposer que le fait d'avoir subi un accident présentant un certain degré de gravité maximise les gestes de protection.

Parmi les patineurs interrogés, 65,2 % affirment pratiquer le PARA avec un équipement de protection, principalement des protège-poignets et des protège-genoux ; informations confirmées au moment de l'enquête dans 61,6 % des cas (voir figure 1.27).

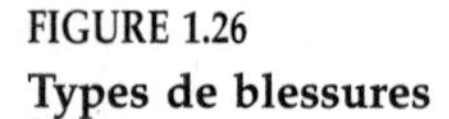
FIGURE 1.26
Types de blessures

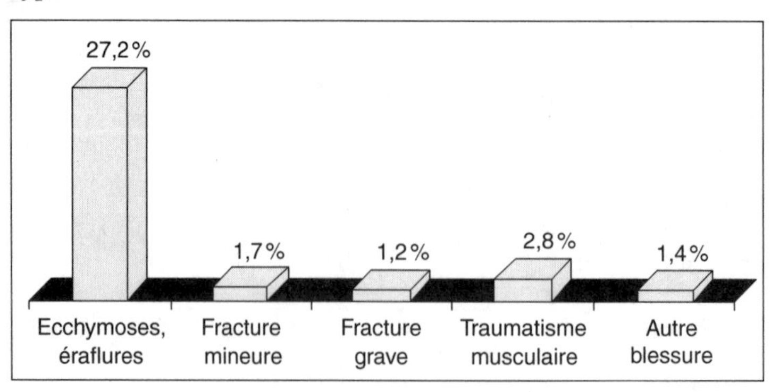

FIGURE 1.27
Port de l'équipement de protection

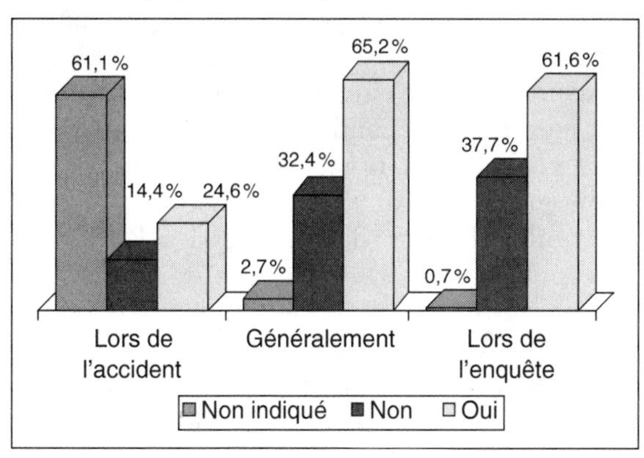

1.5. COMPRENDRE, PLANIFIER ET GÉRER LA PRATIQUE

Le patin à roues alignées exige – du moins en principe – des surfaces lisses, rigides et propres. Le trottoir, la rue, la piste cyclable se prêtent très bien à sa pratique, d'autant plus que les couloirs piétonniers aux intersections permettent de faire facilement fi des feux rouges. Toutefois, l'utilisation des trottoirs est déjà moins souhaitable, puisque, souvent, ils ne sont ni assez lisses ni assez larges, et aussi parce qu'ils sont parsemés d'obstacles (abris, bancs, bornes-fontaines, poteaux, etc.) qui réduisent l'espace nécessaire à ce mode de déplacement. D'ailleurs, pour les adeptes du PARA, les trottoirs sont à éviter pour des raisons d'efficacité, certes, mais aussi en raison de l'image moins reluisante qu'ils projettent du patineur.

Ainsi, il ne reste que les pistes cyclables, qui demanderaient cependant à être élargies pour accommoder les patineurs. En milieu urbain, ces pistes demeurent rares et l'encombrement est parfois tel que les patineurs choisissent de les éviter en raison du peu de flexibilité qu'elles offrent. Dès lors, le patineur à roues alignées est devenu l'ennemi juré du cycliste sur son territoire de prédilection. Après des années de revendications et de batailles épiques pour se faire une place au soleil et obtenir des infrastructures adéquates en milieu urbain, voilà que les cyclistes doivent désormais composer avec un utilisateur aussi rapide qu'eux et qui possède la fâcheuse caractéristique d'exiger une emprise latérale beaucoup plus large à l'intérieur des corridors de circulation. Avec une majorité d'adeptes peu expérimentés – donc plus lents et plus enclins à élargir leur « zone de manœuvre » –, les problèmes de cohabitation sur les pistes cyclables sont devenus chroniques à plusieurs endroits.

Lors du dernier congrès de Vélo Mondial, en juin 2000 à Amsterdam, la question des relations entre vélo et PARA a occupé une place centrale dans tous les ateliers. Le PARA est-il appelé à devenir un « autre » moyen de transport alternatif (écologique, bon pour la santé, peu coûteux, etc.) ou faut-il dès maintenant l'assimiler à une simple détente ? Les puristes du vélo sont plutôt enclins à voir le PARA comme un mode de déplacement fondé sur des valeurs entièrement opposées aux leurs, et qui n'entraîne ni retombées économiques ni impacts sur l'environnement urbain. D'autres choisissent plutôt de faire des adeptes du PARA des alliés afin de convaincre des municipalités récalcitrantes devant le coût des infrastructures nécessaires pour adapter la ville au vélo. Aux États-Unis, par exemple, on désespère quelque peu de trouver l'ingrédient magique qui permettrait de créer un engouement pour le vélo (effet de levier ou coup d'envoi) : le PARA serait peut-être cet ingrédient.

C'est en matière de sécurité routière que le patin à roues alignées suscite le plus de controverses. À cause des vitesses élevées atteintes par certains patineurs et en raison de la mobilité qu'offre ce mode de déplacement, il n'est pas rare que certains usagers dépassent largement leur seuil de compétence ; les collisions avec les piétons et les vélos en sont la conséquence directe. Notre enquête, effectuée à l'été 1998 auprès de 578 patineurs, démontre que plus de 95 % des usagers n'ont jamais reçu de formation reconnue et adéquate pour la pratique de cette activité. Ainsi, près de 44 % d'entre eux, au moins, ont connu un accident entraînant des blessures. Dans près de 27 % des cas, la perte de contrôle ou d'équilibre a été la cause principale de l'accident. De plus, près de 36 % des répondants à cette étude jugent leurs manœuvres inadéquates en pareille circonstance, et ce, malgré le fait que plus de 65 % d'entre eux portent un équipement de protection.

Autrement dit, on pourrait tout aussi bien prendre au hasard un piéton et supposer qu'il puisse maintenant se déplacer à une vitesse moyenne de 30 à 35 km à l'heure sur toutes les surfaces asphaltées et lisses d'un environnement urbain pour tenter de faire la démonstration que la pratique du patin à roues alignées est inoffensive et sans risque. Selon toute évidence, la nature même de cette activité suppose un risque élevé pour celui qui la pratique : la vitesse de déplacement est très rapide, parfois même beaucoup plus rapide que la vitesse moyenne d'un vélo ; le niveau de protection du patineur est relativement limité, même avec l'attirail sécuritaire de base (casque, protège-poignets, protège-genoux, protège-coudes). Ce niveau de risque est d'ailleurs à l'origine de plusieurs règlements et interdictions élaborés ou officialisés trop rapidement, sans aucune justification valable quant à leur pertinence ou à leur adéquation avec la réalité. Que l'on soumette la pratique du PARA au Code de la sécurité routière ou non, les plus grands défis en la matière pour les villes nord-américaines restent de reconnaître le PARA comme mode de déplacement et de clarifier le statut juridique du patineur dans la hiérarchie des modes de transport, et ce, autant pour faciliter l'applicabilité des mesures disciplinaires que pour mettre en place des mesures préventives.

CONCLUSION

Le patin à roues alignées amène une nouvelle façon de s'approprier la ville à partir de la rue. Patiner dans la ville, c'est emprunter et amplifier la marche à pied avec ses perspectives visuelles, ses sensations au niveau de la chaussée et du trottoir. Le patineur à roues alignées est un piéton rapide, sans être nécessairement un piéton pressé ; cependant il n'est pas là pour flâner et l'ivresse qu'il ressent est celle de pouvoir se faufiler dans la « jungle » urbaine sans que celle-ci ait de prise sur lui. Cet aspect est crucial dans la compréhension du phénomène. Il explique sa très grande popularité, son évolution et ses impacts sur les modes de vie. Alors que plusieurs experts avaient prédit que ce phénomène serait une mode passagère, force est de constater qu'il faudra bien désormais composer avec cette nouvelle dimension du paysage urbain.

BIBLIOGRAPHIE

AMERICAN ACADEMY OF ORTHOPEDIC SURGEONS (1995). « Injuries from In-Line Skating », *Position Statement*, février.

CLOUTIER, L. (1997). « Le patin en voie de supplanter le vélo ? », *La Presse*, Montréal, 18 novembre, p. D1-D2.

FRANCŒUR, L.-G. (1996). « 612 km de nouvelles pistes cyclables ! », *Le Devoir*, Montréal, 12 juillet, p. A1-A10.

GIRARD, M.-C. (1996). « Pas de patins, vélos ou planches à roulettes sur certaines places publiques », *La Presse*, Montréal, 8 août, p. A7.

HÉBERT, C. (1997). « Les lois du patin », *La Presse*, Montréal, 16 juillet, p. E8.

IN-LINE SKATING ASSOCIATION (1997). *In-line Skating Facts and Figures*, Sporting Goods Manufacturers Association (SGMA), p. 3.

LA PRESSE (1997). « La police en patins à roulettes », Montréal, 23 avril, p. A10.

LEFEBVRE, S. et GROUPE DBSF (1999). « Phénomène du patin à roues alignées. État de la situation et résultats de l'enquête sur la pratique du patin à roues alignées en 1998 », Montréal, ministère des Affaires municipales, Transports Québec et Tourisme Québec.

LEFEBVRE, S. et D. LATOUCHE (2001). « La glisse urbaine en Amérique du Nord », dans A. Loret et A.-M. Waser (dir.), *Glisse urbaine. L'esprit roller : liberté, apesanteur, tolérance,* Paris, Éditions Autrement, « Mutations », n° 205, p. 188-199.

LORET, A. et A.-M. WASER (dir.) (2001). *Glisse urbaine. L'esprit roller : liberté, apesanteur, tolérance,* Paris, Éditions Autrement, « Mutations », n° 205.

MYLES, B. (1996). « La Ville bannira roues et roulettes », *Le Devoir,* Montréal, 8 août.

PELLERIN, L.G. (1997). « Pour un usage sécuritaire des patins à roues alignées », *Municipalité,* ministère des Affaires municipales, Transports Québec, février-mars, p. 10-11.

THIBODEAU, M. et K. GAGNON (1996). « La Ville adopte son projet sur le patinage », *La Presse,* Montréal, 14 août.

CHAPITRE

2

L'IMPORTANCE DE LA CULTURE SPORTIVE EN MILIEU URBAIN

Jean-Pierre Augustin*
Université Michel de Montaigne-Bordeaux 3

Le mouvement d'urbanisation apparu au début du XXe siècle et qui s'est accéléré après 1950 a suscité des recherches sur les différentes problématiques urbaines dans toutes les sciences sociales. Ce sont celles qui tiennent compte des variations spatiales liées à l'évolution des structures économiques et sociales qui ont retenu notre attention. L'offre d'équipements sportifs favorise les pratiques qui s'inscrivent dans une logique de divulgation et de vulgarisation, alors qu'une autre logique de différenciation et de distinction est à l'œuvre en fonction de la place des groupes sociaux dans la ville.

* jpaugust@msha.u-bordeaux.fr

2.1. INSTITUTIONS SPORTIVES ET STRUCTURE INTERNE DES VILLES

La progression des pratiques sportives urbaines attestées par les enquêtes et les recensements divers se fonde sur des institutions et des installations sportives de plus en plus visibles dans le paysage des villes. Cette visibilité des équipements n'induit cependant pas une régulation de la répartition des sportifs en agglomération, ce qui pose la question du rapport entre pratique et équipements.

2.1.1. CLUBS ET INSTALLATIONS SPORTIVES

Les clubs sont les éléments de base du système sportif urbain, mais leurs objectifs et leur fonctionnement sont diversifiés selon les origines sportives, sociales et affinitaires qui ont amené leur création. Dans le cas de la France, on peut distinguer quatre grands types de clubs.

Le premier est celui des clubs à vocation omnisports qui ont été longtemps attachés à une stricte définition de l'amateurisme et qui sont marqués par les origines sociales de leur fondateur. Ce type reste aujourd'hui bien représenté, même si plusieurs ont dû, pour résoudre leurs problèmes de financement et d'équipements, se rapprocher des municipalités et faire appel à des circuits financiers multiples. Ils ont généralement bien géré cette évolution et restent les plus titrés des grandes villes[1].

Le deuxième type de clubs est le fruit d'initiatives qui peuvent être qualifiées d'extrasportives au départ. C'est le cas des clubs issus des patronages catholiques qui ont joué un rôle décisif dans le développement du sport, et plus particulièrement du football, du basket et de la gymnastique[2]. Quelques clubs sont issus, dans la même perspective, des patronages laïques, et il faut également situer dans cette catégorie les clubs ouvriers et corporatifs de quartiers populaires[3]. La logique de ces clubs a été de constituer des fédérations dites affinitaires qui ont développé leur propre organisation.

1. Callède, J.-P. (1992). *Histoire du sport en France. Du stade bordelais au SBUC, 1889-1939*, Bordeaux, MSHA, coll. Institutions sportives et sociétés locales 1.
2. Augustin, J.-P. (1985). « Les patronages catholiques dans l'espace français de 1914 à 1985 », dans G. Cholvy, *Le patronage, ghetto ou vivier ?*, Paris, Nouvelle cité, p. 91-106.
3. Augustin, J.-P. (1991). *Les jeunes dans la ville*, Bordeaux, Presses universitaires de Bordeaux.

Un troisième type correspond aux clubs spécialisés. Il s'agit généralement d'institutions où se pratique un seul sport, et dont l'attitude vis-à-vis du mouvement sportif et des équipements est différente, soit parce qu'elles ont des attaches avec le sport professionnel, soit parce qu'elles correspondent à de petites entreprises privées. Sous cette rubrique se placent par exemple les clubs cyclistes et, plus fréquemment, les clubs d'arts martiaux.

Enfin, un dernier type est représenté par les clubs municipaux formés sur l'initiative des collectivités locales et qui apparaissent surtout à la fin des années 1960. Quel que soit le type d'affiliation, le club est la pièce majeure du système sportif. De 1949 à 1998, le nombre de sections sportives des clubs, dont la quasi-totalité est implantée dans les agglomérations et les petites villes, n'a cessé d'augmenter en France où l'on dénombre 171 000 clubs et 14,5 millions de licences.

Principal organisateur du sport, le club a été longtemps le principal créateur d'équipements. On peut distinguer plusieurs étapes : durant l'entre-deux-guerres, et après un temps laissé à l'initiative privée, les municipalités s'engagent dans la construction d'équipements publics en raison du contexte politique et de la place prise par le sport et les loisirs. Une nouvelle étape est franchie en 1961 avec la première loi-programme d'équipements sportifs et socioéducatifs. L'État, en s'inspirant des grilles théoriques d'équipements, prend en charge une partie du coût des installations sportives nécessaires aux communes et accélère leur édification. Les terrains de grand jeu, de petit jeu, les gymnases, les piscines et les tennis se multiplient en France et marquent le paysage urbain, en particulier celui de la périphérie. Ils correspondent à une volonté de structuration de l'espace et d'aménagement de supports dans une perspective d'intégration sociale qui apparaît encore plus nettement avec la construction des ensembles sportifs et des bases de plein air. Ainsi, l'agglomération bordelaise dispose de 280 terrains de grands jeux, 132 gymnases ou salles polyvalentes, 30 piscines et 54 dojos pour les arts martiaux. Le nombre de courts de tennis a été multiplié par 20 depuis 1950, passant de 23 à 457 en 1986, et il faut en ajouter 115 si l'on tient compte des communes périurbaines. Le nombre des licenciés a progressé dans des proportions identiques[4], et le tennis apparaît comme le sport individuel dont la croissance est la plus forte en France avec la progression de 50 000 licenciés en 1950 à plus de 1,3 million en 1986 ; les effectifs ont cependant chuté depuis et se situent autour de un million en 1998.

4. Renaud, M. et F. Rollan (1995). *Le tennis : pratiques et sociétés*, Actes du colloque de Villeurbanne : Sport et insertion sociale, Bordeaux, MSHA, Lyon, Éditions Léo Lagrange.

La progression des effectifs des sports collectifs de salle est très forte en milieu urbain. Pour l'ensemble de la France, les licenciés de hand-ball sont passés de 8 500 en 1950 à 226 000 en 1998, ceux de basket de 95 000 à 427 000. Les deux sports ont bénéficié de la construction de gymnases pour lesquels un effort de normalisation architecturale a été entrepris depuis 1970. L'idée de complexes évolutifs couverts (COSEC) est née de deux séries d'exigences : d'une part, la nécessité de concevoir des salles pour les sports collectifs et, d'autre part, celle de proposer aux établissements scolaires les constructions indispensables à la réalisation du tiers-temps pédagogique et à la généralisation du sport à l'école. Le COSEC se présente comme un ensemble de salles et d'annexes fonctionnelles, pouvant évoluer par des adjonctions nouvelles ou par la spécialisation de certains de ces lieux. À côté des COSEC, la construction de gymnases et de salles polyvalentes, de conception plus traditionnelle, a aussi permis la forte progression des pratiques en proposant sur l'ensemble de l'espace urbain de nouveaux lieux d'activités.

2.1.2. MODÈLES D'ATTRACTION GRAVITAIRE

Le rapport entre pratiques et équipements sportifs reste une question complexe et insuffisamment étudiée pour l'instant. Les théories d'économies spatiales proposent un modèle d'interprétation dans lequel interviennent plusieurs variables représentant notamment le besoin et la distance. Une distance trop grande par rapport à l'équipement peut avoir un effet dissuasif. Les méthodes les plus usuelles de calcul reposent sur les modèles d'attraction gravitaire qui expriment l'interaction spatiale en fonction des attributs des agents et de la distance qui les sépare. Antoine Haumont cite une série d'observations effectuées dans la région de Londres, montrant que le temps moyen de déplacement consenti pour l'accès à un équipement est inférieur à vingt minutes et que les groupes à forts et moyens revenus ont la fréquentation la plus importante. D'autres études comme celle portant sur l'utilisation des piscines de Coventry donnent des résultats comparables[5].

Cherchant à proposer une répartition relativement régulière des services afin de faciliter l'accessibilité aux sports, les promoteurs d'équipements ont utilisé les analyses réalisées dans les pays industrialisés au cours des années 1970. La programmation des grilles d'équipements

5. Haumont, A. (1987). *Les espaces du sport*, Paris, Presses universitaires de France, p. 135-144.

publics a donc tenu compte de ces données et a favorisé les équipements de proximité ; des études récentes soulignent cependant que les modèles d'attraction gravitaire ne sont plus toujours les mieux adaptés.

L'augmentation des mobilités intra-urbaines liées à la multiplication des véhicules individuels et des transports en commun, et à la plus grande dissociation entre les espaces de résidence, de travail et de loisirs, transforment le rôle de la distance. De plus, les modèles classiques ne tiennent pas suffisamment compte du fait que la distribution des pratiques est fortement influencée par la place des groupes sociaux dans la ville. Ajoutons que les modèles gravitaires reposent sur le postulat de l'isotropie spatiale ; or, la plupart du temps, l'espace enregistre des perturbations structurelles multiples qui diversifient le contenu géographique, physique et humain de chacun de ses lieux. Il convient donc de chercher la nature de chaque configuration territoriale à l'aide de combinatoires spécifiques. Le modèle de formation sociospatiale proposé par Guy Di Méo[6] est susceptible, en tenant compte des héritages historiques, d'expliquer de quelle façon telle ou telle pratique sportive surgit et se cristallise, s'inscrit dans une banalisation de la diffusion des spécialités ou, au contraire, se dote d'une dimension socioculturelle particulièrement forte. Cette méthode offre l'intérêt supplémentaire de mesurer le poids des contraintes ou des incitations économiques, ceux des engagements politiques et de la stricte disposition géographique des lieux.

2.1.3. CADRES DE VIE ET DIFFÉRENCIATIONS SOCIALES

Des travaux établis[7] permettent de résumer quelques acquis dans ce domaine. La tradition d'une culture sportive des classes sociales aisées et moyennes est ancienne dans les villes et ne semble pas se démentir. Elle s'est maintenue dans les secteurs résidentiels alors que les sports populaires se sont implantés aux marges de ceux-ci et dans les quartiers ouvriers. Dans certains cas, on a assisté à un glissement du sport dans la ville, qui peut manifester une transformation sociologique profonde de son recrutement, annoncer des modifications dans la manière de jouer et une évolution des fonctions et usages sociaux de la pratique. Ainsi, lors des débuts du rugby dans la première décennie du XXe siècle, les clubs s'organisent sur plusieurs modèles : clubs bourgeois des quartiers résidentiels, clubs universitaires, clubs à la clientèle mêlée et clubs ouvriers

6. Di Méo, G. (1991). *L'homme, la société, l'espace*, Paris, Éditions Anthropos.
7. Callède, J.-P. et M. Felonneau (1981). *Pratiques et représentations de la culture*, Bordeaux, MSHA, 2 vol.

et banlieusards. Chacun se trouve, à l'origine, par sa localisation dans ou hors la ville, son recrutement, son organisation, porteur d'une identité sociale forte et spécifique, reconnue collectivement, et qui donne aux rivalités une teinte autre que sportive qui perdure dans le temps.

La distinction entre sports de prestige et sports populaires, même si elle a parfois tendance à s'atténuer en raison de l'évolution du nombre de sportifs, reste caractéristique des villes centres où les traditions se perpétuent dans quelques disciplines. Le sport choisi est alors valorisé par le groupe social et en particulier par la tradition familiale : il permet d'affirmer son intégration à un milieu, de nouer des relations amicales ou d'affaires pour les parents, et se situe nettement dans une perspective d'appartenance de classe. Les pratiques du hockey sur gazon, de l'escrime, du jeu de paume, du golf et du tennis sous certaines formes sont surtout développées dans les secteurs résidentiels aisés. À l'opposé, la tradition populaire a valorisé le cyclisme, la boxe, l'haltérophilie, la musculation et le culturisme, la lutte gréco-romaine et la pétanque. L'image sociale de tel ou tel sport est très forte, mais ce qui paraît exclure certains groupes, c'est moins l'exclusion de droit que l'exclusion de fait.

L'analyse de l'implantation des sections sportives dans les villes laisse apparaître plusieurs tendances. Tout d'abord, le nombre de licenciés par section est plus grand dans les secteurs résidentiels aisés que dans les secteurs populaires. Cela est vrai pour les sports collectifs comme pour les sports individuels. Ensuite, la structure des clubs est différente selon les cadres de vie : les grands clubs omnisports sont surtout implantés dans les milieux aisés, alors que les petits clubs de quartiers sont majoritaires dans les secteurs populaires. Ces premiers résultats amènent deux remarques : premièrement, il s'établit une hiérarchie entre les petits clubs et les grands clubs, et les différences perçues au niveau quantitatif se retrouvent au plan qualitatif. Bernard Jeu affirme que s'instaure une pratique médiocre et quasi prolétarienne dans les premiers et une pratique privilégiée de haute compétition dans les seconds. Il note que les ressortissants de sociétés importantes disposent d'un encadrement sérieux, sont détectés plus rapidement et sont prioritaires dans les stages de sélection ; ils s'écartent alors de plus en plus de leurs camarades des clubs inférieurs[8]. Deuxièmement, l'espace social n'est pas investi de manière identique selon les groupes sociaux. Dans les secteurs populaires, la pratique de l'espace est limitée à un périmètre plus réduit, et les habitants s'inscrivent dans les petits clubs qui sont identifiés aux quartiers.

8. Jeu, B. (1977). *Le sport, l'émotion, l'espace*, Paris, Vigot.

Dans les secteurs résidentiels, l'appropriation de l'espace est plus important, et les clubs ont un rayonnement qui dépasse largement le quartier. Dans les premiers cas, les cadres de vie étroits se maintiennent et peuvent être interprétés en fonction des modes de vie des habitants, alors que dans les milieux résidentiels et intermédiaires la plus grande mobilité s'explique par les meilleurs niveaux de vie.

Ces données générales attestées dans les grandes villes s'illustrent à Bordeaux où l'étonnante progression des équipements et des licenciés de tennis déjà évoquée cache de fortes disparités quant aux installations, aux affiliations et aux types de clubs, selon les aires urbaines. Il est ainsi possible d'opposer les secteurs aisés de Talence, Le Bouscat et Caudéran aux communes ouvrières de la rive droite de Bordeaux. En 1986, pour une population équivalente de 90 000 résidents, le premier ensemble compte 89 courts de tennis dont 51 sont privés et rassemble 4 433 licenciés dans les clubs les plus titrés de l'agglomération, alors que le second ne dispose que de 41 tennis dont 34 municipaux et ne rassemble que 1 454 licenciés dans les clubs de seconde série.

À Nantes, C. Suaud[9] a analysé le système des clubs de tennis et a obtenu des résultats identiques, confirmant la différenciation des pratiques et des modes d'organisation des clubs. Toujours à Nantes, P. Vincent[10] a étudié les activités sportives dans quatre quartiers de l'agglomération, choisis en fonction du contraste sociologique et du type d'habitat différencié qu'ils présentent. L'auteur constate que la pratique sportive caractérise les milieux aisés alors que le spectacle sportif est un comportement masculin et plus typiquement ouvrier. L'inscription dans un seul club de sports collectifs est caractéristique des milieux populaires qui font souvent référence à la performance physique et dont l'activité est tributaire de l'âge. La pratique d'un second sport est l'apanage des cadres où le choix d'un sport individuel permet le glissement d'une activité à l'autre et le maintien d'une pratique assez élevée avec l'âge. À Besançon, A. Griffond-Boitiers[11] note que dans les quartiers aisés la fréquentation sportive, signe d'une bonne intégration dans la société des loisirs, est plus forte que dans les quartiers populaires où dominent les sports de masse sans image de marque.

---

9. Suaud, C. (1985). *Le système des clubs de tennis dans l'agglomération nantaise*, Nantes, LERSCO-CNRS, Université de Nantes.
10. Vincent, P. (1983). « À chacun ses loisirs. Les pratiques des quartiers nantais », Nantes, INSEE. *Statistique et développement : Pays de la Loire*, p. 7-14.
11. Griffond-Boitiers, A. (1990). « Politique municipale et gestion du sport : l'exemple de Besançon », dans B. Errais, D. Mathieu et J. Praicheux (dir.), *Géopolitique du sport*, Actes du Colloque de Besançon, mars, Université de Franche-Comté, p. 329-351.

Il convient cependant de dépasser la simple opposition des secteurs urbains les plus éloignés afin de souligner les dynamiques qui y sont à l'œuvre, notamment en raison du jeu des acteurs institutionnels. Dans l'agglomération de Nantes, une étude sur le rôle de l'école primaire dans la participation des enfants aux jeux et aux sports montre que les établissements scolaires constituent des univers culturels très inégalement ouverts aux associations de loisirs environnantes. Ils exercent, selon les cas, une véritable force d'incitation ou de dissuasion par laquelle les enfants se trouvent soit portés à avoir des activités extrascolaires encadrées, soit maintenus à distance de toute instance d'encadrement. Pas plus que l'origine sociale des élèves, la situation scolaire n'agit de manière directe et mécanique sur la fréquentation sportive. La domiciliation dans la ville, les conditions d'existence des familles n'interviennent jamais autrement qu'en un système dans lequel un véritable travail de manipulation des besoins s'effectue.

2.1.4. SPORTS ET QUARTIERS DE RELÉGATION

C'est cette capacité qu'aurait le sport de favoriser l'insertion sociale qui pousse, en France et en Europe, les collectivités locales et l'État à le promouvoir dans les secteurs urbains les plus défavorisés où justement il est moins implanté qu'ailleurs. Les secteurs concernés sont d'abord les cités et grands ensembles où les risques d'exclusion se sont aggravés depuis une vingtaine d'années, en raison d'un mécanisme pernicieux de stratification sociale. Les habitants les plus favorisés abandonnent ces secteurs à d'autres familles cumulant généralement les handicaps et engendrant inévitablement de nouveaux dysfonctionnements. La relégation et la marginalisation nourrissent à leur tour l'exclusion. Ce mécanisme, qui n'a pas fini de produire ses effets, a vidé en quinze ans une partie de la population de ces quartiers qui restent les secteurs les plus sensibles des villes françaises[12]. L'INSEE considère qu'en 1993 près de 500 sites urbains rassemblant trois millions d'habitants, c'est-à-dire près de 7 % de la population urbaine, sont touchés, à des degrés divers, par ce processus. Pour y favoriser l'insertion sportive des jeunes, les pouvoirs publics ont lancé en 1991 l'opération « 500 équipements J sports » qui s'accompagne théoriquement d'une offre d'animation pour chaque site. Selon le ministère de la Ville, 300 000 jeunes ont profité, en 1992, des actions engagées et l'évaluation des dispositifs souligne leurs atouts et

12. Delarue, J.-M. (1991). *Banlieues en difficultés : la relégation*, Paris, Éditions Syros.

leurs limites. On attend beaucoup du sport là où d'autres politiques, éducatives, d'emploi ou de famille, échouent, mais le sport ne peut pas être dissocié de l'ensemble des pratiques sociales.

À côté du succès des sports collectifs et des pratiques individuelles comme l'escalade, le *bicross*, la planche à roulettes ou le rap, le basket fournit un exemple significatif, car il est depuis longtemps aux États-Unis un moyen d'intégration dans les quartiers pauvres et les ghettos. De la rue est né le « trois contre trois », où deux formations de trois joueurs s'affrontent sous le même panier. Puis l'idée de *playgrounds*, ces terrains grillagés à l'image des aires de New York, a fait son chemin dans les cités. En 1993, on estime à 500 les terrains susceptibles d'être créés grâce à l'opération « basket en liberté » soutenue par le journal Mondial Basket et les grandes firmes de chaussures, Nike, Reebok et Adidas. Il y a là de nouvelles chances d'insertion, mais aussi de nouveaux risques dans la mesure où des pratiques trop particulières peuvent à terme être réservées aux banlieues et renforcer l'exclusion. Entre une application stricte du modèle républicain – la même école et le même sport pour tous – et une réponse aux demandes de satisfaction immédiate du modèle communautaire, la perspective dialectique reste ouverte. Ce qu'on a appelé le modèle français d'intégration urbaine dans les banlieues vise à multiplier les initiatives et les innovations locales tout en cherchant à limiter les identités trop marquées qui, à l'image des États-Unis et de la Grande-Bretagne, risqueraient de remettre en cause les principes de la laïcité et des valeurs républicaines.

Les apports de l'écologie urbaine sont utiles à l'analyse des enjeux sociaux et à la compréhension du sport dans la ville, comme aux interactions qui y sont à l'œuvre. Ils doivent cependant être complétés par la prise en compte des mobilités de plus en plus fortes qui s'y effectuent en raison des flux de populations inscrites dans un processus centrifuge des localisations et des activités urbaines.

2.2. CENTRES ET PÉRIPHÉRIES SPORTIVES

L'essor des villes constitue l'un des faits dominants du XXe siècle et touche tous les continents. Les taux de la population urbaine sont généralement supérieurs à 75 % de la population totale et, bien que très inférieurs, ils progressent fortement dans les pays en voie de développement. Dans ce contexte, le mouvement d'exurbanisation autour des villes se renforce partout, posant la question des aménagements collectifs. En France, les tendances majeures de l'évolution peuvent être résumées en trois caractéristiques : une grande consommation de l'espace habité qui se poursuit au-delà des limites des villes centres et des banlieues ; la création et la spécialisation de nouveaux espaces fonctionnels dans le domaine de l'industrie, des services, des commerces, du logement, de l'éducation et des loisirs ; une nouvelle répartition des classes d'âge et des populations. Les villes centres ont généralement perdu une partie de leur population au bénéfice des périphéries urbaines, qui ont connu plusieurs étapes de croissance démographique.

Les institutions sportives et les équipements ont largement accompagné ces transformations et, du centre à la périphérie, le sport participe à l'insertion des populations et à la territorialisation des nouveaux espaces périphériques. En parallèle, l'accentuation des déplacements quotidiens ou de fin de semaine s'inscrit dans une relative désédentarisation des populations, qui amène la création d'espaces d'aventures utilisant la nature comme support d'activités, et particulièrement les espaces maritimes et de montagnes proches des villes.

2.2.1. BANLIEUES ET EXTENSIONS URBAINES

Dans le processus d'exurbanisation évoqué, ce sont d'abord les communes de banlieue qui bénéficient de l'apport démographique, puis celles de deuxième couronne sont touchées par la vague de population qui se déverse ensuite dans les secteurs périurbains. Ce mouvement est lié à la mobilité centrifuge des ménages à la recherche de logements locatifs ou visant l'accession à la propriété. Il est accentué par l'état du marché immobilier, l'évolution de la rente foncière et la généralisation du système de décohabitation. La croissance des villes françaises s'est généralement réalisée selon un schéma radioconcentrique, légèrement modifié par une politique volontariste qui a notamment favorisé l'édification des grands ensembles. On assiste d'abord à des avancées urbaines en « doigts de gants » le long des voies de communication, puis au remplissage progressif des interstices et à la formation de nouveaux doigts de gants. Les nouvelles périphéries urbaines se caractérisent par une population relativement jeune, composée de ménages de trois, quatre ou cinq personnes, avec de jeunes enfants et peu d'ascendants.

C'est en raison de la forte proportion de jeunes que les collectivités locales édifient les équipements collectifs, les écoles, les collèges, auxquels s'ajoutent très vite les institutions sportives. Outre ces équipements classiques, la périphérie se dote d'installations nécessitant de larges espaces inexistants dans les centres. Ainsi, les bases de plein air et de loisir, dont la vocation est d'offrir un éventail de possibilités permettant aux familles de trouver la satisfaction à leurs aspirations d'activités de loisirs, s'y multiplient. Les réalisations sont variées selon les lieux. Dans certains cas, il s'agit de créer un ensemble de grands jeux ou un complexe sportif par adjonctions successives de nouveaux équipements, alors que pour des réalisations plus importantes on parle de plaines de sports ou de plaines de jeux. Progressivement, la périphérie devient mieux équipée que le centre, et si l'on analyse le développement des pratiques sportives en périphérie, comme l'a fait J.-P. Callède (1986), on note une valorisation de l'espace qui s'inscrit dans des projets politiques, économiques et sociaux visant à qualifier le cadre de vie par sa valeur résidentielle et sa lisibilité, permettant l'identité locale.

Cette situation amène d'ailleurs des changements dans le fonctionnement des clubs des centres-villes qui ne peuvent se développer que par l'utilisation d'installations éloignées du siège social, et transforme les relations des pratiquants à l'équipement, puisqu'il faut organiser des transports réguliers pour la population domiciliée à proximité du club. Dans ce cas, l'éloignement des clubs et des équipements sportifs augmente la mobilité des pratiquants et rend complexes les analyses classiques d'attraction gravitaire. Pratiquement, tous les clubs historiques des villes centres ont été amenés à diversifier leurs installations soit par l'aménagement des équipements existants, soit par l'édification de nouveaux. Par ailleurs, malgré l'utilisation des équipements périurbains par les clubs du centre, la progression des pratiques est plus forte en périphérie. D'abord, de nouveaux clubs s'y sont créés et y manifestent un dynamisme en utilisant les structures qui leur sont offertes par les municipalités, et, ensuite, la demande sociale y est plus forte en raison des classes d'âge jeunes qui y sont surreprésentées. Cette tendance est vérifiée pour les sports collectifs comme pour les sports individuels traditionnels, mais est caractéristique pour certains d'entre eux comme le tennis et le judo.

Le tennis est souvent considéré comme un sport d'adultes, mais la proportion des licenciés de moins de 18 ans est, depuis 1975, toujours supérieure à 40 % des effectifs. Cette proportion évolue cependant du centre à la périphérie. En 1986, les jeunes représentaient 39 % des joueurs à Bordeaux et dans les communes de première couronne, alors qu'ils étaient 46 % dans les communes plus éloignées. On peut admettre que le tennis joue dans les communes périurbaines un rôle d'insertion sociale spécifique correspondant à un système de valeurs inscrit dans l'habitat et les pratiques sociales. Les populations résidentes composées de familles plus jeunes avec enfants y déterminent un projet éducatif qui, plus que dans la ville centre, est basé sur une stabilité du couple et du logement, sur une ambiance favorable à l'épanouissement physique et sur une sociabilité de voisinage. Ce projet, caractéristique des classes moyennes salariées, favorise la territorialisation de nouveaux espaces périphériques par l'insertion locale et les nouvelles pratiques associatives et sportives (tennis, judo, sports collectifs, gymnastique volontaire féminine).

Le judo offre l'exemple d'une pratique qui, née au centre des villes, se développe surtout en périphérie. Il apparaît au début des années 1950 à Bordeaux, et les premiers groupes s'organisent d'abord dans les quartiers centraux et péricentraux. C'est à la fin des années 1960 que les effectifs progressent rapidement grâce aux nouvelles implantations périphériques, qui deviennent rapidement les plus importantes. Cette situation s'explique par le fait que le judo est un sport pratiqué par les jeunes, avec 68 % de licenciés de moins de 15 ans au début des années 1990. C'est la classe d'âge des 11-15 ans, avec 36 % de l'ensemble, qui en regroupe le plus, mais la chute des effectifs est brutale après 15 ans : les 16-20 ans ne rassemblent que 11 % des effectifs et les 21-25 ans, 6 %. Les sections de judo ont accompagné la progression des enfants et des adolescents. L'initiative des enseignants de judo qui, formés au centre, ont créé des sections en périphérie a rencontré un accueil favorable chez les familles et dans les municipalités où peu de loisirs étaient proposés. Elle s'inscrit dans le projet d'insertion sociospatiale déjà évoqué.

2.2.2. Représentations et espaces d'aventure périphériques

Au delà des pratiques qui s'organisent dans les extensions urbaines en complétant celles des centres-villes et des banlieues, il faut tenir compte des nouvelles activités physiques et sportives qui s'effectuent de plus en plus à l'extérieur des villes. Les citadins fréquentent des aires de nature sauvage ou aménagée dont la finalité sportive est plus ou moins affirmée. Il s'agit d'une nouvelle perception de la nature qui devient support d'activités et partenaire sportif. Ces tendances valables pour une grande variété d'activités sont particulièrement visibles pour celles qui intéressent la montagne et la mer[13].

Tout paraît montrer que nous sommes, là, en présence de tendances fortes. L'augmentation des temps libres et les facilités de déplacement ont favorisé un certain désintéressement pour la vie urbaine et la recherche de nouveaux lieux identitaires qui ne sont plus seulement ceux du quartier, de l'entreprise et du club. Les nouvelles filiations se font par affinités, où les rapports traditionnels entre groupes sociaux, classes d'âge et sexes

13. Augustin, J.-P. (1986). « Pratiques de la mer et territoires urbains : de nouveaux espaces de loisirs sportifs pour l'agglomération bordelaise », *Revue de géographie des Pyrénées et du Sud-Ouest*, vol. 4, p. 586-609.

sont modifiés sans être totalement bouleversés. Dans ce jeu, le rapport à la nature se trouve profondément transformé et l'on peut évoquer la libération des corps sur le bord des lacs ou des plages. Le naturisme, hier encore contrôlé et limité à quelques lieux, a gagné depuis 1975 l'ensemble des plages et des bords de plans d'eau intérieurs du sud de la France. Cet abandon des habits de la ville pour une communion avec la nature est symbolique de nouveaux processus fusionnels, portés par les systèmes de représentation que les médias utilisent comme support publicitaire pour vendre des lieux ou des produits.

Les tendances repérables à partir des villes françaises se retrouvent dans tous les pays occidentaux. Au Canada, Roger Boileau et Donald Guay[14] notent que, depuis une quinzaine d'années, les activités de plein air ont connu une popularité sans précédent avec la multiplication par quatre du nombre de pratiquants urbains. Ils considèrent que ces pratiques répondent à un besoin de retour à la nature et de réconciliation avec l'environnement qu'a façonné la culture du pays. Ces activités se manifestent aussi de plus en plus en milieu urbain dont l'aménagement et le réaménagement témoignent d'un respect de l'environnement et d'une transformation des mentalités. Alors qu'hier encore les lieux de plein air étaient localisés loin des centres urbains, et la nature perçue comme un refuge du citadin, aujourd'hui les éléments naturels urbains et périurbains s'imposent comme des éléments essentiels du milieu de vie. Certaines tendances sont suffisamment fortes pour favoriser la reconquête des espaces urbains. Récemment, des éducateurs ont proposé que le béton des villes soit le support pour la démocratisation de l'escalade. Partant de l'exemple anglais où les murs d'escalade installés sont considérés, du strict point de vue de l'entraînement, comme étant supérieurs aux terrains naturels, les auteurs imaginent leur floraison sur les murs des écoles, des édifices et des logements.

Pour enrayer le départ des citadins et donner un sens à leur ville, les politiques publiques et surtout les municipalités se lancent dans des tentatives forcenées de marquage sportif : construction d'équipements, soutien associatif, médiatisation des actions. Ces évolutions sont résumées par A. Haumont[15], qui n'hésite pas à parler d'un « culturalisme sportif de la nature où le monde entier a vocation d'être un territoire pour la pratique », alors que, simultanément, « la pratique urbaine vise la naturalisation par le corps sportif d'un milieu artificiel ».

---

14. Boileau, R. et D. Guay (1990). *Pratiques corporelles, reflet de mutations sociales : le cas du Québec*, Québec, Les Presses de l'Université Laval.
15. Haumont, A. (1987). *Les espaces du sport*, Paris, Presses universitaires de France, p. 135-144.

CONCLUSION

Il reste à approfondir bien des aspects à peine évoqués ici sur les lieux abandonnés, reconquis, rêvés ou idéalisés : la voie pour des recherches multiples sur les territoires sportifs est largement ouverte. Elle ne se limite pas aux pays occidentaux que nous avons présentés, mais intéresse d'autres sociétés, en particulier les pays de l'Est et les pays en voie de développement où la transformation des pratiques entraîne là aussi la production de nouveaux territoires sportifs. Mais il faut insister sur la diversité des sens à donner aux territoires sportifs. Dans une première étape, le club mais aussi le patronage ou la société de gymnastique ont favorisé l'enracinement urbain. Puis l'intégration sociale a pris le pas et le sport est devenu porteur d'emblématique territoriale. Un premier glissement apparaît avec la création des équipements de services souvent construits en périphérie, qui individualisent les pratiques. La rupture décisive correspond à l'appropriation des nouveaux territoires sportifs en dehors des villes. Les citadins en quête de lieux où se forger une identité partent à la recherche des paradis perdus. Tout devient support sportif pour eux : la nature, la forêt, la montagne, le lac, l'océan. Enfin, les grands espaces de l'aventure s'offrent aux exploits en proposant de nouvelles frontières repoussant toujours plus loin les limites des territoires à conquérir.

BIBLIOGRAPHIE

AUGUSTIN, J.-P. (1985). « Les patronages catholiques dans l'espace français de 1914 à 1985 », dans G. Cholvy, *Le patronage, ghetto ou vivier ?*, Paris, Nouvelle cité, p. 91-106.

AUGUSTIN, J.-P. (1986). « Pratiques de la mer et territoires urbains : de nouveaux espaces de loisirs sportifs pour l'agglomération bordelaise », *Revue de géographie des Pyrénées et du Sud-Ouest*, vol. 4, p. 586-609.

AUGUSTIN, J.-P. (1991). *Les jeunes dans la ville*, Bordeaux, Presses universitaires de Bordeaux.

AUGUSTIN, J.-P. et C. SORBETS (1991). « Les enjeux du sport dans l'entreprise », 116e Congrès des sociétés savantes, *Genèse, état et incertitudes*, Paris, CTHS, tome 1, p. 143-154.

BÉGUIN, H. (1991). « La géographie économique », dans A. Bailly *et al.* (dir.), *Introduction à la géographie humaine*, Paris, Masson, p. 125-134.

BOILEAU, R. et D. GUAY (1990). « Pratiques corporelles, reflet de mutations sociales : le cas du Québec », Québec, Les Presses de l'Université Laval.

CALLÈDE, J.-P. et M. FELONNEAU (1981). *Pratiques et représentations de la culture,* Bordeaux, MSHA, 2 vol.

CALLÈDE, J.-P. (1986). « Dynamique spatiale et politiques d'équipements culturels et sportifs », *Revue économique du Sud-Ouest,* vol. 2.

CALLÈDE, J.-P. (1992). *Histoire du sport en France. Du stade bordelais au SBUC, 1889-1939,* Bordeaux, MSHA, coll. Institutions sportives et sociétés locales 1.

DELARUE, J.-M. (1991). *Banlieues en difficultés : la relégation,* Paris, Éditions Syros.

DI MÉO, G. (1991). *L'homme, la société, l'espace,* Paris, Éditions Anthropos.

DOLING, J. et J.G. GIBSON (1979). « The Demand for New Recreational Facilities : A Coventry Case Study », dans *Regional Studies,* p. 13.

DURET, P. et M. AUGUSTINI (1993). *Sports de rue et insertion sociale,* Paris, INSEP.

GRIFFOND-BOITIERS, A. (1990). « Politique municipale et gestion du sport : l'exemple de Besançon », dans B. Errais, D. Mathieu et J. Praicheux (dir.), *Géopolitique du sport,* Actes du Colloque de Besançon, mars, Université de Franche-Comté, p. 329-351.

HAUMONT, A. (1987). *Les espaces du sport,* Paris, Presses universitaires de France, p. 135-144.

HERIN, R. *et al.* (1985). *Les périphéries urbaines,* Actes du colloque d'Angers : Géographie sociale, Angers, 2 volumes.

JEU, B. (1977). *Le sport, l'émotion, l'espace,* Paris, Vigot.

LOUVEL, L. et G. ROTILLON (1985). *L'alpinisme ? Laisse béton !,* Paris, Éditions Scarabée.

LUCAS, J.-M. *et al.* (1985). *L'école primaire, les enfants et les jeux,* Nantes, Lersco-CNRS, Université de Nantes.

RENAUD, M. et F. ROLLAN (1985). « Espace social et sport féminin à Bordeaux », *Revue économique du Sud-Ouest,* vol. 2, p. 53-85.

RENAUD, M. et F. ROLLAN (1995). *Le tennis : pratiques et sociétés,* Actes du colloque de Villeurbanne : Sport et insertion sociale, Bordeaux, MSHA, Lyon, Éditions Léo Lagrange.

SUAUD, C. (1985). *Le système des clubs de tennis dans l'agglomération nantaise,* Nantes, LERSCO-CNRS, Université de Nantes.

VINCENT, P. (1983). « À chacun ses loisirs. Les pratiques dans quatre quartiers nantais », Nantes, INSEE, *Statistique et développement : Pays de la Loire,* p. 7-14.

CHAPITRE

SPORT VENUES AND THE SPECTACULARIZATION OF URBAN SPACES IN NORTH AMERICA

THE CASE OF THE MOLSON CENTER IN MONTRÉAL[1]

Anouk Bélanger*

Université Concordia

There has been a great surge of interest recently especially in association with the flexible accumulation thesis – in local spaces as the key units of capitalist production. This interest has arisen in a context in which regions implode into localities and nations explode into a complex global space. As part of this process, the role and significance of the nation State have become ever more problematical. As Gruneau and Whitson[2] put it, "By the late 1980s the postwar era of increased international trade was giving way to a post-national economy in which the effective power of governments to control transnational capital was diminished." In fact, there is an intense debate among geographers, sociologists and political

---

* anouk@alcor.concordia.ca

1. Since October 12, 2002, the arena is known as the Bell Center.
2. Gruneau, R. et D. Whitson (1997). « The (Real) Integrated Circus: Political Economy, Popular Culture, and 'Major League' Sport », dans W. Clement (dir.), *Understanding Canada: Building on the New Canadian Political Economy*, Montréal-Kingston, McGill-Queen's University Press, p. 359.

economists about the implications of these changes for cities. Still, there is widespread agreement that the new mobility of capital and the global spatial reach of communications technologies – when coupled with the deregulation of national economies – have created significant pressures on cities. These pressures have been exacerbated by technologically induced job loss in manufacturing industries, by de-industrialization more broadly, and by the "delocalization" and "decentralization" of various industrial tasks and functions.

3.1. THE MOBILIZATION OF SPECTACLE IN THE CITY

Some theorists see all this as giving new powers and opportunities to "the local" with the result that we are now seeing a resurgence of urban regional economies with "established metropolitan, a critical point at which regions and nature are wired into circuits of global business."[3] Other writers argue that globalizing processes "now erode the autonomy and distinctiveness of places at an ever-increasing rate." In this view, flexible accumulation and globalization simply mean that "decisions which have most impact on local labour, land and capital markets are increasingly taken at distances further removed, psychologically and geographically, from the locality and on the basis of what suits transnational organizations, not what benefits local workers, firms or consumers."[4] Meanwhile, the off-loading of former national subsidies of various types onto localities has actually diminished the autonomy of local authorities, forcing them into fierce competition for mobile international resources. In Harding and Legalès' words: "Transnational organizations hold all the cards in this game and can play sub-national authorities off against each other to the ultimate advantage of none."[5]

The key point here, in my view, is the recognition of intense urban "entrepreneurialism." Jessop[6] argues that the "entrepreneurial city" can be defined through one distinctive feature: "[its] self image as being

3. Harding, A. et P. Legalès (1997). « Globalization, Urban Change and Urban Policies in Britain and France », dans A. Scott (dir.), *The Limits of Globalization*, Londres, Routledge, p. 182.
4. *Ibid.*, p. 183.
5. *Ibid.*
6. Jessop, B. (1997). « The Entrepreneurial City: Re-Imaging Localities, Redesigning Economic Governance, or Restructuring Capital? » dans N. Jewson et S. Mac Gregor (dir.), *Transforming Cities; Contested Governance and New Spatial Divisions*, Londres, Routledge, p. 28.

proactive in promoting the competitiveness of [its] respective economic spaces in the face of international (and also, for regions and cities, inter- and intra-regional) competition." The entrepreneurial city can be understood as the dominant response to urban problems, as well as a "contributing element in securing international competition – or provincial – and national governments."[7]

During this time there has been a subtle shift in the nature of urban spectacles. According to Harvey, since 1972 the postwar urban spectacle has been transformed from counter-cultural events, anti-war demonstrations, street riots and the inner-city revolutions of the 1960s to more managed, accumulation-oriented spectacles to make the city a more attractive center for tourism, consumption and leisure. Echoing Harvey, Gruneau and Whitson[8] note that as industrial work has fled Northern nations to far more accommodating and flexible labor environments in the South, civic authorities in North America and Europe have been feeling more and more the need to offer the infrastructure and other incentives to attract businesses. Cities have long done this for manufacturing they argue, but now civic leaders campaign aggressively to attract the industries of spectacle to compensate for the diminishing numbers of jobs available in industrial employments. Cities also campaign for these spectacles in order to create appealing consumer and recreational environments, which, in turn, attract smaller contractors and professionals in the design, advertising, media and information industries. In addition, the entrepreneurial city, as Jessop[9] describes it, references the promotional re-imaging of local economies in and through discourse and projects about the space, as well as through the re-organization of urban governance to feature a greater reliance on the private sector.

According to Harvey,[10] much of the urban revitalization promoted in the U.S. in the 1980s involved "the mobilization of the spectacle" to draw tourists, shoppers and business back into the city through such things as the redevelopment of downtown areas, waterfronts, and other older areas. Fueled by the over-heated real estate market of the 1980s, this mobilization of the spectacle was manifest in a number of dramatic projects, around the world projects that ironically often had the effect of

7. Jessop, B. (1997). *Op. cit.*, p. 31.
8. Gruneau, R. et D. Whitson (1997). *Op. cit.*
9. Jessop, B. (1997). *Op. cit.*, p. 37.
10. Harvey, D. (1989). *The Condition of PostModernity*, Oxford, Blackwell.

sacrificing locally distinct areas to the interests of spectacular consumption. The global crash in real estate values in the late 1980s curbed the speculative nature of many of these developments. However, into the 1990s, cities continued to search for spectacular responses to industrial decay. In this context, Gruneau and Whitson note how citizens have been repeatedly exposed to "public discourses that aggressively celebrated the role of markets and consumer choices in the delivery of a better life."[11] Related to this, Harvey conclude that "the need to accelerate turnover time in consumption has led to a shift of emphasis from production of goods to production of events: marked shift in occupational structure and mobilization of spectacle."[12] It may be overstating the issue to say that these urban economies have transcended the nation State as a locus of capitalist accumulation, however large urban economies undoubtedly do have a renewed importance in the age of flexible accumulation. Spectacular entertainment and professional sports appear to be an increasingly important element of these urban economies as they compete for spectacular entertainment as a strategy for growth.

Harvey's argument that urban life, under a regime of flexible accumulation, increasingly presents itself as an immense accumulation of spectacles draws heavily from the work of the French situationist Guy Debord. In the 1960's, Debord had already observed that life in modern societies is experienced as an accumulation of spectacles. For Debord (1967), spectacle has a dual character: on the one hand, the spectacular nature of everyday life refers to the increasing passivity of human beings. In the society of the spectacle human beings are reduced to the status of mere spectators in history rather than that of active historical agents. The spectacle is the fetishized world of the commodity form, universalized like never before. On the other hand, Debord also uses the word spectacle to reference the highly mediated image-based nature of contemporary life. In the spectacle, Debord tells us, the complexity and contradictions of life become unified behind the veil of appearance.[13]

In this respect, Debord saw the increasing presence of the spectacle as an ideological expression of the development of capitalist accumulation. In other words, the spectacle can be viewed as a self-portrait of power at a particular time; most notably an urban expression of capitalist power relations. In Debord's view, the spectacle can be understood as

11. Gruneau, R. et D. Whitson (1997). *Op. cit.*, p. 359.

12. Harvey, D. (1989). *Op. cit.*, p. 157.

13. Debord, G. (1967). *La Société du spectacle*, Paris, Buchet-Chastel.

nothing else than the sense of the total practice of a social-economic formation, its use of time: the spectacle is the historical movement in which we are caught.

Debord offers important insights into a conception of the spectacle and of the re-organization of urban spaces through a mobilization of the spectacle and the commodity form. Still, we need to adapt his ideas with a caveat in mind. It is important to recognize that audiences are never simply being played with, alienated, manipulated and pacified by spectacle. Following Kevin Robins and David Morley,[14] for example, we can recognize possible participation, re-appropriation, and resistance to the spectacle from the public.

It is also important to recognize the extent to which the spectacular nature of contemporary life involves political dimensions that both augment and go beyond the commodity form. As governments in urban centers have sought to replenish their spaces, the neo-liberal climate of deregulation and deficit in North American cities has limited government's direct financial involvement in these re-developments or revitalization projects. The results have given greater promotional clout to private partners such as developers and real estate investors. This new clout achieved by the private sector has solidified in a climate of intense inter-urban competition around the industries of spectacle, a competition fueled by coalitions of civic boosters, investors, property owners and developers. Molson, with its beer-hockey synergy in Montréal, is an example of these built strategic alliances leading to a pattern of urban development that is necessarily connected to the promotion of spectacular consumption.

3.2. STRATEGIC ALLIANCES AND SYNERGIES AS KEY DIMENSION OF THE URBAN SPECTACLE

One thing that helped to stimulate new investments in urban entertainment was technological breakthroughs in digital technologies, most of them in the motion picture industry. These technologies meant that sophisticated special effects could be compressed in time and space, making it possible to situate attractions such as IMAX theatres in downtown locations where land is at a premium. At the same time that these technological breakthroughs were occurring, a number of important socioeconomic and demographic factors were contributing to a "new entertainment economy" that was gathering momentum in the U.S. and

14. Morley, D. et K. Robins (1995). *Spaces of Identity*, Londres, Routledge.

abroad. In Hannigan's words: "Together, the 'boomers' and the 'Xers' are regarded as the backbone for these new and sophisticated forms of entertainment that are conveniently located in urban settings. As visitors to the 'private city' they want to have the best of both worlds, embracing the benefits of traditional cities energy, variety, visual stimulation, cultural opportunities, the fruits of a consumerist culture without exposing themselves to the problems that accompany urban life: poverty, crime, racial conflict."[15]

This emergent entertainment economy became an attractive area of investment for entrepreneurial cities attempting to create a sense of distinctiveness about themselves and striving for the promotional title of "world class city." Investment in, and control of, this economy was one factor that underlaid significant changes in corporate strategies in the cultural industries in the 1980s and early 1990s, with a huge burst of activities centered around mergers, takeovers, acquisitions, joint ventures, alliances, and collaborations of various kinds.[16] In the current political economic climate corporations in the cultural sector have sought to combine a mobile and flexible approach to organization with tight control and a complex integration of their activities. Entrepreneurial cities have become an important part of this dynamic, and they are caught in it in the sense that they have to compete on a global playing field for investments, development projects and head offices of large corporations. For example, Montréal recently campaigned successfully to be the location for head offices of international animation software and multimedia companies Soft Image and Ubisoft as part of a project to reorganize a section of the Old Port as a exclusive area for these companies. Already home to international comedy, jazz and film festivals, the Grand Prix, etc., Montréal's ability to attract these multimedia companies was touted as an indication of the city's status on the cutting edge of multimedia entertainment.

An important aspect of mergers and new developments in the entertainment economy is the opportunity for cross-marketing and cross-ownership that has been taking shape through convergence. Convergence refers to the joining of marketing functions with production and distribution functions in different industries, as well as the integration of certain media technologies such as video and telecommunication. Convergence in the cultural industries also reaches out to encompass lifestyles, cultures and the built environment. As Hannigan puts it, the resurgence of the urban entertainment economy has benefited from a

15. Hannigan, J. (1998). *Fantasy City*, Oxford, Blackwell, p. 72.
16. Morley, D. et K. Robins (1995). *Op. cit.*

"recent escalation of 'convergences' or 'synergies' within and among the communications, entertainment, retail and real estate development industries that have influenced and changed the urban landscape, and therefore its cultural experience."[17] Through a series of mergers and take-overs, major conglomerates and corporations sought to both consolidate and diversify their holdings through vertical and horizontal integration in and outside of the entertainment industries. Edward Herman and Robert McChesney note how one industry observer has characterized merger activity through the 1990s as "an all-out rush to claim global turf."[18]

Consider some examples: In 1995, Walt Disney acquired Capital Cities/ABC for $19 billion; and in 1994 Viacom bought Paramount Communications, Inc. and, with it, Blockbuster Entertainment for $17.4 billion "giving it control of a variety of entertainment properties such as video rentals, a movie studio, a book publisher and MTV; Seagram, the Canadian liquor and orange juice giant, bought MCA for $57.4 billion, thereby acquiring a movie studio, a theme park and a theater chain."[19] Seagram has also recently acquired the European company Polygram music, as well as owning the Montréal Expos and the entertainment and real estate firm Trizec, the company which still manages the old Montréal Forum.

Even more relevant for the present study at hand are the "synergies" which characterize the Molson Corporation Ltd. As a parent company Molson owns the home retailing giants, Beaver Lumber, Home Depot and Réno-Dépôt, as well as Diversey Corporation, which specializes in industrial active desinfection and cleaning. Molson's parent company also owns Molson Breweries, the Canadiens and a series of affiliate companies, such as the television sports production company Molstar Communication. For Molson, the Montréal Canadiens NHL team is part of a "special enterprise," one that they qualify as an aspect of Canada's "heritage" along with the Forum. In Molson's integrated system, the Canadiens are used to market beer and Molstar is brought in to produce the games.

The Molson Corporation's involvement in television goes beyond mere game production. Molson also owns the national and local television rights to almost every Canadian team in the NHL, except Ottawa and Vancouver, which control their own local rights. All of these take-overs and mergers in general have been pursued with the objective of

17. Hannigan, J. (1998). *Op. cit.*, p. 61.

18. Herman, E. et R. McChesney (1997). *The Global Media: The New Missionaries of Corporate Capitalism*, Londres, Carsell, p. 53.

19. Hannigan, J. (1998). *Op. cit.*, p. 62.

creating growth through the control of both programming and distribution. Molson illustrates this objective most clearly with respect to the "beer-hockey" synergy that it has created and which is supported by its holdings in television and video production as well as by television re-broadcast rights. In the rapidly transforming business climate of the last decade entertainment and commercial activity under the Molson's umbrella became "complementary and mutually supportive of land uses in downtown renewal projects."[20] The planning and development of the Molson Center, new home of the Canadiens, was a further expression of this mutually supportive relationship, an issue to which I will return in the next section.

Strategic alliances have become especially notable in the area of sport, arguably one of the fastest growing merchandising sectors. Wasko and Philips[21] claim that major league contractual arrangements where a league licenses the uses of its name, logo, images of athletes, and team uniforms to other contractors generated over 2 billion dollars in revenues in 1992. Strategic alliances at the club level within major league sports have often been more directly connected to revenues generated from sports arenas and stadiums themselves typically because most league revenue-sharing agreements allow teams to keep 100% of any revenues raised in their own venue. One result of this has been a virtual fire sale of the official names of newly constructed stadiums and arenas. So now, instead of stadiums and arenas with generic or metaphorical names – Maple Leaf Gardens, the Montréal Forum, Boston Garden, the Olympia, etc. – downtown arenas proudly wear the names of new strategic partner-sponsors. Such has been the case, for example, with the new Corel Center in Ottawa, General Motors Place in Vancouver, the Air Canada Center in Toronto, and, most notable for my purposes, the Molson Center in Montréal.

Within this densely-packed world of synergies and strategic alliances the boundaries between culture, commerce and promotion are hopelessly blurred. It is a world that has proved to be irresistible to civic boosters and promoters in the entrepreneurial city. Like Steven Spielberg in the film industry the city has something to promote too – its distinctiveness and the vibrant nature and investment potential of its downtown areas. The idea is to build new "strategic alliances" around this "product," leading to a pattern of urban redevelopment that is necessarily connected closely to the promotion of spectacular consumption. In marketing their own

20. Hannigan, J. (1998). *Op. cit.*, p. 195.
21. Wasco, J. et M. Philips (1993). « Teal's the Deal in Sports Merchandise », *Oregon Sporting News*, printemps.

distinctiveness, entrepreneurial cities often engage in a "selective appropriation of past events and forces" which are then incorporated into a story or a sequence, which become the basis for a promotional campaign.[22] The appeal of such campaigns, discourses, and the built environments they promote, depends on the way they are able to resonate with memories of the space. Consumers are often drawn to new urban developments such as gentrified areas, cinema megaplex, theme parks and theme restaurants as well as stadiums and arenas because of the nostalgic appeal of "historical" architecture and heritage attractions.

3.3. PRIVATE INVESTORS AS SOCIAL AND SPATIAL ENGINEERS

In this context, the spectacle must sell/promote itself through discourses and strategies that are at the same time informed by local traditions and memories and that might re-organize, re-construct them. In this sense it is important to understand that the urban spectacle not only comprises the spectacular projects or the buildings themselves, but also the business strategies underlying them, the power relations associated with them, the marketing discourses associated with them, and the shared cultural experiences they create. In fact, it is these re-constructed cultural traditions and experiences as well as the re-organization of public spaces that should be the locus of the critique of the mobilization of the spectacle.

Arguing along these lines, Sharon Zukin[23] has noticed that these coalitions have helped to reorganize urban space around consumption to such a great extent that we can now refer to many of these places as "consumption-biased spatial complexes." In these consumption-biased spatial complexes new urban alliances are reconstructing the city primarily in terms laid out by the private sector. On the one hand these private investors have often been considered urban saviors as they offer cities a chance to reverse years of decay. However, on the other hand, they have also been blamed as profiteers and destroyers of established urban communities. New theme parks, gentrified spaces and entertainment complexes, the argument runs, are glaring monuments to the values of

22. Jessop, B. (1997). *Op. cit.*, p. 32.

23. Zukin, S. (1991). *Landscapes of Power: From Detroit to Disney*, Berkeley, University of California Press.

privatization and the reorganization of the "public" nature of space. A number of contemporary critics[24] have argued that the most significant consequence of the competition for privately-funded re-developments for contemporary North American cities is the erosion of the social and cultural experience of "publicness" in urban spaces and the redefinition of experiences of unity. While the commercial districts, which emerge from the spectacularization of space, provide places for the "public" to congregate, the problem is that these places are by no means "public" in the traditional sense of the word. These places "are carefully controlled and socially homogenized environments specifically orchestrated toward the spectacle of the commodity and the rationalization of high-end consumption."[25] While these spaces are often engaging and comparatively safe public environments, the price to be paid is the repressing or homogenizing of social, cultural and economic diversity.

There is one further aspect of the blurring lines between public and private investment, and public and private spaces, that warrants comment. In a provocative recent analysis of Sea World in San Diego, Susan Davis[26] draws attention to the hollowness of many claims to "publicness" made by privately-run spectacular uses of space. Sea World acknowledges that it is in the entertainment business, but it couches much of its activities in the language of "public" education. In addition, while Sea World appears to allow for the free movement of its visitors within the Sea World space, this apparent freedom conceals a corporate agenda designed to ensure that public movement is channeled into venues designed to sell food and merchandise. Moreover, surveillance in the space is very high and the tolerance for behaviors beyond a hypothetical "middle class" norm is minimal. Finally, the zoning concessions received to enable the Sea World development have removed effective control of the space from public hands.

Sea World turns nature into a spectacular urban entertainment, Davis argues, a space filled with interesting performances, fun and excitement. It is certainly possible that much of Sea World can be read in alternative, even oppositional, ways to provide, for example, a critique of the capturing and holding of live whales. However, her analysis

24. Examples of critics: Harvey (1989); Zukin (1991); Philo and Kearns (1993); Hannigan (1998).

25. Zukin, S. (1991). *Op. cit.*

26. Davis, S. (1997). *Spectacular Nature: Corporate Culture and the Sea World Experience*, Berkeley, University of California Press.

emphasizes how Sea World packages for its visitors hegemonic overtones. At Sea World the public nature of space is clearly oriented to consumerism more than citizenship.

On this point Hannigan argues, for example, that the working classes tend to be evacuated from the spectacular sites of the entrepreneurial city. "Such quasi-urban environments seek to provide all the energy, variety, visual stimulation and cultural opportunities of the real thing, while, at the same time, shutting out the problems that have come to accompany urban life, notably poverty and crime. In doing so, the new developments end up discouraging the mixing of different classes of people in order to make the city safe for the middle-class."[27] Continuing along these lines, he claims that such spectacular entertainment venues in the city provide a form of "affective ambience" which is perfectly suited to the collective mood of the 1990s, a culture of consumption based on images where: "[q]uasi-streets such as those found in Universal city walk in California may be inauthentic but they provide comfortable and convenient sites of social centrality where people can interact lightly in crowds without too much hinging on the outcome."[28]

Some critics also note that festival market places are too similar in their design and content and can therefore be easily interchanged. Urban landscapes are often sold on the basis of their distinctiveness, but ironically, they are often re-developed in favor of a singular North American generic model. On this point, Zukin argues that what is being created in urban spaces is a "national middle class culture as represented by a coast-to-coast chain of red-brick shopping centers with their standardized assortment of gourmet and ethnic food shops, crafts boutiques, bookstores, etc."[29]

Following these comments and critics around the effects of the spectacularization of urban spaces and at the same time the re-organization of public urban spaces through alliances with private partners, we can point at three important critical dimensions: the spectacle seems to modify cultural experiences of public spaces; it tends to marginalize certain classes around the city; and it necessarily involves the re-modeling of identities, traditions and memories attached with these spaces and places towards a North American generic model.

27. Hannigan, J. (1998). *Op. cit.*, p. 74.
28. *Ibid.*
29. Zukin, S. (1991). *Op. cit.*, p. 54.

3.4. MARKETING MEMORIES TO SELL SPECTACULAR SITES

We have seen how the re-development of urban centers across North America through much of the 1980s and 1990s has involved a "mobilization of the spectacle." One implication of this has been the growth of private investors as social and spatial engineers, as producers and re-definers of the urban "public interest" and of public uses of space. In these processes of promotion and re-definition, local history and the local past have been made to sell the projects initiated by investors and promoters. Interestingly, these new dynamics require that urban centers pull their cultural history in contradictory directions: on the one hand they require that the past be valorized; on the other hand they require that selective aspects of the past are devalued. Typically, the past that is being marketed and sold is selectively embellished, involving a re-construction of chosen historical fragments and, to use Connerton's[30] phrase, an "organized forgetting" of other fragments.

On such occasions, traditions, heritage and the past become "things" that enterprise and governments often exploit: they have become products.[31] And these products can be very popular: for instance, some public museums have shown that new levels of profitability are possible by representing the past in more spectacular ways, e.g., through Disneyfied modes of presentation using digital technologies and by capitalizing on nostalgia. Arguing along these lines, Frank Harris[32] notes how heritage museums of the industrial era in England are typically a testament of the greatness of a past era, one of economic dominance. In this case, it is a particular romantic nostalgia about an imperial industrial past that is represented and marketed. These memories became particularly comforting during the de-industrialization of large parts of England in the 1980s, providing incentive for people to come and pay to experience and re-live the glory of the past. Heritage sites and museums have been much less likely to display more contentious memories associated with poverty and deprivation unless they cloak these memories with romanticized images. According to critics such as Hewison[33] and Harris, the association of enterprise and heritage inevitably leads to more closed and conservative representations of the past rather than to more open or ambivalent re-orderings.

30. Connerton, P. (1989). *How Societies Remember*, Cambridge, Cambridge University Press.
31. Morley, D. et K. Robins (1995). *Op. cit.*
32. Harris, F. (1989) « From the Industrial Revolution to the Heritage Industry », *Geographical Magazine*, mai.
33. Hewison, R. (1987). *The Heritage Industry: Britain in a Climate of Decline*, Londres, Methen.

More generally, the spectacular sites are built, but also marketed and sold following particular logics: "The practice of selling and marketing places entails the various ways in which public and private agencies, local authorities and local entrepreneurs, often working collectively, strive to sell the image of a particular geographically-defined place, usually a city, so as to make it attractive to economic enterprises, tourists and even to inhabitants of that place." According to Philo and Kearns this selling and marketing usually involves a dual logic, both economic and social. In their words, "self-promotion of places may be operating as a subtle form of socialization designed to convince local people, many of whom will be disadvantaged and potentially disaffected, that they are important cogs in a successful community and that all sorts of 'good things' are really being done on their behalf."[34] A convincing re-packaging of the past plays an integral role in the strategies involved in the selling and marketing of the heritage places such as "festival markets places" and gentrified "old downtown" but also new stadiums and arenas because the acceptance of these places is crucial. The relevant point of this, for my purposes, is the extent to which such projects involve a conscious and deliberate juggling of culture and popular memory in order to enhance and customize their place-appeal. In many instances the promotional juggling of culture and memory is performed to promote traditions and lifestyles that are supposed to be locally rooted. But, instead, there is a great deal of invention behind these traditions, so that the selling of heritage places entails a construction of a "quasi-authentic" quality.

This is the core strategy associated with selling of historical places, and why such strategies are so closely tied to a commercialization of the past in the present context of flexible capitalist accumulation. Notably the selling of historical places is typically connected with a promotional discourse around a city's past and distinctiveness that refuses any sense of historical ambivalence. It is not that promotional discourses of "pastness" always ignore complexities of cultures, histories and memories; rather, as Philo and Kearns put it, they declare "mastery" over these realities by "dismissively rearranging them into new patterns that might earn money and acceptance."[35] There are various ways in which the managers of the entrepreneurial cities play with cultural and historical legacies, largely by de-contextualizing them and sucking any political controversy out of them. Blandness calls better to outsiders who might otherwise feel alienated and

34. Philo, C. et G. Kearns (1993). « Culture, History, Capital: A Critical Introduction to the Selling of Places », dans C. Philo et G. Kearns (dir.), *Selling Places: The City As Cultural Capital, Past and Present*, New York, Pergamon Press, p. 3.

35. *Ibid.*, p. 23.

it is less likely to encourage political defiance. Still, the selling of such blandness often takes on a politicized polemical tone, a point, as we will see in a moment, which has certainly been evident in Montréal. In order to sell their projects place marketers have often employed a variety of strategies, ranging from the mobilization of a "New Right" discourse that treats as reactionary any oppositional position, to the adoption of the "public" language of collective good, and to the "coding of 'friendly' consensual and locally rooted cultural historical references into the built environment so as to secure acceptance of present transformations."[36]

Local memories and nostalgia have come to play an important role for capital in the selling of places, not only as a resource for economic gain, but also, as Gramsci might put it, as a way of generalizing hegemonic interpretations of history and society so that these interpretations come to be widely seen as a matter of common sense. In this case, Molson (supported by a strategic alliance with the local government and facilitated by their established beer-hockey synergy) sought to produce for Montrealers a particular version of the past, invoking particular nostalgia, not only to legitimate their new arena project, but more importantly to convince the public to "let go" of the old one.

3.5. MONTRÉAL AND THE CASE OF THE MOLSON CENTER

To discuss these dynamics more clearly, I want to look into the particular case of Montréal and the shift in venue from the Montréal Forum to the Molson Center, the shift from a space embedded with local history, and memories to a new spectacular "consumption-biased" complex. In other words, I want to look at Montréal as an entrepreneurial city and at the example of the Molson Center as a spectacular entertainment site.

Montréal is an interesting site of debates about strategies of adjustment to the global political-economic forces of the 1990s. As Montréal has changed from an industrial space to a more post-industrial space and a post-referendum space, the relations of production-consumption have been transformed and the structure and meaning of urban public places has been subtly redefined.

Like most North American cities, Montréal at the end of the twentieth century is experiencing a profound series of economic and cultural transformations. Notably, the city's position as a major industrial and

36. Philo, C. et G. Kearns (1993). *Op. cit.*, p. 25.

financial center in North America has been challenged by global recessionary tendencies and the widespread economic restructuring occurring in capitalist societies around the world since the early 1970s. Such transformations are happening in a context of international restructuring of the capitalist economy, which implies a consolidation of supra-national blocks through de-regulation and free-trade agreements, the changing role of the Nation-State and the urban form as a central expression of these changes. The effects of these changes, though, have been mediated by Montréal's distinctive historical and cultural context. For example, widespread changes in the economy and culture of Montréal have occurred against the backdrop of postwar struggles for Québec independence, the election of pro-sovereignty governments, and significant changes in Québec's socioeconomic and demographic composition. In this context, the Québec State has tended to maintain a high presence in the city, not only as a promoter of Québécois business interests and as an investor in urban development projects, but also as a custodian of public memory. However, in recent years the role of the State in these areas has eroded and international private interests have arguably come to play a more prominent role than ever before both in Montréal's economy and in the production of urban social memories.

Facing a period of de-industrialization and the decreased power of the State and the public sectors, Montréal's development has come to rely increasingly on the private sector in a partnership and often a leading role, and therefore has to respect the private sector's particular agenda. Over the last three decades this has been evident in developments such as the gentrification of the Old Montréal, the Museum Just for Laughs, the Paramount multi-megaplex, and now the Molson Center, all of which have played a role in re-articulating a cultural experience of the downtown core around a mobilization of the spectacle. In this respect, I argue that the building of the Molson Center can be viewed as an expression of the restructuring movement of capitalist accumulation, especially around a beer-hockey synergy. Drawing on the popularity of hockey, the arena, and the Canadiens, Molson attempted to present itself as an urban savior contributing to the revitalization of Montréal.

The case of the shift in venues in Montréal offers an interesting expression of the customized spectacularization of urban space for various reasons. However this particular case becomes interesting when we acknowledge the strong popular attachment (political, cultural, civic and sporting) to the old arena. In fact, reference to the Forum and its particular meaning in Montréal was the key element in Molson's marketing campaign around the shift in venues. Markers of memory are powerfully encoded into popular cultural practices in general such as sports teams and the buildings that have housed these teams. But no sports team and no other building have been as culturally significant as the Montréal Canadiens and the Montréal Forum. Founded as an all French-speaking hockey team in 1909, Les Canadiens have acted to champion both Montréal's civic identity and Québécois cultural identities for nearly a century.

It is sometimes said that in Québec hockey is a kind of religion, and to the degree that this is true, the Montréal Canadiens have been the official church of hockey in Québec, and the Forum has been the game's Temple, its Sanctuary. It has also been said that the building was haunted by all the heroes of past teams, "throwing the torch to their successors from failing hands," so that the flame of hockey in Québec would continue to be carried shoulder high. However in 1996 the ghosts were forced to look on during a public auction in which the Forum's seats and other memorabilia were literally ripped from the building. In the end-of-the century world of staggeringly expensive urban sporting spectacle, the Forum no longer measured up as a prime vehicle for capital accumulation: no room for added luxury boxes; too uncomfortable for new up-market spectators; too expensive to renovate for enhanced media hook-ups and new digital media formats. So the building's owners, the Molson Brewery Corporation, decided it was time to move on to a new high tech arena/ entertainment venue.

Montréal is such a different context than other Canadian cities, Ottawa for example. For one thing, compared to the Ottawa Civic Center,[37] the Montréal Forum was still a viable arena. Secondly, Molson had the history, capital and the connections to build the arena mostly on its own. Indeed, Molson was often praised in the press for being "audacious" enough to launch and fully fund the Molson Center in spite of economic decline and in spite of political uncertainty of Montréal and of the province of Québec. Other grand projects of this sort, such as the Olympic Stadium, have stayed in Montréal's popular memory as municipal if not

37. The arena in Ottawa was made possible by the American corporation Ogden Entertainment Services which specializes in stadium management (among its clients are Rich Stadium, home of the Buffalo Bills; the Great Western Forum, home of the Kings and the Lakers; and the Arrowhead Pond, home of the Mighty Ducks). Ogden Entertainment Services was able to help convince a range of potential investors to finance the Palladium, notably some American and English banks who landed $95 million US to a Terrace Corporation's affiliate. In addition, Ogden provided a loan for $33 million CAN and Terrace Corporation itself invested $10 millions CAN. The Ontario government, and the Premier at the time, Bob Rae, refused to invest in the project but agreed to a loan of 25.6 million CAN, and the federal government offered a grant of $6 million CAN. Shortly after completion, Ottawa's major software company Corel paid to have the new arena take the company's name.

provincial disasters. The difference is, these disasters were publicly initiated, run, and funded, leaving a sour taste for such projects in Québécois culture. A local newspaper noted, for instance, how the "Olympic Stadium was the dream of a politician, mayor Drapeau, the project of an excentric French architect, and twenty years later, Montrealers are still buying cigarettes to pay for it, when it is sinking in a few inches a year, is having structural and roof problems and the Expos, the main occupants, are threatening to leave."[38]

With the Molson Center, the budget and the deadlines were respected and instead of having to take from public funds, Molson argued that the project would generate, through salary taxes, TPS and TVQ, and material and service costs, dozens of millions for the public treasury. In other words, in addition to taking the initiative to launch such a project in the precarious political and economic context of Montréal without asking any government help, the Molson Brewery promised to produce economic benefits through the construction of the arena itself and through an arena-enhanced downtown economy.

In 1996, the Montréal Canadiens were poised to move to a new "Temple," only this time christened with a corporate name: the Molson Center. Completely financed by private capital and integrated into the "revitalization" of the Windsor block in downtown Montréal, the construction of the Molson Center was heralded as an all-Québécois economic masterpiece. The creation of this new spectacular entertainment complex was promoted as a significant boost to Montréal's economy and as an act of bravery on Molson's part for solely financing this project in an unstable political and economic context.

However, the prospective closing of the Montréal Forum in favor of a new high-tech arena created an uproar of reaction in the city and launched an unprecedented wave of nostalgic sentiment. The Forum had emerged as a vital public space in Montréal, the argument ran. It was a commercial space, of course, but the building had been claimed symbolically over the years by "the people." Not only had the Forum provided a home for legendary hockey games, but also for concerts and political rallies that were significant in the development of Québec's pre and post-war popular cultures. As a much more self-consciously corporate space, the Molson Center threatened to redefine that vital tie to the Québec public by creating new exclusions and more distance from "the people."

38. *La Presse*, 3 mars 1996.

In promoting the shift in venue for the Canadiens, the planners and the builders were encroaching on tricky and even sacred territory. Molson had to be strategic, effective, but yet sensitive in planning their campaign. From the outset, the Molson Center became immediately a space simultaneously won and lost, an ambivalent, hybrid space of competing discourses. Molson understood the traditions well enough to know that the shift in venue would have to be a participatory event in the history of the city. It is important to reiterate here that the Molson Brewery Corporation had a privileged historical connection with Montréal as one of the city's most established corporate entities. Indeed, the company's own office building has been part of the city's image and imagination for almost a century. The building even forms part of my own memories, I grew up with the Molson sign just under the Jacques-Cartier Bridge looking over downtown. For many generations now, that sign and the Molson building have been integrated into Montréal's cultural fabric as well as Montréal urban landscape.

Building on the notion of political and cultural nostalgia around the decreased power of the welfare State and the fading participation of the public sector along with a romantic nostalgia for a traditional Canadian hockey and the Canadian's dynasty of past years in and around Montréal, the Molson family, and the Canadiens mounted a campaign designated to articulate the new spectacular urban site to older memories. The Molson Center was to become the same kind of place for the expression of identities as the Forum in its time, the argument ran, or at least it would aspire to reflect what the Forum stood for. In this discourse, the past along with traditions and memories was mobilized for a new promotional purpose.

The Molson Center was to become the fifth house of the Canadiens after the Jubilee Arena in 1910, the Montréal Arena in 1916, the Mount-Royal Arena in 1920 and the Forum in 1926. Acknowledging strong attachments to the Forum, Molson had to insist and persuade Montrealers that popular memories and traditions could in fact be effectively transported from one venue to another. In this regard, the company orchestrated a dramatic marketing campaign surrounding the shift in venues, striving to maintain close ties with Les Canadiens' history and legends, and criticizing a "conservative romanticism" that blinded people to new possibilities for tradition-making in the future. It started with a game of the "living legends" or the old timers at the Forum. A closing commemorative ceremony including various stars, politicians, a legend of the game and others was performed on the ice before the last game. The next day there was a public auction ($5 entrance fee) where all the historical objects of the Forum were up for sale (the profits going to United Way Canada). Commenting on this "public" auction, a local newspaper noted that: "The wealthy people who gathered at the Forum last night to pick the bones of the departing ghosts hoped to capture the intangible aura of the place. By bidding on the banners and time clocks and the penalty box, they hoped to bottle it and take it home. For a few, it was a chance to give to charity while indulging a personal memory."[39]

There is more. The day before the opening game in the Molson Center a parade was organized called "le Grand Déménagement" (The Great Move). The parade was designed to literally move the team, and the ghosts, and the memories from the old to the new arena, the Stanley Cup banners and some living legends. The theme of the parade was "the pride and soul of the Montréal Canadiens." Even the Forum's Zamboni (the machine that cleans the ice during hockey games) was officially part of the parade; in fact, it led the parade! Plundering the vault of historical symbols, the parade's organizers also included an Olympic torch meant to reinforce the traditions and memories of the old building. Molson was clearly trying to bank on symbols in enacting tradition in the streets of the city and included strolling giant ghosts in the parade that 200,000 people came to see. The promotional discourse was clear: the ghosts of the Forum were moving and the parade invited people to come and see it with their own eyes.

In addition, an "open house" day was held for the public to get familiarized with their new space (150,000 people attended). Molson's vice-president for arena operations stressed the importance of the open house in order to give the chance to everyone to come and see the new arena for themselves. "We want to give them the feeling ... and thank fans and citizens for their support."[40] This open house event was connected in the campaign with the claim that the arena was an "all-Québécois" masterpiece, the people's masterpiece. The open house was to strengthen a sense of public ownership and public identification with the building.

I took a particular interest in the way that Molson elaborated a marketing strategy, which put memory to work to create several types of support: political support, civic support, and fan support. This campaign was quite successful in constructing a hegemonic discourse around the eminence of change, the necessity of progress and the importance of

39. *The Gazette*, 18 mars 1996.

40. *Ibid.*

companies such as Molson to Montréal's civic and cultural life. However these discourses were marked by cracks and openings, which left room for competing interpretations and for critique. In fact, contradictions in interpretation do frequently arise because the articulation of culture and history by the place marketers sometimes runs against alternative understandings of local culture and built into people's daily encounters with city spaces. In my survey of the press, I found a diversity of popular themes amidst the reactions to the shift in venue, the promotional campaign mounted by Molson and about the two arenas.

Some journalists were fully supporting the move: "The new arena is not only the home of a team that is world class and a source of pride for all Montrealers, it also carries the proud name of a family with deep roots and commitments for this city... The Farewell to the Forum and the opening of the new arena were a true reflection of marvelous bilingual and bicultural character of Montréal. Much more than multi-million dollar real-estate deal and the launch of a new business venture, the Molson Center is what makes Montréal proud."[41] However the most recurrent theme was connected to a stringent critique rather than support of Molson's intentions and values. Building the Molson Center, many argued, demonstrated that the Corporation cared more about profits than they did about the game, or the public, even if the Corporation tried to argue otherwise. Witness this comment from the Montréal Gazette[42]: "Molson wants to have it both ways with the Forum, wants to close it with one last nostalgic wallow and milk every tear, and it wants to extract every cent of profit, just like any other corporation whose anonymous investors see nothing but the bottom line."

The name of the new arena also generated frequent comments: "the Forum's name belongs to North American sport heritage. It cannot be sold!"[43] Similarly, the big public auction drew considerable commentary around the argument that it is not the public that left with cherished historical objects, mainly American collectors and business owners. In *La Presse* a journalist wrote: "The cathedral of democracy left with little integrity" the day of the "public" auction.[44] Even the Toronto *Globe and Mail* wrote: "Could it be that Les Canadiens sold off its birthright? The seats, the penalty bench and the 24 banners, marking each Stanley Cup, were put up for auction. That the proceeds went to charity did not make

41. *The Gazette*, 19 mars 1996.
42. *The Gazette*, 11 mars 1996.
43. *La Presse*, 15 mars 1996.
44. *La Presse*, 13 mars 1996.

this any less sacrilegious."[45] Other examples of such critical comments were couched in a more ironic way, expressing the strong religious undertones of the popular attachment to the Forum at the same time:

> Why not dismantle Notre Dame Cathedral, building a larger Cathedral, perhaps in that quasi-pulp-mill style of the new Molson Center? We could sell off bits and pieces of Notre Dame's interior, altars, stained-glass windows, pews, paintings of Stations of the cross, chalices and light fixtures. That circular staircase winding up to that pulpit would bring thousands of dollars. And let's face it, the church, like the Brewery, needs money to keep up with good work![46]

A similar critique focused on Molson's commodified conception of the Canadiens and of the Forum's heritage:

> You would feel better about it, losing part of the fabric of the city, if Molson was not so grimly determined to sell every bit of the Forum that can be carted off, from the seats, to the penalty boxes, to the grill that made the Forum hot dogs. That's everything, including the unmatched row of 24 Stanley Cup banners that dangle from the Forum ceiling. Those are the original banners, each an emblem of the epic battles fought with blood, sweat and tears to claim hockey's ultimate prize. Molson sees those banners as just another commodity, right up there with panty liners, dental floss and beer, so the banners will be sold along with everything else. The excuse is that the banners are too small to be seen way up there in the girders of the magnificent Molson Center so they are to be replaced by banners that are twice as large and not one-tenth as real.[47]

In addition, fan letters to the press brought up the fact that the "people" occupied the Forum symbolically for decades, but it was never inhabited physically. One letter said: "For me, the Forum was a place that I was never able to get into ... too expensive. Imagine what I think of the new one!"[48] In other words, the Forum was already rarely financially accessible for the people and they understood the Molson Center to be at a greater distance. The press and the public also made very clear the irony in the "consumer-friendly place" that Molson was offering them. Although these last comments and critiques were not at the forefront of the media extravaganza surrounding the opening of this new spectacular site of sports and entertainment in Montréal, they still work to support and to bring to life the critical analysis of the re-organization of urban public spaces through the spectacle. Notably, it was evident in this case study that not only was the "shared" cultural experience of the Molson

45. *The Globe and Mail*, 16 mars 1996.

46. *The Gazette*, 1er mars 1996.

47. *The Gazette*, 11 mars 1996.

48. *La Presse*, 16 février 1996.

Center promoted through the marketing campaign in fact rather exclusive and homogeneous, but even "shared cultural experience" of the old Forum was demystified and understood by many as symbolic and constructed shared experience.

In different ways these popular press comments pointed at transformations in their relations to the arena, the team, and the city's public space which in turn shows a critical understanding of the workings and the impacts of the new strategic alliances around the city.

CONCLUSION

As Montréal changed from an industrial space to a more post-industrial space, the relations of production-consumption have been transformed and the structure and meaning of urban public places has been subtly redefined. This shift is part of a general volatility and ephemerality that makes it hard to maintain any firm sense of continuity in the city's public culture. Such changes have immense significance for the ways in which memory now works to articulate popular attachments to space. Notably, the spectacularization of urban spaces such as Montréal has the potential of radically transforming memory at the same time as it is defining limits and imposing necessities upon the shapes and forms of urbanization. Urban elites and transnational corporations promoters such as the Molson Brewery Corporation work hard to construct an hegemonic representation of historical continuity in the selling of their spectacular places and attempt to celebrate this hegemonic representation as common sense.

In general, two main issues from this case study stand out as points of departure for a critic of the spectacularization of urban spaces. The first is the ability of dominant forces to articulate memories in self-interested ways and thereby induce specific possibilities of re-imagining mainly geared towards a North American generic model. Molson produced a selective history throughout its campaign and tapped a vein of conservative romanticism in Montréal's public culture. But this conservative romanticism was linked, ironically, to the promotion of a calculating economic logic and a celebration of "progress" through the creation of a bigger, more high-tech, consumer-friendly space. Notably, nostalgic sentiments for a stronger Québec, for a healthier city and for a winning team mainly on the part of francophone Montrealers were re-packaged to the public to sell the project as "progress."

Although the spectacle is often viewed as a homogenizing force, diverse memories influenced the way that social groups reacted to the Molson project partly through the demystification of the "public" ownership of this "public" space. However, Molson's use of memory (memory of the team, of hockey traditions and of the building), their conception of history and nostalgia allowed no recognition of plurality or alternatives. In this way their promotional discourse resonates with other new experiences of unity in cities. This is a tendency, in my view, to be resisted. The progressive and imaginative planning and uses of space in urban life surely requires a sensitivity to the multiple and plural nature of memory, of different histories and of incompleteness and ambivalence of everyday life, and experiences of public space.

Secondly, the example of the move from the Forum and the Molson Center also carries with it an allegory about the roles of capital and the State. Private capital erects re-development projects while the State is often left with the role of absorbing the impact of these changes and negotiating criticisms of them. In this case, the residues of Molson's spectacular development project, the old Forum and its surrounding desolated area was to be renovated into a megaplex cinema and entertainment center (Trizec promised the completion of the new megaplex by the end of 1997... they just started the renovations in 1999). The dissatisfaction of anglophone business owners and people living in the area can only fall back to blame the municipal government for their worries. The municipal government, through a partial appropriation of the new spectacular development for civic boosterism, was left as the only concrete and present instance of power involved in the dramatic re-organization of these local memories and traditions. The new owners of spectacular sites are often not only unknown, they are not present. This changes the traditions and possibility of discourses and dialogues between the public and private instances of power. Instead of forming a dialogue with the new private owners, the result was to replay old linguistic dualities around the city. This situation resonates with Castells and Henderson's[49] idea of placeless power and powerless place and it is important because it moves the debate of the re-organization of Montréal urban space and mega developments away from questions of corporate power and philosophies of renewal and towards established stereotypes and grudges about ethnicity, language and local control. In other words, it deflects attention from critiques of new experiences of publicness and re-orients them towards long standing local conflicts.

---

49. Castells, M. et J. Henderson (dir.) (1987). *Global Restructuring and Territorial Development*, Beverley Hills, Sage Publications.

In summary, we can see how the use of nostalgia and of the reconstruction and marketing of the past are generally hegemonic in various ways: they can act as a a-historical defense of the status quo; they can help transfer authenticity and the authority of history to private capital; they can act to remove the ambivalence and plural nature of memories through the production of a unified official historical viewpoint; they can suppress a recognition of historical discontinuity; and they can be mobilized to create new senses of community. In fact, not only all of these hegemonic elements were present in Montréal in the attempt to use history and nostalgia to build a strong sense of attachment to the Molson Center and to prevent the public's nostalgia from attaching itself irrevocably to the old arena and to a specific time. In addition, this particular case study shows the prevalent place of sports and sports venues in new urban entertainment economies and their central position in articulating different support to the new social engineers as well as emancipatory possibilities for the public. In other words, in the current context of global and more flexible modes of capitalist accumulation along with an increased commercialization of culture worldwide, sports is at the core of the pressing debates around the spectacularization of urban spaces.

BIBLIOGRAPHY

CASTELLS, M. et J. HENDERSON (dir.) (1987). *Global Restructuring and Territorial Development*, Beverley Hills, Sage Publications.

CONNERTON, P. (1989). *How Societies Remember*, Cambridge, Cambridge University Press.

DAVIS, S. (1997). *Spectacular Nature: Corporate Culture and the Sea World Experience*, Berkeley, University of California Press.

DEBORD, G. (1967). *La Société du spectacle*, Paris, Buchet-Chastel.

GRUNEAU, R. et D. WHITSON (1997). « The (Real) Integrated Circus: Political Economy, Popular Culture, and 'Major League' Sport », dans W. Clement (dir.), *Understanding Canada: Building on the New Canadian Political Economy*, Montréal-Kingston, McGill-Queen's University Press.

HANNIGAN, J. (1998). *Fantasy City*, Oxford, Blackwell.

HARDING, A. et P. LEGALÈS (1997). « Globalization, Urban Change and Urban Policies in Britain and France », dans A. Scott (dir.), *The Limits of Globalization*, Londres, Routledge, p. 182.

HARRIS, F. (1989). « From the Industrial Revolution to the Heritage Industry », *Geographical Magazine*, mai.

HARVEY, D. (1989). *The Condition of PostModernity*, Oxford, Blackwell.

HERMAN, E. et R. MCCHESNEY (1997). *The Global Media: The New Missionaries of Corporate Capitalism*, Londres, Carsell.

HEWISON, R. (1987). *The Heritage Industry: Britain in a Climate of Decline*, Londres, Methen.

JESSOP, B. (1997). « The Entrepreneurial City: Re-Imaging Localities, Redesigning Economic Governance, or Restructuring Capital? » dans N. Jewson et S. Mac Gregor (dir.), *Transforming Cities; Contested Governance and New Spatial Divisions*, Londres, Routledge, p. 28.

MORLEY, D. et K. ROBINS (1995). *Spaces of Identity*, Londres, Routledge.

PHILO, C. et G. KEARNS (1993). « Culture, History, Capital: A Critical Introduction to the Selling of Places », dans C. Philo et G. Kearns (dir.), *Selling Places: The City As Cultural Capital, Past and Present*, New York, Pergamon Press.

WASCO, J. et M. PHILIPS (1993). « Teal's the Deal in Sports Merchandise », *Oregon Sporting News*, printemps.

ZUKIN, S. (1991). *Landscapes of Power: From Detroit to Disney*, Berkeley, California, University of California Press.

PARTIE

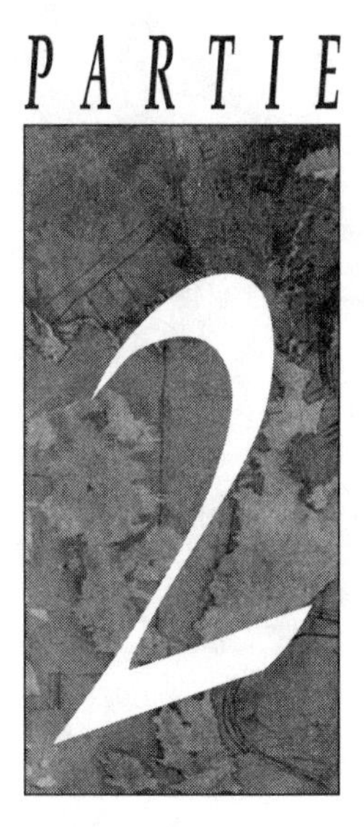

L'IMPACT ET LES RETOMBÉES DU SPORT PROFESSIONNEL

CHAPITRE

SOME OBSERVATIONS ON THE EVOLUTION OF SUBSIDIES FOR PROFESSIONAL SPORTS

Robert A. Baade*
Lake Forest College

Subsidies for professionals sports have proliferated in the post World War II era in North America. Popular resistance to these subsidies has been galvanizing across the United States and Canada in large measure because of equity concerns. Subsidies clearly enhance what are, by any measure, the extraordinary financial rewards for professional athletes and team owners, which often are provided at the expense of non-fans and/or taxpayers of modest means. In some cases public protest has scuttled stadium projects as initially proposed. In other cases public antipathy has modified the character of the subsidies such that the fraction of stadium financing borne by the private sector has grown. Have subsidies evolved to a point where the financial burden has been shifted away from the public to the private sector? To state the issue somewhat

* baade@hermes.lfc.edu

differently, has the evolving private-public financial partnership in building professional sports stadiums reduced the financial windfall stadiums provide professional sports teams?

In addressing this issue, it is logical to first identify the extent to which new stadiums are being constructed and at what cost. This is the subject of the first part of the paper. In the second section of the paper the financial dynamic, which has compelled the unprecedented construction of facilities, is identified and analyzed. The third part of the paper assesses the impact subsidies have had on team financial fortunes. In the fourth section of the paper data on the nature of the public-private partnership is discussed and analyzed. Particular attention is focused on lease arrangements and tax schemes, which obscures the nature and size of the subsidies the public sector provides. The last section of the paper summarizes the findings and offers policy suggestions.

The conclusion reached in this paper is that although the private financing has increased in percentage terms, the size of the public subsidy has increased absolutely and perhaps in percentage terms when the more generous lease arrangements are considered in tandem with the initial financial commitment. The financial dynamic which has evolved and been exploited by professional sports team must be understood and neutralized if cities are to avoid the considerable financial risks they assume when hosting professional sports in the United States and Canada. Cities must be alert to see changes in the financial dynamic which occur periodically in professional sports, and, as a group, act early and decisively on the marked tendency that professional sports teams exhibit in imitating the most aggressive financial behavior of teams within their leagues.

4.1. STADIUM CONSTRUCTION IN THE FOUR MAJOR PROFESSIONAL SPORTS LEAGUES OPERATING IN NORTH AMERICA

In assessing how the public sector financial commitment for stadium construction has changed since public funds were first used in their construction in 1953,[1] several developments must be considered. First, have stadium construction costs changed over time? If so, what accounts for the pattern? Second, what is the trend with regard to the number of stadiums that have been built? What factors explain this trend? Understanding

1. A publicly funded stadium was built in Milwaukee, Wisconsin in 1953 in a successful bid to bring the Braves from Boston to Milwaukee.

the dynamics of stadium construction will offer insight into what steps can be taken to temper the undesirable financial implications of the exercise of monopoly power on the part of professional sports leagues.

Stadium construction costs have increased in both nominal and real terms. Consider the information provided in Figure 4.1.

Other authors have reached the same conclusion with regard to escalating stadium costs defined in nominal terms. Siegfried and Zimbalist (2000) observed: "The average cost of facility construction in current dollars rose from $3.8 million in the 1950s, to $25 million in the 1960s, $71 million in the 1970s, $103 million in the 1980s and to $200 million from 1990 through 1998." Stadium construction costs actually are increasing

FIGURE 4.1
Stadiums' Cost to the Public in Current Dollars and Constant Dollars for Five-Year Intervals (1966-2000)[a,b,c]

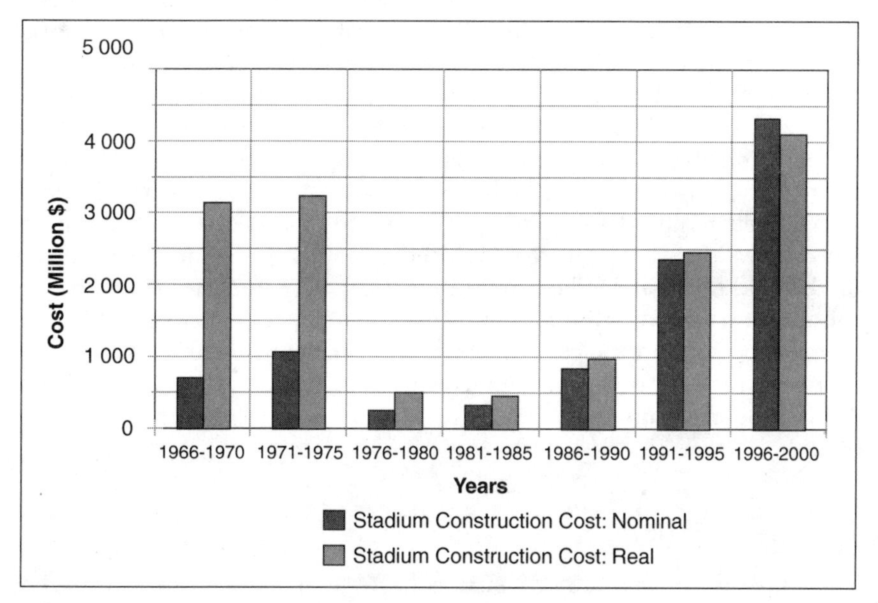

[a] Counts new stadiums and renovations.

[b] Since information is not available on the cost of each new stadium, average stadium construction costs were computed with available data and multiplied by the number of new stadiums constructed for each period for which information was incomplete.

[c] 1994 = 100 for the E.H. Boeckh and Associates Construction Cost Index.

Sources: Johnson and Belko (1995); Staff (1995); Dyja (1994); Quirk and Fort (1992); U.S. Department of Commerce (1971 and various years).

more rapidly than can be chronicled. In Table 4.1 information is recorded on construction costs incurred in building stadiums for National Football League (NFL) teams from 1995 through 2002.

Table 4.1 suggests several things that are noteworthy. First, stadium construction costs are increasing in general. The era of the $400 million stadium has arrived. Cincinnati, Denver, and Seattle will spend more than $400 million on their new facilities, all of which have a completion date of 2000 or after. Second, the average public contribution for stadiums completed in 2000 and after is $238.4 million, which exceeds the average cost of stadium/arena construction cited by Siegfried and Zimbalist in their study completed in 2000.[2] Third, the median private financial contribution for stadiums built after 2000 is 31.5 percent, which does not represent a substantial increase over the 28.9 percent median private contribution for the entire sample period. The public sector in general is contributing absolutely more for stadium construction in both real and nominal terms.

The number of stadiums that have been built in the 1990s or planned for the early 2000s is staggering. Approximately 80 percent of the sports facilities in the United States will have been replaced or undergone major renovation from 1990 until the early part of this new century (Siegfried and Zimbalist, 2000). The new facilities will cost more than $21 billion in total, and the public has or will provide approximately two thirds of the funding for these facilities. In few, if any instances, have professional teams been required to open their books to justify the need for these subsidies. Rather teams have convinced cities that to remain competitive on the field they have to be competitive financially, and this, teams claim, cannot be achieved without new playing venues. If host cities balk, then teams shop around for cities willing to meet their demands. Figure 4.2 provides information on stadium construction in five-year intervals from 1946 to the present.

4.2. THE CAUSE

The impetus for stadium construction comes largely from those who supply professional sports. An understanding of the supply side imperatives requires an analysis of at least three facts. First, teams function as

2. Of course, the Siegfried and Zimbalist study includes both stadiums and arenas, and it should be noted that arenas are generally cheaper to construct than stadiums.

TABLE 4.1
Stadium Construction Costs for All NFL Stadiums, 1995-2002

Team	Opening	Cost (Million $)	Public funds (Million $)	Private funds (Million $)
St. Louis Rams	1995	299.00	288.00	11.00
Jacksonville Jaguars	1995	141.00	121.00	20.00
Carolina Panthers	1995	242.00	55.00	187.00
Washington Redskins	1997	250.00	70.00	180.00
Baltimore Ravens	1998	220.00	197.00	22.00
Tampa Bay Buccaneers	1999	194.00	194.00	0.00
Cleveland Browns	1999	281.00	210.00	71.00
Tennessee Titans	1999	291.00	207.00	84.00
Pittsburgh Steelers	2000	250.00	173.50	76.50
Cincinnati Bengals	2000	403.00	378.00	25.00
Denver Broncos	2001	400.00	274.00	126.00
Seattle Seahawks	2002	400.00	300.00	100.00
Houston Franchise	2002	310.00	195.00	115.00
Detroit Lions	2002	230.00	110.00	120.00
Overall average		279.00	198.00 (71%)	120.00 (29%)

Source: Sander (2000).

unregulated monopolies within the geographical area the leagues assign them, and leagues function as unregulated monopolies in their individual sports. Second, league revenue sharing arrangements exclude significant revenue streams. The zero tax leagues impose on selected revenues offers a powerful incentive for teams to maximize such revenues. Third, intense financial competition among teams in this era of player free agency accentuates the tendency of teams to quickly imitate the successful financial behavior and strategies of the most aggressive teams in the various leagues. Jerry Jones and Al Davis, the maverick owners of the NFL Dallas Cowboys and Oakland Raiders, respectively, typify the new breed of owner. As much as they frustrate NFL officials, they force other owners to re-evaluate their financial thinking or accept consignment to the NFL's mediocre members. To cite just one example, recognizing the financial advantages of luxury seating, Jones removed seats available for sale to the general public and replaced them with luxury seats that are exempt from NFL revenue sharing.

Strategies to garner greater revenues are reinforced at periodic league meetings and less formal gatherings. Not all owners are comfortable with the financial agendas. Ralph Wilson, the owner of the NFL Buffalo Bills, observed with obvious distaste:

> I got into this because I liked football, not because I wanted to make any money, said Wilson, who spent $25,000 in 1959 for a franchise now valued at about $190 million (1997). I think a lot of owners used

FIGURE 4.2
Stadium Construction for Five-Year Intervals for Professional Baseball, Basketball, Football, and Hockey, 1946-2000

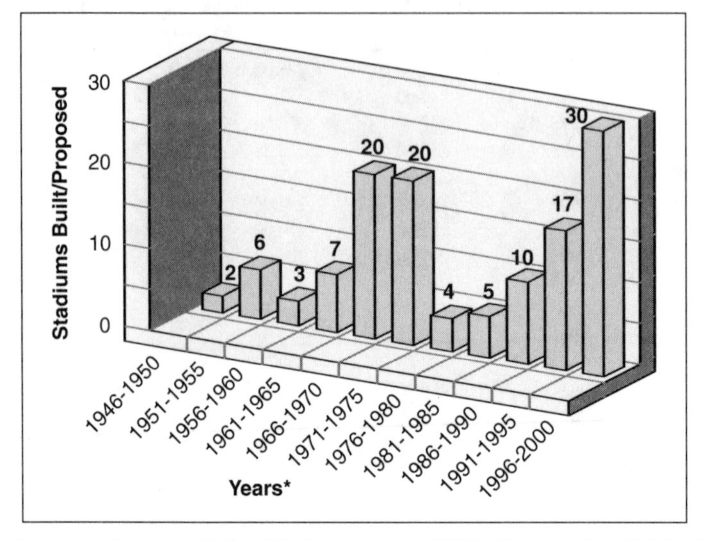

Sources: Johnson et Belko (1995); Messerole (1991); Quirk et Fort (1992); Staff (1995).

* The number of stadiums under construction or proposed for 1996-2000 is a conservative estimate. It does not include, for example, "wish-list" stadiums such as a new domed stadium for the NFL Cardinals, which incidentally was approved by Maricopa County, Arizona taxpayers in November of 2000.

> to feel the same way. But today, the thing has swung around. We go to league meetings, and we don't discuss football as much as we discuss business: franchise relocations, revenue sharing, sweetheart leases. I don't like it. I don't think it is good for the game[3]

Conditions on the demand side of the sport equation, to be sure, have been complicit in building new sports venues. A strong fan voice, however, for better restrooms and food courts, or even national developments in the generation of and distribution of income that have been favorable to stadium construction, have not been primarily responsible for the recent stadium construction blitz.

It is not an oversimplification to argue that planned or actual new stadium construction or renovation in professional sports is determined by an individual team's venue revenue as a percentage of the league average. Equation 1 represents this theory.

3. Meitrodt, J. (1997). "Follow the Money," *The Times-Picayune*, Super Bowl XXXI, 24 janvier, p. 36-41.

Equation 1: $FC_{i,t} = f(VR_{i,t-n}/(VR_{j,t-n}/k)$,

where, $FC_{i,t}$ = city i's plan for or actual construction of a sports facility at time t;

$VR_{i,t-n}/(VR_{j,t-n}/k)$ = venue revenue as a percentage of the league average for city i at time t–n.

One could expect that the coefficient for the independent variable [$d\ FC_{i,t}/d\ VR_{i,t-n}/(VR_{j,t-n}/k)$] would be negative. The lagged characterization of the independent variable reflects, in part, the time required to recognize a financial competition problem. It takes time for a financial disadvantage in professional sports to manifest itself in deterioration in competitiveness on the field (player contracts are generally multi-year and operating losses may be tolerated for a time). In addition, it takes more than a trivial amount of time to negotiate the political obstacles to planning or building new sports facility.

As previously noted, from the perspective of individual owners, many of the venue revenues that have inspired new stadium construction are, dollar for dollar, more valuable than revenues from other more traditional sources. In fact, many venue revenues to include those from luxury suites, in-stadium advertising, naming rights and personal seat licenses are not appropriated by the league and shared with other teams. Teams, therefore, have a financial incentive to emphasize those revenues upon which the league imposes no tax. Table 4.2 below provides information on the number and the average low and high prices for suite and club seat revenues for teams in the various leagues for 1999.

The numbers recorded in Table 4.1 are highly significant in light of the fact that these types of revenues if they existed at all were not substantial prior to the construction of Joe Robbie Stadium (Pro Player Stadium) in Miami which opened on August 16, 1987. Venue revenues are critical in bidding for free agents, and do explain to a significant degree the appreciation in the value of franchises that have occurred in the past decade. The fallacy of composition, however, does apply to professional sports. Teams perceive that they must be financially competitive in order to compete on the field. The problem, of course, is that by definition teams lose fifty percent of the time, and only one team can emerge as the league champion. The urgency that teams feel to compete often translates into an ultimatum for host cities to provide significant financial support in the team's quest for a championship or risk losing the team. Furthermore, teams are not satisfied with some financial support when

TABLE 4.2
Revenues on Average for Luxury Suites and Club Seats for the Major Professional Sports Leagues[8]

Sport/ League	Luxury suites Number	Luxury suites Average low	Luxury suites Average high	Club seats Number	Club seats Average low	Club seats Average high
Major League Baseball	77	$76,278	$154,575	4,143	$4,014	$4,663
National Football League	133	$50,046	$150,000	2,233	$3,878	$4,548
National Basketball Association	82	$107,863	$184,913	2,152	$5,184	$6,703
National Hockey League	89	$102,286	$178,897	2,117	$4,581	$5,427

Source: RSV (2000).

the evidence supports a strong positive correlation between revenues and a team's place in the standings.[5] Teams, therefore, pursue the financial leaders in their leagues, and the most financially aggressive of their brethren. To corroborate this assertion, it is insightful to analyze the behavior of the Boston Red Sox in their quest to replace Fenway Park. Figure 4.3 below indicates that the Red Sox currently perform well above the league average in terms of total revenues but lag the financial performance of Major League Baseball's financial elite.

The deterioration in the Red Sox position is largely attributable to venue revenues as Figure 4.4 indicates.

---

4. Suite and club seat revenues are not broken down by sport or league. Some facilities are shared by leagues. For example, basketball and hockey teams share a facility in some cases as is the case for the United Center in Chicago which is used by the NBA Bulls and NHL Blackhawks. In other cases a minor league team may use a facility for which a major league team is the primary tenant. For example the Bradley Center in Milwaukee is used by the Milwaukee Admirals of the International Hockey League, but the NBA Milwaukee Bucks are the primary tenant.
5. To cite one example, a 1997 publication (see notice 7) in conjunction with Super Bowl XXXI offered some primitive but compelling evidence regarding the correlation between team financial an on-the-field success. Evidence between 1990 and 1995 indicates that four of the top five teams in the NFL in terms of revenue ranked among the top five in terms of victories. Furthermore, three of the top five ranked among the top five in terms of venue revenues.

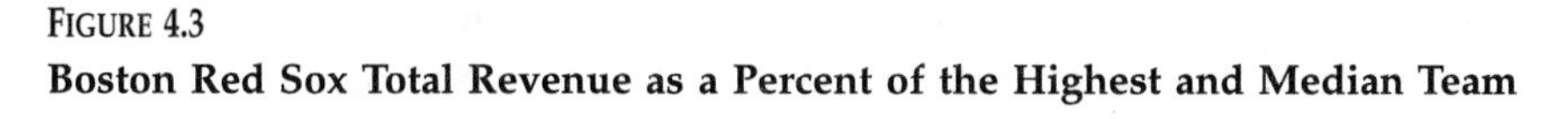
FIGURE 4.3
Boston Red Sox Total Revenue as a Percent of the Highest and Median Team

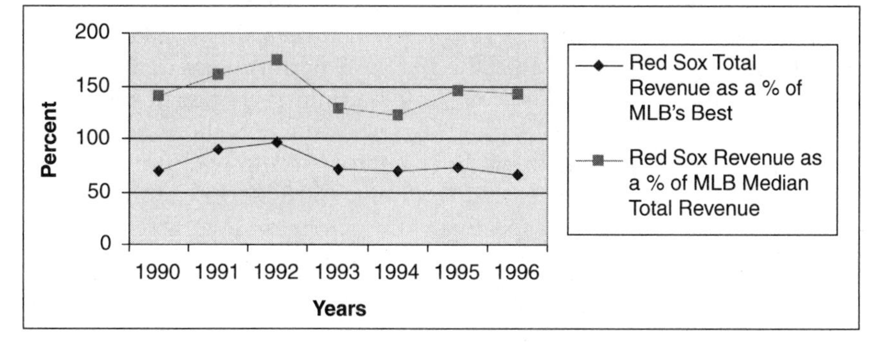

Source: *Financial World Magazine* (various years); *Forbes Magazine* (various years).

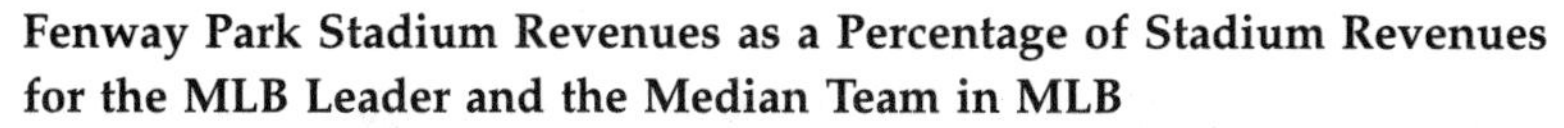
FIGURE 4.4
Fenway Park Stadium Revenues as a Percentage of Stadium Revenues for the MLB Leader and the Median Team in MLB

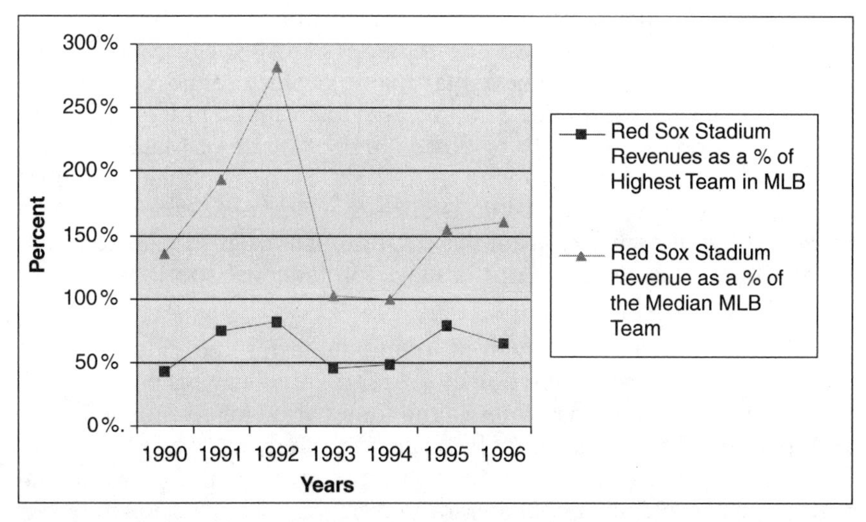

Source: *Financial World Magazine* (various years); *Forbes Magazine* (various years).

The data recorded in Figure 4.4 offers information on stadium revenues for Fenway Park as a percentage of those generated by the League leader in MLB and as a percentage of the median stadium revenue generated by MLB. Over the seven-year period, 1990 through 1996 (data were disaggregated to this level by *Financial World Magazine* only for this period), Fenway Park generated stadium revenues that averaged 62.2 percent of those accruing to the team with the highest revenues in MLB. As a percentage of median stadium revenues, Fenway Park averaged 161.2 percent. Over the time period for which data was available, these percentage figures indicate that the financial performance of Fenway is improving. To be precise, Fenway Park stadium revenues in total were 43.1 and 64.3 percent in 1990 and 1996, respectively, of those of the team with the highest revenues in MLB. In comparison to stadium revenues for the League, Fenway generated 135.1 and 160.8 percent of the League median in 1990 and 1996, respectively. Despite these favorable statistics, the Red Sox ranked tenth in the league in revenues generated at the close of the 1996 season, a loss of three places in comparison to 1990. It should be remembered, however, that the League added two teams during the 1990 through 1996 period. New teams likely experience a stadium revenue spike attributable to the excitement created by the new team. This emotional fever pitch, or novelty effect, can only be sustained by team success on the field.

What apparently matters to the Red Sox, however, is how their performance compares to the most lucrative venues in MLB rather than the average. The Red Sox desire to replace Fenway suggests two possibilities. First, the Red Sox believe that championships cannot be achieved without financial distinction. The Red Sox financial ambition has financial implications for the City of Boston and the State of Massachusetts, and typifies the financial pressure teams have exerted on their host cities and States. Indeed, the dynamic is such that any new revenue stream identified by an owner or team has implications for all cities and States hosting one or more teams in the major professional sports leagues in North America.

In addition to the behavior of individual teams, individual leagues recognize that entertainment dollars are scarce, and leagues operate with the premise that there exists interleague competition for consumer loyalty and spending. This financial contest has increasingly emphasized playing facilities; owners agree that fan-friendly structures are of significant strategic importance. Paul Tagliabue, the current NFL Commissioner, wrote:

> The survey (a survey commissioned by Money magazine) reinforced our own priority on stadium matters. It is more important than ever that we as a league focus on our stadiums because of the high expectations of our fans. As the Money survey indicated, in this increasingly competitive entertainment environment, fans expect first-class service in the form of stadium convenience, comfort, cleanliness, and value (NFL Report, 1994).

In addition to interleague competition for the sports dollar, officials representing the individual sports leagues seem to recognize that the uncertainty of individual game outcomes fuels fan interest. League parity, in other words, is recognized as vital to the financial interests of all. If financial success is essential to winning, then leagues must promote financial equality. More comprehensive revenue sharing is possible only if there is general agreement that all teams are doing all they can to maximize their revenues and collective revenues for the league. Those teams that have been financially successful are more likely to share that success if they believe other teams share their interests and financial strategies.

The fierce financial competition in professional sport coupled with the desire of leagues to institute more comprehensive revenue sharing represent two important pieces of the dynamic that help explain the current stadium building boom.[6] The construction of Joe Robbie stadium in 1987 was arguably the watershed event in stadium construction. Robbie parlayed the up-front money he received from the sale or lease of luxury seating into the financing he needed to privately build a new facility for the Miami Dolphins of the NFL. The major lesson gleaned from the experience with new stadium construction, therefore, is that stadiums are replaced not because of their physical obsolescence, but because of their economic obsolescence. As a consequence the shelf life of stadiums and arenas has been substantially reduced.

Three of the more egregious examples of the perils the new economics of sport pose for facilities can be found in Charlotte, Miami, and Minneapolis. Despite having built an arena for the NBA Hornets in 1988, a facility that remains the second largest in the league, Charlotte's arena generates only 37% of the NBA arena revenue average. The emphasis on luxury seating and the relative paucity of it in the current Charlotte facility (12 suites) has compelled the new arena debate in that community.

Miami also has an eight-year-old arena for the NBA Heat. It, too, has suffered financially as a consequence of sixteen luxury suites and a NBA low 14,503 seats. Broward County, just a short distance up the coast from Dade County in which Miami is located, originally sought both the NBA Miami Heat and the NHL Florida Panthers as tenants for a new arena it had proposed to build. In the ensuing financial tug of war, a "Solomon compromise" (from the perspective of team owners) was struck. Broward County is now hosting the Panthers in a new arena and

6. It is important to emphasize that the financial interests of the leagues and individual teams may well differ. Teams pursue financial distinction in their quest for a championship. Leagues, on the other hand, pursue financial clones to promote parity.

Dade County has constructed a new facility for the Heat. Three arenas will now occupy a 30-mile stretch of I-95. The Panthers now play in a $212 million facility in Sunrise, and the Heat now occupy a $165 million arena in Miami. As the city still owes $39 million on the structure, the $53 million Miami Arena has an uncertain future.[7]

From the point of view of taxpayers in the two counties, stadiums have been overbuilt (oversupplied) in metropolitan Miami. Separate owners for the local NBA and NHL franchises coupled with the operation of cartels in both leagues have conspired to produce this outcome. Both owners feared that sharing an arena meant revenue disputes and compromises; each owner believed that revenues and profits could be maximized only in an exclusive facility. The negative externality (includes a negative pecuniary externality brought about the increased facility competition for highly attended events in the greater Miami area) could be addressed by the private sector. If incentives existed that encouraged sharing a facility or if the firms merged under a single owner, the externality would be internalized. The public sector policy prescription is also straightforward. The appropriate procedure would be to impose a tax (decrease the subsidy), thereby moderating the incentive to build both arenas. Clearly, in this instance, county governments through providing subsidies instituted policies diametrically opposed to reducing the oversupply of sports facilities in metropolitan Miami.

In summary, individual teams and their leagues have strong financial incentives to build new stadiums. Given that the construction of stadiums with private funds puts teams at a financial disadvantage, teams must receive financial support from their communities rivaling the most generous public support garnered by their competitors. Paradoxically only one team receives the full benefit of public largesse. In the next section of the paper, the effect new stadiums have had on team revenues is identified and analyzed.

4.3. THE EFFECTS

As previously noted, financial developments and market conditions in the professional sports industry have conspired to induce an unprecedented increase in stadium construction both in terms of numbers and the financial obligations of cities hosting professional sports teams. The

7. Helyar, J. (1996). "For team owners, more is never enough", *The Wall Street Journal*, 3 mai, p. B7.

information recorded in Table 4.1 indicates that, on average, however, the private contribution to stadium construction has increased. Figure 4.5 below summarizes the trend in the proportion of sports facilities financed by taxpayers since public financing emerged as significant in constructing stadiums.

Other research provides a similar picture with regard to the evolution of the public-private partnerships by league. The results of one of these studies are summarized in Table 4.3. The NFL and the MLB receive the greatest public support, and that is very likely attributable to the fact that stadiums for those sports are more expensive to build and football and baseball may be more popular at least in the United States. Both Figure 4.5 and Table 4.3 obscure at least three important facts regarding the private financial contribution.

First, the trend toward larger private subsidies has been achieved at some cost to cities. The quid pro quo for greater team financial involvement in financing stadium construction has been lease agreements more favorable to teams. To assess the trend in public-private stadium partnerships, the team financial contribution must be considered in tandem with the team's lease. The fact that new stadiums are being built at an unprecedented rate provides prima facie evidence that teams are financially better off with the new stadiums despite their increased initial financial contribution. The standard lease today allows the team to appropriate all

FIGURE 4.5

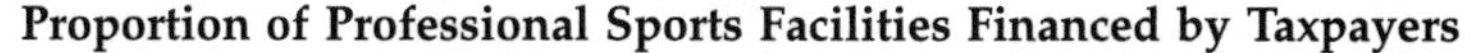
Proportion of Professional Sports Facilities Financed by Taxpayers

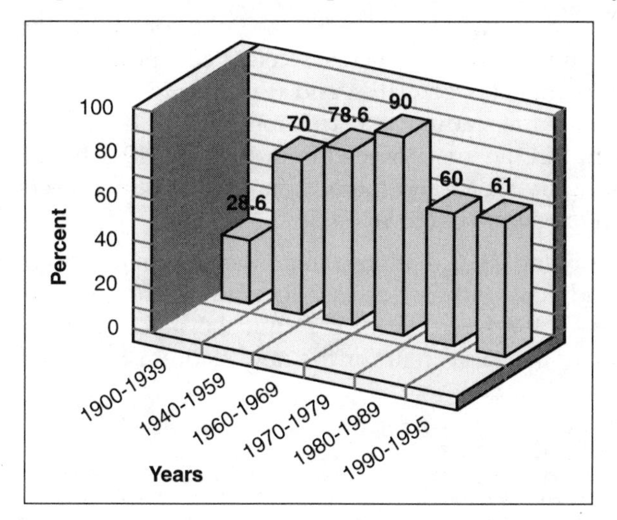

Source: Swindell (1996).

TABLE 4.3

Proportion of Facilities Financed by the Public and Private Sectors by League and the Impact of New Facilities on Revenues and Incomes by League

Leagues building new venues	Average total cost ($ millions)[a]	Contribution Public (%)	Contribution Private (%)	Incremental revenues ($ millions)[b]	Incremental income ($ millions)[c]
Major League Baseball	269	77	23	19.1	12.7
National Basketball Association	169	31	69	17.4	5.4
National Football League	257	74	26	18.8	12.0
National Hockey League	148	42	58	15.7	7.7
Shared NBA and NHL Facility	191	11	89	20.3	11.6

[a] Figures are for facilities opened since 1990.

[b] Per-team annual average generated from new facilities, net of operating expenses. Excludes naming rights and personal seat licenses.[12]

[c] Annual incremental revenue less debt service on the facility.

Source: wysiwyg://112http://www.forbes.ocm/forbes/97/1215/6013175a.htm.

significant revenues from the new stadium. After Joe Robbie stadium, the pace at which new stadiums were constructed accelerated, and the more generous lease arrangements between cities and teams more than offset the capital teams committed to stadium construction. To corroborate this point consider the change in the leases agreed to in 1990 and 1997 by the Tampa Bay Sports Authority (TSA) and the NFL Tampa Bay Buccaneers key elements of which are summarized in Table 4.4.

The evidence clearly indicates that the Tampa Bay Buccaneers were able to improve the conditions of their lease substantially in the six years and five months between the lease dates. It should be noted that the Buccaneers agreed to pay increased rent for the new stadium for which

8. Personal seat licenses and stadium naming rights can provide substantial revenue. Even though the Houston expansion franchise will not play until 2002, the Texans have inked the largest stadium rights deal in the history of professional sports. Reliant Energy, Inc. has paid $300 million for 30 years for naming rights to the Texans stadium.

TABLE 4.4

A Comparison of Key Elements in the NFL Tampa Bay Buccaneers and the TSA Leases for March 13, 1990 and August 8, 1997

Item/Lease Agreement	Agreement 3/13/90	Agreement 8/28/97
Concessions and Parking Revenues	Bucs receive 50% of the concessions and parking revenues for the Bucs games, provided TSA gets $800,000 in such revenue. After the TSA gets $800,000, the Bucs get the next $800,000. These revenues are split 50/50 thereafter.	Bucs have exclusive rights to sell concessions for all events and retain monies received. Revenues for non-Bucs events are divided as follows: Bucs get the first $2,000,000 of revenues and TSA and Bucs split revenues above $2,000,000 50/50.
	Bucs receive 15% of the concessions and parking revenues for events other than Bucs games. If Bucs build and maintain video replay scoreboard in stadium, they receive 27.5% of concession and parking revenues.	TSA manages and controls parking. Bucs receive 100% of parking fees collected for Bucs games and TSA and Bucs divide non-Bucs events as follows: Bucs get first $2,000,000 of revenues and Bucs split revenues above $2,000,000 50/50.
	Bucs and TSA share 60/40 all concession and parking revenues, net of taxes and day of game expenses in excess of $63,000 received from NFL playoff game.	
Advertising Rights	Bucs pay $50,000 annually for Exclusive Advertising Rights.	Bucs have exclusive rights as to any advertising of any kind on Premises, subject to TSA's right to grant Sponsorship Rights.
	Bucs have exclusive advertising rights on the Premises, except for the property presently leased by the New York Yankees Partnership.	
Sales on Premises	Bucs have exclusive right, without additional charge, to sell and retain revenues from sales on Premises of all novelties, pennants, etc. bearing the Buc's logo or that of any other NFL team or which are otherwise related to NFL. During Bucs events, no other entity may sell on Premises except with Bucs permission. Bucs may also sell during other events, but with TSA approval.	Bucs have exclusive right with respect to programs and merchandising for Bucs games; TSA manages merchandising for non-Bucs events, but TSA and Bucs split proceeds as follows: Bucs get first $2,000,000 of revenue and TSA and Bucs split revenues above $2,000,000 50/50.
	Bucs have exclusive right, without additional charge, to sell programs, yearbooks, and similar publications relating to team, opponents, or NFL.	

TABLE 4.4

A Comparison of Key Elements in the NFL Tampa Bay Buccaneers and the TSA Leases for March 13, 1990 and August 8, 1997 *(Continued)*

Item/Lease Agreement	Agreement 3/13/90	Agreement 8/28/97
Stadium Lounge Boxes	Bucs pay $300,000 annually for use of Stadium Lounge Boxes. TSA provides game day security, pays annual utility expenses up to a maximum of $20,000, and pays for structural maintenance. Bucs provide interior maintenance and janitorial services. Bucs have exclusive right to construct additional boxes; parties are to be negotiated in good faith regarding additional revenue to be paid by Bucs in such an event.	Bucs have exclusive right to sublease or sublicense all Luxury Sites and retain all revenues derived there from. Bucs may license use of Club Seats for Bucs games and retain all revenues related thereto. Bucs have right to use Club Lounge as part of Bucs Events if pay direct costs associated therewith; otherwise, TSA controls lounge.
Other	Bucs have an option to license a parcel of property known as the Yankee Complex. Option only becomes effective if Yankee Complex ceases to be used by New York Yankees Partnership or any other major league professional baseball club or franchise, and Bucs are notified in writing that option period has begun. Bucs pay $5,000 annually for the option. If option is exercised, separate agreement is to be negotiated regarding use of parcel as training, promotional, or administrative site.	Bucs have exclusive Naming Rights for Stadium. Bucs have exclusive right to receive revenue of any kind from Bucs games. TSA supplies all utilities, including electricity, sewer, air conditioning, etc. TSA is responsible for funding and performing all Capital Repairs. By January 31, 2007, there must be $2,500,000 on deposit in Capital Improvement Fund. Thereafter, Authority must make annual deposits of $750,000 until $15,000,000 is on deposit.
Taxation	If City, County, or TSA ever taxes Bucs, their payments are to be reduced accordingly.	Bucs pay sales tax on Club Seat Revenues. Bucs are not liable for ad valorem real property, intangible or other taxes due to interest in Premises. TSA and Bucs each 50% liable for ad valorem real estate or intangible taxes due to Bucs' interest in Team Space. Bucs are liable for taxes resulting from exercise of its Development Rights.

Sources: Leases for March 3, 1990 and August 28, 1997.

they did not commit any capital. As stipulated in the March 13, 1990 agreement the Buccaneers were obligated to pay $63,000 per game. The rental provision agreed to on August 28, 1997 obligated the Buccaneers to pay $3,500,000 per season for rent and development rights. Club seat revenue from the new stadium to which the new agreement applied, however, stipulated that of the $3.5 million, $2 million was to be allocated for stadium rent, $1 million for practice area rent, and $500,000 for development rights. Earmarking new revenues sources for the stadium construction or rent in this case has become standard in professional sports and merits further scrutiny.

Second, the portion of the cost of the new stadium borne by the team generally takes the form of revenue from the new stadium that is earmarked for that purpose such as a fraction of stadium naming rights or a percentage of the personal seat licenses. In other words the financial risk associated with businesses committing capital to infrastructure is not typically what occurs in the world of professional sports. The business risk associated with infrastructure for teams is largely underwritten through the commitment of a revenue stream that comes into being only if the new stadium is built. There is little risk for the team in earmarking stadium naming rights or a portion of club seat revenue to building a new stadium. It is disingenuous for teams, therefore, to allude to the risk they assume in constructing a new stadium. The only real risk to them is the possibility that they could have received a better deal from some other city. The information in Table 4.3, coupled with the assumption that teams generally adopt the behavior of the financial league leader, indicates that after accounting for debt service and other new stadium expenses incurred by teams, their revenues and operating income are enhanced by new facilities. That, in the final analysis, is the reason the stadiums are built at the terms agreed to by the team and the city.

Third, teams further protect themselves against risk through clauses in the memorandums of understanding that stipulate that the relevant governmental bodies are responsible for maintaining the structure not just in a physical sense, but also in terms of revenue generation. Consider the language in the memorandum of understanding authored in 2000 between the Chicago Bears and the City of Chicago regarding capital improvements.

> Capital improvements shall include the modification of, or addition to, the Facility to provide new or upgraded features as they become available if such features are requested by the Club and are incorporated in not less than 25% of all other NFL facilities. At 10-year intervals, the CPD (Chicago Park District), to the extent of funds available

> in the Capital Improvement Fund, shall upgrade that Facility to be among the top 25% of all NFL football facilities based on a mutually agreed criteria (Memorandum of Understanding, 2000).

Given the risk aversion professional sports teams display in stadium construction and governmental bodies that feel compelled to accommodate them through underwriting most of the financial risk, it is safe to assume that "mutually agreed criteria" refer to financial criteria. It should be noted once again that the model used here assumes that the financial dynamic extent in the professional sports industry suggests that the most stadium design and deals become the standard. Teams that do not have a state of the art facility from an economics perspective will find themselves at a financial disadvantage, which, in turn, will impair their ability to compete on the field.

In this paper's introduction, it was asserted that taxpayer resistance has been galvanizing. This resistance has not been wildly successful in eliminating stadium subsidies as the evidence on the pace and terms of construction makes clear, but it has been successful in modifying the subsidies. In an attempt to convince taxpayers to agree to stadium construction, tax packages have been reworked until the perceived tax impact is either diverted away from city residents or rendered sufficiently small so it is no longer worth fighting. Those who seek stadium subsidies have used an old economic axiom to get public approval for them: it is important to be economically unimportant. Sales taxes equal to a fraction of a cent imposed on multi-county areas, car rental taxes, and transient taxes have become very popular. In convincing Illinois State legislators to use $387 million in hotel taxes, Mayor Richard Daley's representatives noted that people living outside the City of Chicago will fund the stadium. This notion that the tax burden can be deflected has some merit at the city level, but if all cities adopt a transient tax to pay for stadiums, it means that citizens of Chicago will pay for stadiums in Phoenix and Houston. There is only the illusion that the stadium tax burden is completely escaped.

Finally, it is important to note that despite the additional revenues that new stadiums provide, owners continue to incur additional debt. Apparently in anticipation of continued franchise appreciation, new owners are borrowing substantial sums of money to join the exclusive club of professional sports team owners. The recent spending binge on free agents does not portent well for the financial futures of teams and their host cities. If Tom Hicks, owner of the Texas Rangers, finds that the business model that he used to rationalize hiring Alex Rodriguez for $252 million dollars for ten years is flawed, the solution to his impending financial problems may well rest with the City of Arlington, Texas. The more than $621.5 million that have been spent on just four free agents during 2000, Manny Ramirez, Alex Rodriguez, Mike Hampton, and Mike Mussina, represents more than the combined payroll for all twenty-six teams in major league baseball in 1990.[9] This spending binge on players correlates with increased stadium revenues and the anticipation that the public sector will continue to be generous. It would appear that increased revenue inculcates a sense that there is an endless stream of funds, and owners have responded by spending more in anticipation of future income. Using the benchmark that having debt in excess of 50 percent of equity is ill-advised for businesses, a recent article reported that at least seventeen teams in the four major sports exceeded that limit. The NHL Tampa Bay Lightning and the NHL Ottawa Senators topped the list with debt as a percentage of value equal to 236 and 196, respectively.[10]

CONCLUSIONS AND POLICY IMPLICATIONS

A Chicago sports writer, in struggling to explain the recent mind-numbing contracts for professional baseball's free agent class of 2000, borrowed a model of player salary determination that an unnamed sports agent had proposed. He labeled the model the "One Nut Theory," and it follows a very simple "logic" articulated by the agent in rather colorful terms: "There's almost always one nut out there who will give you more than you ever imagine your player is worth."[11] Professional sports are structured in such a way that the single nut may well set the stage for a series of financial decisions that are made by the various actors operating in the professional sports industry. Despite appearances, the argument could be made that owners, players, teams, leagues, and cities are all behaving rationally given the circumstances they confront.

The financial realities and issues confronting professional sports teams today reflect the outcomes of decision making in a world in which the circumstances and constraints facing the individual actors are different, or are at least perceived to be different, and often incompatible. As a consequence, paradoxes and inconsistencies abound when all actors attempt to maximize their well-being simultaneously. For example, league

9. Rogers, P. (2000). "Red Sox Show Ramirez Green", *The Chicago Tribune*, 13 décembre, section 4, p. 1.

10. Ozanian, K.M. (1997). "Fields of Debt," *Forbes Magazine*, <http://www.forbes.com/forbes/97/1215/6013174a.htm>.

11. Bayles, S. (2000). "Wealthy Owners Are Tough Nuts to Crack," *The Chicago Tribune*, 13 décembre, section 4, p. 1.

officials have an incentive to build new stadiums to lay the foundation for comprehensive revenue sharing agreements. Leagues will generally not admit to a correlation between revenues and success on the playing field. To do so would undermine their efforts to insure parity on the field. Teams, on the other hand, perceive a strong correlation between revenues and success on the field. Individual teams that are successful have an interest in enhancing their revenues to maintain their competitive edge on the field. The interests of the team and the league to which they belong jive only in the sense that both actors are interested in building new stadiums.

Cities – the term broadly represents all governmental entities that are involved in financing stadium construction – have an interest in minimizing stadium construction costs subject to the constraint that they want to retain their teams. Taxpayers seem to understand the game of hardball that teams play with their city hosts, and they resist team efforts to build new stadiums at their expense. The political pressure that taxpayers exert compels cities to seek ways for deflecting the tax burden or spreading the burden over a sufficiently large population to diminish the impact on individuals. The appearance that somebody else, somewhere else is paying for the stadium is critical to the whole process. The myopic view of the individual city and taxpayer simply obscures the fact that taxpayers continue to pay for stadiums despite the appearance that the burden has been shifted to someone else. Taxpayers fund stadium construction collectively. Someone has to pay the car rental tax or the transient tax. Someone has to compensate for the revenue shortfalls created by the tax-exempt municipal bonds that were used until December 1999 to fund new stadium projects. Painting with the broadest possible strokes, cities view economic issues relating to professional sports from a microeconomic perspective while leagues pursue macroeconomic objectives, and the institutional structure of professional sports promotes these divergent views. Cities are constrained from taking a macroeconomic view by the excess demand for teams, a condition that leagues fight to maintain. It is not just to expand current markets that all professional sports leagues are cultivating markets abroad. Could it be that professional sports leagues in North America are laying the foundation for increasing the excess demand for teams that expansion in the United States and Canada has lessened? The global interests of leagues and the microeconomic concerns of individual cities poses a problem for cities trying to negotiate with teams and the leagues that represent them from a position of strength.

The solution to the problem manifest in the financing of new stadiums is to negate the considerable edge that teams and leagues possess in negotiating with cities. Cities must either develop a collective to parallel that of the leagues or the decisions with regard to expansion must be taken from the leagues that have a clear incentive to maintain the current structure. Leagues have argued for formal exemption from the Sherman Antitrust Act, which impairs their ability to police the activities of individual teams, but such action would solve only a part of the problem. The fundamental issue is that by nature the league view is macroeconomic. Their incentive structure and the social institutions they have helped mold to serve their narrowly construed well-being hold sway over the microeconomic concerns of cities and taxpayers. Narrowing the disparity of power between cities and leagues is essential for bringing financial moderation back to the world of professional sport. As it stands now, the financial ambition of the aggressive player, agent, and owner translates into behavior that puts cities and taxpayers at risk. The purpose of this paper was to make this process more apparent, and to lend some urgency to revamping the power relationships that enrich owners and players at the expense of taxpayers across North America.

BIBLIOGRAPHY

ANONYMOUS (1995). « Issue Arises in Every Sport Across Nation », *USA Today*, 18 septembre, p. 3C.

ANONYMOUS (1995). « Baseball Teams Trade Cities without New Stadiums as Easily as Cards », *The Christian Science Monitor*, Boston, 19 septembre, p. 1-8.

BAYLES, S. (2000). « Wealthy Owners Are Tough Nuts to Crack », *The Chicago Tribune*, Chicago, 13 décembre, section 4, p. 1.

CHICAGO PARK DISTRICT AND CHICAGO BEARS (2000). « Memorandum of Understanding », mimeograph, Chicago, 15 novembre.

DYJA, T. (1994). *The Complete Four Sport Stadium Guide*, New York, Fodor's Travel Publications, Inc.

HELYAR, J. (1996). « For team owners, more is never enough », *The Wall Street Journal*, New York, 3 mai, p. B7.

JOHNSON, K. et M. BELKO (1995). « Super Stadiums: Bait or Burden », *Pittsburgh Post-Gazette*, Pittsburg, 29 octobre.

MEITRODT, J. (1997). « Follow the Money ». *The Times-Picayune*, Super Bowl XXXI, 24 janvier, p. 36-41.

MESSEROLE, M. (1991). *The 1992 Sports Almanac*, Boston, Houghton Mifflin Co.

NATIONAL FOOTBALL LEAGUE (NFL) (1994). "The Commissioner's View", NFL Report 2.

OZANIAN, K.M. (1997). « Fields of Debt, » *Forbes Magazine*, <http://www.forbes.com/forbes/97/1215/6013174a.htm>.

QUIRK, J. et R. FORT (1992). *Pay Dirt*, Princeton, Princeton University Press.

ROGERS, P. (2000). « Red Sox Show Ramirez Green », *The Chicago Tribune*, Chicago, 13 décembre, section 4, p. 1.

RSV-REVENUES FROM SPORTS VENUES (2000). <http://www.sportsvenues.com>.

SANDER, R.B. (2000). « Stadium Deal Faces Some Long Yardage », *Arizona Daily Star*, Tucson, 9 avril, p. A9.

SIEGFRIED, J. et A. ZIMBALIST (2000). « The Economics of Sports Facilities and Their Communities », *Journal of Economic Perspectives*, vol. 14, n° 3, p. 95-114.

SWINDELL, D. (1996). « Public Financing of Sports Stadiums: How Cincinnati Compares » mimeograph by The Buckeye Center for Public Policy Solutions, 30 janvier.

U.S. DEPARTMENT OF COMMERCE (1971). « Historical Statistics of the United States Part II », White Plains, New York, Kraus International Publications.

U.S. DEPARTMENT OF COMMERCE. « Statistical Abstracts of the United States », various years.

CHAPITRE

COMMENT DÉTERMINER L'ACHALANDAGE D'UN STADE, CONDITION ESSENTIELLE À L'ANALYSE ÉCONOMIQUE

Daniel Gill*
Institut d'urbanisme, Université de Montréal

Aux prises avec de sérieux problèmes de rentabilité, les propriétaires d'équipes de baseball semblent avoir trouvé la solution dans la construction de nouveaux stades. Plusieurs croient que ces nouvelles cathédrales du prochain millénaire, avec leurs installations high-tech et leurs loges corporatives luxueuses, ramèneront les ouailles au bercail, ces fidèles admirateurs qui, depuis un certain temps, s'étaient faits moins présents. Un nouveau stade est indéniablement un atout, mais prétendre qu'un stade en lui-même est un gage de succès qui ramènera définitivement les foules et assurera la survie de l'équipe relève d'une analyse mythique du baseball majeur.

Depuis une dizaine d'années, le débat entre experts s'envenime. Pendant que les propriétaires et leurs conseillers s'évertuent à promouvoir les retombées économiques des nouvelles installations, les universitaires

* gilld@montrealmedia.qc.ca

tendent à démontrer tout à fait le contraire. Plusieurs études portant sur les répercussions économiques habituelles sur l'emploi ou sur le tourisme font état du faible impact économique qu'ont les équipes sportives sur l'économie locale[1].

Mais peut-on véritablement prétendre qu'une activité qui attire parfois jusqu'à quatre millions de spectateurs dans un seul lieu durant l'été n'ait pas d'impact ? Affirmer que les sommes dépensées par les amateurs seraient redirigées dans l'économie locale en l'absence d'une équipe sportive ramène le débat à sa plus simple expression. Avec un tel argument, on peut tout aussi bien prétendre qu'une grande exposition au musée, qu'un grand prix sportif ou qu'un festival culturel quelconque n'a aucun impact non plus, puisque de toute façon l'argent dépensé par les gens qui assistent à ces événements serait dépensé ailleurs dans la ville. Cette conclusion, un peu faible, provient peut-être de la très grande difficulté qu'il y a à bien mesurer les impacts économiques, compte tenu entre autres de la faible place qu'une équipe sportive prend dans l'économie d'une région.

La méthode la plus efficace serait, à l'exemple de l'économie nationale, d'évaluer les flux monétaires générés par une équipe sportive. D'où proviennent les revenus de l'équipe, et quelle est la proportion des dépenses qui est réinvestie dans l'économie locale et sur laquelle devraient être appliqués les effets multiplicateurs ? Quels sont les impacts économiques réels d'une équipe qui reçoit plus d'argent du fonds central de la ligue que de ses partisans, comme dans le cas des Expos de Montréal[2] et des Brewers de Milwaukee[3] ?

Ces études qui tiennent compte des flux monétaires dans l'économie locale fonctionnent malheureusement a posteriori, à partir de données existantes sur un stade existant. Mais qu'en est-il lorsque l'on tente d'évaluer les retombés d'un nouveau stade ? Comment déterminer les assistances d'un stade d'une façon qui soit précise et qui permette à la fois d'évaluer les revenus provenant des spectateurs et les coûts inhérents à leur présence en ce qui a trait aux dépenses salariales ?

Depuis le lancement de cette course effrénée pour la construction de nouveaux stades, financés à même les deniers publics, de nombreuses questions demeurent sans réponse. Se situant en amont de toute évaluation

1. Des études comme : Baade (1996), Judd (1999), Lavoie (2000) et Rosentraub (1997).
2. Lavoie, M. (2000). « Les équipes sportives professionnelles n'ont pas d'impact économique significatif : le cas des Expos », *Avante*, vol. 6, nº 1, p. 56-86.
3. Walker, D. (2000). « Brewers Again Bled Money in '99 : Analysis Pegs Loss at $12.1 Million ; Team Hopes New Stadium Will Help », *Milwaukee Journal Sentinel*, 27 avril, http ://www.jsonline.com/sports/brew/apr00/ball28042700.asp>.

des impacts économiques d'une franchise sportive, cette recherche a pour objectif de définir les variables permettant d'évaluer et de quantifier avec précision le nombre de spectateurs aux matchs de baseball.

Existe-t-il de petits et de grands marchés, et ceux-ci influent-ils sur les assistances aux matchs ? Les équipes qui brillent sur le terrain sont-elles aussi performantes aux guichets ? Est-ce que le *name of the game* est toujours *pitching* ? La construction d'un nouveau stade ramène-t-elle définitivement les ouailles au bercail ? En fait, qu'est-ce qui fait « courir les foules » ? Et, faisant écho au titre d'un article de M. Rosentraub[4] : « *If you build it, will jobs come ?* », la question sera posée en des termes plus fondamentaux, à savoir : « *If you build it, will fans come ?* », et ce, à quel prix ? En effet, avant de pouvoir calculer les retombées économiques d'un nouveau stade, il est primordial de déterminer ce qu'il en coûte pour attirer les partisans qui généreront cette activité économique.

Pour mener à bien notre analyse, nous insisterons à la fois sur les causes structurelles et conjoncturelles. Dans un premier temps nous analyserons les éléments majeurs difficilement modifiables et sur lesquels les propriétaires ont peu d'emprise, à savoir la popularité du sport lui-même et la taille des villes qui accueillent les équipes. En second lieu, nous porterons notre attention sur les éléments conjoncturels qui relèvent directement des choix faits par les différents propriétaires, tels que le stade lui-même, le rendement général de l'équipe, le type de joueurs qui composent celle-ci et la masse salariale qu'elle représente. Dans un troisième temps, nous verrons combien il en coûte pour remplir un stade selon que l'on opte pour une équipe spectaculaire ou pour une équipe gagnante, car, comme il sera démontré, les équipes les plus populaires ne sont pas nécessairement les meilleures équipes. Enfin, nous conclurons par les différentes orientations que devraient prendre les prochaines études portant sur l'évaluation des retombées économiques d'une équipe de sport professionnel.

5.1. LE BASEBALL, UN SPORT EN PERTE DE VITESSE ?

De nombreux observateurs, journalistes et partisans ont prétendu qu'à la suite des grèves de 1994 et 1995 le lien entre les partisans et les joueurs était définitivement rompu et que le baseball majeur ne s'en remettrait jamais. Après une année record de près de 70,3 millions de spectateurs

4. Rosentraub, M.S., D. Swindell *et al.* (1994). « Sport and Downtown Development Strategy : If You Build It, Will Jobs Come ? », *Journal of Urban Affairs*, vol. 16, n° 3, p. 221-239.

en 1993, les assistances ont dégringolé à environ 60,1 millions en 1996, première année complète après la grève. Pour plusieurs, cette perte de plus de 10 millions de spectateurs constituait une rupture définitive entre les partisans et leur équipe. Ce divorce fut cependant de courte durée : à la hausse depuis 1995, les assistances ont atteint un niveau record de plus de 71 millions de spectateurs en 2000, soit plus de 29 000 spectateurs par match (tableau 5.1).

Même si les assistances moyennes sont un peu plus faibles qu'au sommet de 1994, alors qu'elles étaient de plus de 31 000 spectateurs par match avant le déclenchement des hostilités entre propriétaires et joueurs, force est d'admettre que la décennie 1990, avec l'ajout de quatre nouvelles équipes, aura été la plus florissante du baseball majeur, les assistances n'ayant jamais été aussi élevées. Durant les années 1990, les équipes ont atteint le cap d'une moyenne saisonnière de 30 000 spectateurs par match à 106 occasions, comparativement à 15 durant la décennie 1970. Dans les années 1960, seuls les Dodgers de Los Angeles avaient réussi l'exploit à 4 occasions.

De toute évidence le baseball n'a jamais été aussi populaire ; prétendre que les faibles assistances obtenues par certaines équipes serait le fait d'une baisse d'engouement des spectateurs pour ce sport constitue une très mauvaise interprétation de la situation, car depuis son existence le baseball ne s'est jamais aussi bien porté, et l'an 2000 semble confirmer la poursuite de cette tendance. Devant une hausse aussi généralisée de l'affluence partout dans la ligue, la cause des faibles assistances rencontrées çà et là dans certaines villes ne peut être que de nature locale.

TABLEAU 5.1
Évolution des assistances dans la Ligue de baseball majeur (1990-2000)

	Assistances			
Saison	Total	Par équipe	Par match	Événements importants
1990	52 408 579	2 015 715	24 885	
1991	56 813 760	2 185 145	26 977	
1992	55 870 466	1 995 374	24 634	
1993	70 257 938	2 509 212	30 978	Expansion : Colorado et Floride
1994	50 010 016	1 786 072	31 247	Grève : saison de 3201 parties
1995	50 469 236	1 802 473	25 034	Grève : saison de 4034 parties
1996	60 097 381	2 146 335	26 498	
1997	63 168 689	2 256 025	27 852	
1998	70 601 147	2 353 372	29 054	Expansion : Tampa Bay et Arizona
1999	70 103 204	2 336 773	28 849	
2000	71 358 907	2 378 630	29 366	

Source : Forman (2000).

5.2. PETITS ET GRANDS MARCHÉS

La cause la plus souvent soulevée pour expliquer les faibles assistances observées dans certaines villes du baseball majeur est sans contredit la taille des villes. Cet argument avancé par les propriétaires et entériné à la fois par quelques auteurs et journalistes sportifs, à première vue fort logique et compréhensible, est cependant erroné.

Cette explication sert assez bien la cause des propriétaires de certaines équipes qui en profitent pour jouer sur deux tableaux à la fois. En effet, le fait d'évoluer dans un petit marché permet à ces propriétaires d'exploiter, dans un premier temps, les largesses des administrations publiques pour le financement de leurs installations et, dans un second temps, la complaisance ou la naïveté de certaines équipes prêtes à consentir un certain partage des revenus pour assurer, leur dit-on, leur propre subsistance et celle de la ligue. En effet, l'existence et le succès des uns n'est possible que par la présence des autres, d'où la possibilité du chantage exercé par certaines équipes.

Si, effectivement, la taille d'une ville était d'une influence quelconque sur les assistances, comment expliquer qu'en 1999 les équipes de Denver, Phœnix et St. Louis, qui évoluaient dans de petits marchés de moins de trois millions d'habitants, aient pourtant attiré en moyenne près de deux fois plus de spectateurs que les équipes de San Francisco et Philadelphie, toutes deux installées dans des régions métropolitaines de plus de six millions de personnes (tableau 5.2) ?

TABLEAU 5.2
Assistances moyennes par partie et taille des régions métropolitaines (1999)

Équipe	Assistance par partie	Population en milliers	Équipe	Assistance par partie	Population en milliers
Milwaukee	21 140	1 645	Toronto	26 710	4 400
Kansas City	18 709	1 737	Houston	33 408	4 407
Cincinnati	25 292	1 948	Texas	34 253	4 802
Pittsburgh	20 348	2 346	Détroit	25 174	5 457
Colorado (Denver)	39 949	2 365	Boston	30 201	5 633
Tampa Bay	21 601	2 504	Philadelphie	22 535	5 988
St-Louis	40 197	2 563	Oakland	17 712	6 816
San Diego	31 155	2 780	San Francisco	25 659	6 816
Minnesota	14 942	2 831	Baltimore	42 372	7 285
Cleveland	42 820	2 911	Chicago WS	16 656	8 809
Arizona (Phoenix)	37 234	2 933	Chicago C	34 739	8 810
Seattle	35 999	3 424	Anaheim	27 815	15 781
Montréal	9 540	3 500	Los Angeles		15 781
Floride	16 906	3 655	New York M	33 448	20 126
Atlanta	40 554	3 746	New York Y	40 662	20 126

Sources : Forman (2000) ; U.S. Census Bureau (2000).

Les 30 équipes du baseball majeur évoluent dans 26 marchés différents, les villes de New York, Chicago, Los Angeles-Anaheim et San Francisco-Oakland accueillant chacune deux équipes. Parce que les variations de la taille des villes et de leur situation économique ne sont perceptibles que sur de très longues périodes, une analyse diachronique des assistances dans différentes villes du circuit démontre bien que la taille d'une ville n'a aucun impact sur les assistances.

Le graphique 5.1 fait état de l'évolution des assistances pour cinq villes prises au hasard et illustre bien que, pour une période de quarante ans, les assistances évoluent en dents de scie et de façon désordonnée sur de courtes périodes, et ce, dans des proportions qui n'ont aucun rapport avec la fluctuation possible de la taille ou de l'économie d'une ville. À titre d'exemple, et ce cas ne fait pas exception, de 1975 à 1980 les Astros de Houston ont vu leurs assistances passer de 858 000 à 2 278 000 spectateurs, puis redescendre à 1 184 000 en 1985, remonter à 1 933 000 trois ans plus tard pour redescendre au même niveau en l'espace de trois autres années.

Cette observation, couplée au fait que les assistances dans le baseball sont continuellement à la hausse, permet d'affirmer que la variation du nombre de spectateurs aux matchs de baseball est entièrement conjoncturelle et qu'elle ne peut être expliquée que par des variables locales qui relèvent de certains choix faits par les propriétaires.

Même si les fluctuations des assistances dans le temps sont nombreuses, il pourrait être fort logique d'affirmer que, pour des équipes de même calibre, celles qui évoluent dans de grands marchés attireront

GRAPHIQUE 5.1

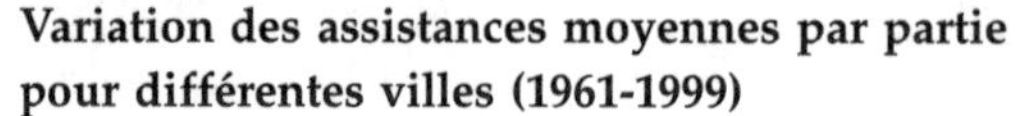

Variation des assistances moyennes par partie pour différentes villes (1961-1999)

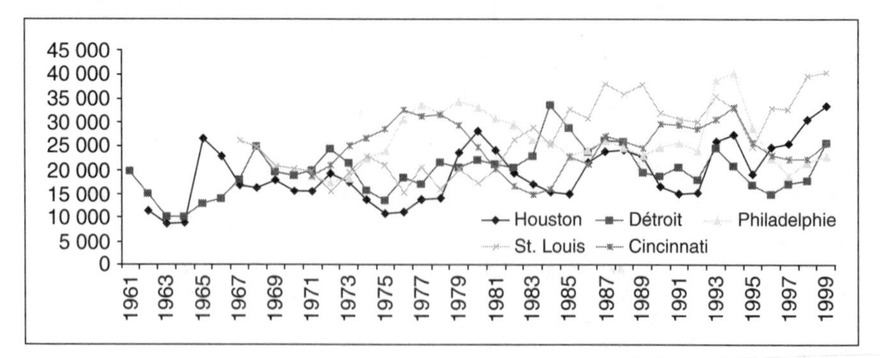

Source : Forman (2000).

inévitablement plus de spectateurs, donc qu'inévitablement une équipe forte dans un grand marché attirerait beaucoup plus de spectateurs qu'une équipe faible dans un petit marché.

Comment interpréter, alors, que les Cards de St. Louis et les Rockies du Colorado, qui évoluent dans des petits marchés respectifs de 2,5 et 2,3 millions d'habitants et qui ont connu des saisons désastreuses en 1999, terminant à 21,5 et 28 parties de la tête, aient attiré plus de 40 000 spectateurs par match, comparativement aux Mets de New York et aux Giants de San Francisco qui évoluent dans les marchés les plus importants et qui n'attiraient que 33 600 et 24 000 spectateurs par partie alors que leur moyennes respectives étaient de 0,610 et 0,543 ?

5.3. TAUX DE PÉNÉTRATION

Contre toute attente, une analyse de la saison 1999 tend à démontrer que les assistances aux stades seraient inversement proportionnelles à la taille des villes. Le graphique 5.2 fait clairement ressortir que le taux de pénétration des équipes du baseball majeur varie inversement selon la taille des villes dans lesquelles elles évoluent. Les équipes des régions métropolitaines de moins de trois millions d'habitants ont un taux de pénétration qui varie entre 0,6 et 1,4 (exception faite des Twins du Minnesota avec un taux de pénétration de 0,4 – il faut cependant reconnaître que cette équipe a eu le pire rendement des ligues majeures), alors que les équipes qui évoluent dans les plus grands marchés possèdent un taux de pénétration inférieur à 0,5 (la taille des marchés a été réduite de moitié pour les villes ayant deux équipes). Ainsi, les habitants de Denver et de St. Louis se sont présentés au stade environ 1,4 et 1,3 fois en moyenne dans l'année pour encourager leurs favoris, alors que moins de un habitant sur deux à Baltimore, Boston et Chicago, entre autres, se rendait au stade assister à un match de l'équipe locale.

Compte tenu du fait qu'aucune équipe évoluant dans les grands marchés ne joue à guichets fermés, la capacité même des stades ne peut être invoquée pour expliquer les variations du taux de pénétration. Étrangement donc, les équipes qui évoluent dans de petites villes obtiennent un achalandage réel plus important que celles qui jouent dans de grands centres urbains.

En faisant abstraction des villes qui possèdent deux équipes, on remarque une double tendance qui s'articule autour de trois millions d'habitants. Passé ce seuil, l'assistance réelle décline même si la taille des villes augmente (graphique 5.3). Le nombre plus élevé d'équipements récréatifs ou d'événements culturels dans les grandes régions métropolitaines semble constituer une concurrence importante pour le baseball.

GRAPHIQUE 5.2

Variation du taux de pénétration des équipes selon la taille des villes (1999)*

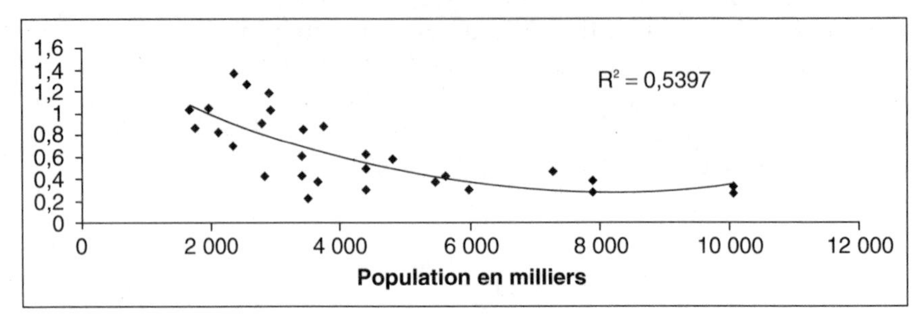

* Dans les villes où évoluent deux équipes, la population de la région métropolitaine a été réduite de 50 %.

Sources : Forman (2000) ; U.S. Census Bureau (2000).

GRAPHIQUE 5.3

Variation des assistances moyennes par partie selon la taille des villes (1997-1999)*

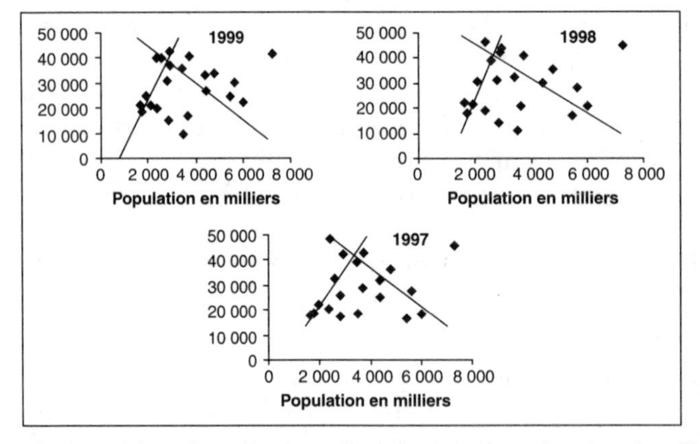

* Exclusion faite des villes accueillant deux équipes : Los Angeles, Chicago, New York et San Francisco.

Sources : Forman (2000) ; U.S. Census Bureau (2000).

Bien qu'il existe de petits et de grands marchés, on ne peut affirmer que l'achalandage soit proportionnel au marché. Bien au contraire, il semble que les équipes évoluant dans de petites villes aient un pouvoir attractif beaucoup plus grand.

5.4. LE RENDEMENT DES ÉQUIPES

Philip K. Porter[5] démontra, dans une étude sur le rendement des équipes entre 1966 et 1990, qu'une augmentation de 1 % du rendement entraînait une augmentation des assistances de 40 000 spectateurs par année. Pour plusieurs chercheurs, le rendement des équipes demeure le principal élément qui influe sur les assistances aux stades. Ainsi, selon eux, toute aide financière aux équipes évoluant dans les petits marchés (même si cela n'a pas d'incidence sur les assistances), qu'elle prenne la forme de la construction d'un stade ou d'un meilleur partage des revenus, leur permettrait de constituer de meilleures équipes qui, en améliorant leurs performances et en luttant pour le championnat, attireraient plus de spectateurs aux stades. Mais qu'en est-il véritablement ?

Porter[6] étudie la variation d'une année à l'autre des assistances pour un même club, à partir de moyennes et d'écarts types. Une analyse graphique de l'assistance moyenne par partie en fonction du rendement des équipes au cours des quatre dernières décennies permet de voir que, globalement, le rendement d'une équipe ne peut véritablement expliquer les assistances (graphique 5.4). Même si, au cours de la décennie 1980, les assistances variaient effectivement au rythme des victoires, historiquement l'impact du rendement des équipes sur les assistances est plutôt faible. Au cours des années 1960 et 1970, le rendement des équipes (R^2) n'expliquait que 25 % et 29 % de l'assistance. Ce taux allait atteindre un sommet de 37 % durant les années 1980. Au cours de la dernière décennie, peut-être à cause de l'inflation salariale, le rendement des équipes n'explique plus que 19 % des assistances.

Durant les trente années qui séparent les années 1960 des années 1990, les équipes qui ont connu les plus fortes assistances moyennes étaient celles dont le rendement était positif. Dans les années 1960, avec un rendement d'environ 0,600, les Dodgers de Los Angeles furent la seule équipe à avoir attiré, à quatre reprises, plus de 30 000 spectateurs par match. Dans les années 1970, avec un rendement de 0,488, l'équipe des Dodgers fut la seule des quinze équipes à atteindre le plateau de 30 000 spectateurs par match, avec un rendement inférieur à 0,500. Au cours de la décennie 1980, les cinq équipes à franchir le sommet de 40 000 spectateurs par match avaient une moyenne qui variait entre 0,543 et 0,586.

5. Porter, K.P. (1992). « The Role of the Fan in Professional Baseball », dans P.M. Sommers (dir.), *Diamonds Are Forever : The Business of Baseball*, Washington, The Brookings Institution, p. 63-76.

6. *Ibid.*

GRAPHIQUE 5.4
Évolution des assistances moyennes par partie selon le rendement des équipes par décennie

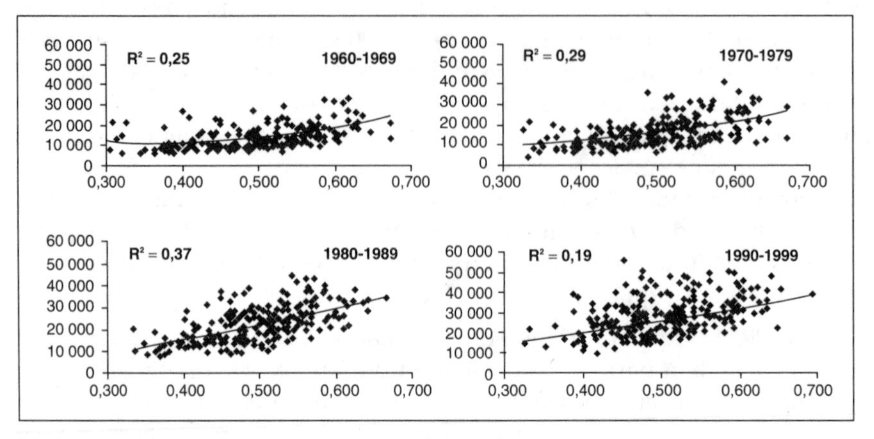

Source : Forman (2000).

Phénomène déjà amorcé dans les années 1980 alors que près de la moitié (7/15) des équipes à avoir joué pour plus de 0,600 n'ont pas atteint 30 000 spectateurs par match, dans les années 1990 il est clair que les plus fortes assistances ne sont plus l'apanage des meilleures équipes. La barre des 40 000 spectateurs par match en moyenne pour une saison allait être franchie à plus de 34 occasions par des équipes dont le rendement variait entre 0,401 et 0,654, et de ce nombre dix n'avaient pas joué pour plus de 0,500. Durant cette décennie, l'ultime sommet des 50 000 spectateurs en moyenne par match pour une saison fut dépassé à quatre reprises, dont trois fois par des équipes qui avaient une moyenne inférieure à 0,478.

Cette tendance s'est maintenue et accentuée en fin de décennie, faisant en sorte que les équipes performantes et celles inscrites dans une course au championnat ne sont plus nécessairement celles qui ont le plus de succès aux guichets.

Entre 1997 et 1999, la moitié des équipes ayant joué pour plus de 0,500 n'ont pas rallié plus de 30 000 spectateurs par match. Durant la même période, les équipes qui avaient attiré en moyenne plus de 30 000 spectateurs par match ont eu un rendement variant entre 0,389 et 0,704 ; 15 fois en 41 occasions ces équipes ont eu un rendement inférieur à 0,500. Fait encore plus significatif, il n'existe aucune relation entre le rendement de l'équipe et les assistances, la corrélation étant inférieure à 1 % passé le cap des 30 000 spectateurs par match.

La course au championnat n'est, quant à elle, aucunement un gage de succès aux guichets. Depuis le début des années 1990, les équipes qui ont gagné la série mondiale n'ont attiré plus de trois millions de spectateurs, soit environ 40 000 spectateurs par match, qu'à trois occasions (dont deux fois les Blue Jays de Toronto). Champions incontestés à quatre reprises au cours des cinq dernières saisons, les Yankees de New York n'ont attiré plus de 40 000 spectateurs par match qu'à une seule occasion, soit en 1999 alors qu'ils jouèrent devant 3 292 000 spectateurs. Lors de leur premier championnat en 1996, seulement 27 800 personnes assistaient régulièrement à leurs matchs. Ceci confirme donc deux appréhensions : les meilleures équipes, tout comme les grands marchés, n'engendrent pas nécessairement les meilleures assistances. Pendant la même période, des équipes aussi faibles que St. Louis, Colorado et Baltimore attiraient plus de 40 000 à 45 000 spectateurs par match en moyenne.

L'autre équipe à avoir remporté les séries mondiales en 1997, les Marlins de la Floride, n'a pu faire mieux que 29 000 spectateurs par match. Devant l'énormité des pertes (près de 30 millions de dollars américains[7]) et le peu de succès de ce championnat, Wayne Huizenga, le propriétaire des Marlins, procéda à une vente au rabais pour réduire sa masse salariale de 20 millions. L'équipe termina la saison 1998 à 52 parties de la tête, avec des assistances de 21 363 spectateurs par match. Comme le fait voir le tableau 5.3, les championnats n'attirent pas nécessairement les plus grosses foules.

Malgré le peu d'impact du rendement sur les assistances, les propriétaires continuent de payer de fortes sommes, espérant que leurs équipes graviront les plus hauts échelons. En 1999, les six équipes ayant joué pour plus de 0,595 avaient une masse salariale moyenne de 63 millions de dollars américains et elles avaient attiré en moyenne 38 000 spectateurs par match. Ces équipes avaient donc dépensé 54 % de plus que la moyenne des équipes pour obtenir à peine 31 % de plus que l'assistance moyenne des ligues majeures.

5.5. LES NOUVEAUX STADES, LES NOUVELLES ÉQUIPES ET L'EFFET DE NOUVEAUTÉ

Pour faire face aux exigences financières de plus en plus grandes des équipes championnes, les magnats du baseball se sont lancés dans la construction de nouveaux stades, en partie ou en totalité payés par les

7. Ozanian, K.M. (1997). « Fields of Debt », *Forbes Magazine*, <http://www.forbes.com/forbes/1997/1215/6013174a_3.html>.

TABLEAU 5.3
Assistances des équipes ayant gagné les séries mondiales (1990-2000)

Saison	Équipe	Assistances		
		Total	Par partie	Rang
1990	Cincinnati	2 400 892	29 641	9
1991	Minnesota	2 293 842	28 319	13
1992	Toronto	4 028 318	49 732	1
1993	Toronto	4 057 947	50 098	2
1994	Grève des joueurs			
1995	Atlanta	2 561 831	35 581	6
1996	New York Y	2 250 877	27 789	11
1997	Florida	2 364 387	29 190	11
1998	New York Y	2 955 193	36 484	8
1999	New York Y	3 293 659	40 662	3
2000	New York Y	3 055 435	37 721	8

Source : Forman (2000).

différentes instances gouvernementales, à coups, non pas de millions, mais de milliards de dollars. Lors de son témoignage au Sénat, Mark Rosentraub[8] évaluait à sept milliards de dollars américains l'aide consentie aux équipes des quatre grands circuits de sport professionnel.

Même si, pour nombre de ces équipes, le déménagement dans un nouveau stade a été fort profitable, les effets qu'engendre un nouveau stade sur les assistances sont plutôt éphémères. En effet, bien que l'on observe, encore trois ans après l'ouverture d'un stade, une augmentation des assistances par rapport aux années précédentes, cet effet de nouveauté dépasse rarement plus de cinq ans.

Parmi les sept équipes qui ont évolué dans un nouveau stade au cours des années 1990, seuls les Indians de Cleveland et les Blue Jays de Toronto connaissaient encore des assistances supérieures trois ans après leur déménagement. Pour les autres équipes, l'effet de nouveauté fut de courte durée. Atlanta après seulement quatre ans, Toronto et Chicago en huit ans voyaient leurs assistances revenir au même niveau qu'avant leur déménagement ; quant aux Rockies du Colorado, l'ouverture du Coors Field ne leur a jamais permis de retrouver les assistances de leurs premières saisons dans la ligue (tableau 5.4).

8. Rosentraub, M.S. (1999b). « Stadium Financing and Franchise Relocation Act of 1999 S.952 », Testimony for the Senate Committee on the Judiciary, June 15. <http://www.senate.gov/~judiciary/61599msr.htm>.

TABLEAU 5.4
Évolution des assistances moyennes par partie lors de l'ouverture de nouveaux stades

Années	Baltimore	Cleveland	Texas	Toronto	Chicago	Atlanta	Colorado
–4	20 630	15 126	25 406	30 129	14 914	47 960	n.d.
–3	31 299	12 986	28 367	34 302	13 860	44 548	n.d.
–2	30 002	15 112	27 139	32 039	12 989	35 581	55 350
–1	31 515	26 888	27 711	41 678	24 720	35 818	56 094
Ouverture	44 047	35 313	43 916	47 966	36 224	42 771	47 084
1	45 000	39 483	27 582	49 402	33 101	41 492	47 743
2	45 274	41 220	35 448	49 732	31 865	40 554	48 006
3	43 034	42 295	36 361	50 098	30 042	39 926	46 823
4	44 475	42 806	36 141	50 573	22 204		39 949

Sources : Forman (2000) ; Munsey et Suppes (2001).

Dans le cas des nouvelles équipes, l'effet sur la nouvelle clientèle ne dure qu'une année. Les nouvelles équipes des expansions de 1993 et 1998 ont toutes vu leurs assistances baisser entre 14,9 % et 42,2 % dans les trois années suivant leur entrée dans la Ligue de baseball majeur. Les équipes de Colorado, Tampa Bay, Floride et Arizona ont vu, en seulement trois saisons, leurs assistances moyennes par partie passer respectivement de 55 350 à 47 084, de 30 942 à 17 889, de 37 858 à 23 783 et de 44 571 à 36 321.

Si les nouvelles installations, à l'image des performances de l'équipe, ont à long terme peu d'impact sur l'achalandage, qu'est-ce donc qui fait courir les foules ?

5.6. LA MASSE SALARIALE

En 1998, dans le dossier des Twins du Minnesota[9], l'Université du Wisconsin reprit l'étude de Porter[10] pour évaluer l'impact des nouveaux stades et conclut que l'augmentation des assistances dans ces nouveaux stades était attribuable, en partie, au meilleur rendement des équipes, mais principalement à l'augmentation de la masse salariale. La hausse des assistances ne s'expliquait plus uniquement par le rendement de l'équipe, mais également par la valeur des joueurs.

9. Schiappa, E. (1998). « Squeeze Play : The Campaign for a New Twins Stadium », University of Wisconsin, <http ://www.comm.umn.edu/twinsreport/appendix2.htm>.
10. Porter, K.P. (1992). *Op. cit.*, p. 63-76.

La masse salariale des équipes de baseball est sans contredit le facteur ayant l'impact direct le plus important sur l'achalandage des stades. En 1999, les équipes ayant une masse salariale supérieure à 45 millions de dollars américains ont attiré plus de 30 000 spectateurs par match, tandis que les équipes ayant une masse salariale inférieure à 35 millions de dollars américains n'ont pu faire mieux que 25 000 spectateurs par partie. Depuis 1997, les assistances aux stades sont de plus en plus en étroite relation avec la masse salariale des joueurs de l'équipe, et cette dernière expliquerait 81 % ($R^2 = 0,811$) de l'achalandage en 1999, contre 61 % en 1998 et 49 % en 1997 (graphique 5.5).

GRAPHIQUE 5.5

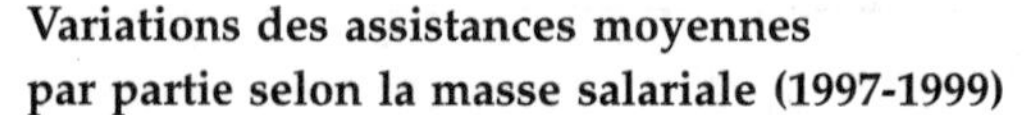

Variations des assistances moyennes par partie selon la masse salariale (1997-1999)

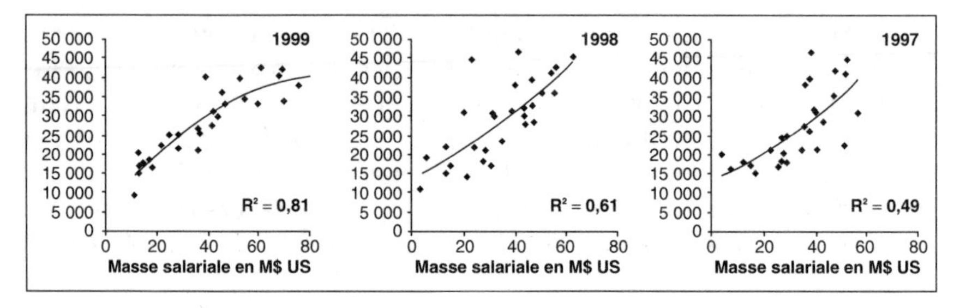

Source : Forman (2000).

Cette forte corrélation entre la masse salariale et les assistances observée en 1999 permet, à partir d'une analyse de régression linéaire, d'évaluer à 50 millions de dollars américains la masse salariale nécessaire pour attirer au moins 30 000 spectateurs par partie. Pour s'assurer d'une assistance moyenne de 40 000 spectateurs, une équipe devra donc consentir au moins 75 millions de dollars américains en salaire à ses joueurs, selon la formule de régression suivante :

$$AMP = 0,404\ MS + 12\,313$$

où AMP représente l'assistance moyenne par partie et MS la masse salariale totale des joueurs gagnant plus de un million de dollars américains par saison[11].

11. Considérant que ces joueurs ont peu d'impact sur l'achalandage, l'ensemble des calculs ne tient pas compte des joueurs ayant un revenu inférieur à un million de dollars américains.

Cette forte corrélation entre la masse salariale et le niveau des assistances explique pourquoi certains propriétaires investissent autant d'argent dans leur équipe même si cela ne leur assure en rien les grands honneurs. Le classement des équipes selon la différence entre les victoires obtenues et celles prévues en fonction de la masse salariale de l'équipe, établi par Jonathan Kay[12] dans son analyse de la saison 2000, met bien en évidence l'absence de relation entre les victoires et la masse salariale investie dans l'équipe. Cet écart varie grandement, passant de 17,76 victoires de plus que prévu pour les White Sox de Chicago à 17,81 victoires de moins pour les Cubs de la même ville.

Avec une masse salariale deux fois plus importante que celle des White Sox, les Cubs ont donc obtenu 30 victoires de moins, mais attiré 18 000 spectateurs de plus par partie, et ce, même s'ils évoluent dans le vieux Wrigley Field qui date de 1916, alors que les White Sox ont pour domicile le Cominsky Park II, inauguré en 1991 et totalement financé par la ville de Chicago. Le fait que ces deux équipes évoluent dans la même ville permet de confirmer que la taille de la ville a peu d'importance, que le rendement importe peu, que les nouvelles installations n'y changent rien et que, finalement, seule la masse salariale des joueurs a un impact sur les assistances.

Malheureusement il ne suffit pas non plus de doubler la masse salariale des joueurs en place pour espérer voir les assistances d'une équipe grimper en flèche. Si les performances de l'équipe n'attirent pas les foules, mais que la masse salariale le fait, il faut en déduire qu'une autre variable influence le comportement des spectateurs.

5.7. DE BABE RUTH À MARK MCGWIRE

Depuis le début des années 1990, le baseball, comme tous les autres sports professionnels, est devenu un sport-spectacle. Que le rendement de l'équipe ait peu d'effets sur les assistances et que les équipes évoluant dans un grand marché aient un taux de pénétration beaucoup plus faible démontrent clairement que les équipes de baseball ne sont plus en compétition entre elles, mais bien avec les autres activités et spectacles qui se déroulent dans la ville. Cette compétition est à la fois temporelle et financière. Le baseball doit non seulement rivaliser avec les autres activités qui se déroulent simultanément durant la saison estivale, mais également

12. Kay, J. (2000). « To the Rich Go the Spoils », *The National Post*, Toronto, 28 octobre, p. A17.

partager avec les autres promoteurs de sports, de spectacles et d'autres activités ludiques le budget loisir-spectacle du consommateur. L'époque où le baseball était la seule activité estivale est maintenant révolue. L'offre d'activités ludiques et récréatives s'est grandement accrue depuis le milieu des années 1980, et ce, sans véritable augmentation de la population dans la majorité des centres urbains.

Le moment le plus spectaculaire du baseball demeure sans contredit le coup de circuit ; cet instant où le frappeur propulse la balle au delà des limites du terrain correspond au seul moment dans une partie où le coup frappé entraîne directement la réalisation d'un point. En effet, le baseball est le seul sport où il est possible de compter un point sur une non-action, et la majorité des points marqués par un joueur sont le fait d'une action produite par un autre joueur. Par conséquent, le coup de circuit demeure l'instant le plus captivant d'un match et le frappeur de circuits devient la grande vedette du baseball avec, on le verra plus tard, quelques lanceurs qui, de toute évidence, ne font que nuire au spectacle en réduisant par leur talent le nombre d'actions spectaculaires possibles.

Comme tous les autres sports professionnels, le baseball s'est laissé entraîner vers le spectacle. Si l'influence du rendement de l'équipe sur l'assistance diminue au cours des ans, les coups de circuit sont devenus l'élément attractif majeur. Depuis le début des années 1990 l'augmentation des assistances dans la ligue et dans les équipes prises individuellement est grandement tributaire du nombre de circuits frappés dans une saison, phénomène qui s'est d'ailleurs fortement accentué à partir de 1997.

Depuis la naissance de ce sport, les frappeurs de circuits ont continuellement fasciné les spectateurs et déplacé les foules. Milwaukee a vu ses assistances augmenter de 33 % en 1975 avec l'arrivée de Hank Aaron, le plus grand frappeur de circuits de tous les temps ; Carl Yastrzemski, en 1967, avait attiré au stade des Red Sox près de un million de spectateurs de plus que l'année précédente, lorsqu'il est devenu le dernier joueur à décrocher la triple couronne des frappeurs (meilleure moyenne au bâton, plus grand nombre de circuits et de points produits). Babe Ruth, sans doute le plus grand joueur de tous les temps, avait su avant tous concilier sport et spectacle en indiquant de son index l'endroit où il expédierait la balle de son prochain circuit. En 1998, Mark McGwire, en battant le record de 61 coups de circuit en une saison, établi par Roger Maris 37 ans plus tôt, a permis aux Cards de St. Louis de dépasser le cap des trois millions de spectateurs par année.

De façon générale, depuis dix ans, les assistances de la ligue augmentent avec le nombre moyen de circuits frappés par match. En 1990, l'assistance moyenne était de 25 800 spectateurs et chaque équipe frappait en moyenne 121 circuits par année ; dix ans plus tard, en 2000, l'assistance moyenne atteint 29 336 spectateurs, pour une production annuelle de 190 circuits par équipe. En dix ans, le nombre de circuits par match est passé de 1,5 à 2,3 (tableau 5.5).

L'événement marquant qui va entraîner le baseball dans une nouvelle ère est sans contredit la hausse vertigineuse du nombre de circuits entre 1992 et 1993. En 1993, près de 1 000 circuits de plus que l'année précédente seront frappés ; cette augmentation de 33 % va engendrer une augmentation des assistances de 17 %. Fait encore plus révélateur, entre 1992 et 1994, année de la grève des joueurs, les assistances moyennes ont fait un bond spectaculaire de 18 %, le tout accompagné d'une augmentation encore plus incroyable de 50 % du nombre de circuits. En 1994, au moment du déclenchement de la grève, il y avait 4 700 spectateurs de plus par match en moyenne, et les joueurs avaient déjà frappé 300 circuits de plus qu'en 1992, même s'il restait plus de 650 matchs à jouer.

À partir de 1995, la puissance des frappeurs est reconnue, et ce, autant par les propriétaires qui leur consacreront des salaires faramineux que par les spectateurs qui se déplaceront en grand nombre pour assister aux exploits des meilleurs frappeurs. Et, malgré une baisse moyenne des assistances dans la ligue, de nombreuses équipes, celles qui mettront l'accent sur ces joueurs, vont connaître des records d'assistance même si elles croupissent au bas du classement général.

En 1997 et 1998, parmi les 12 équipes qui avaient frappé plus de 200 circuits dans la saison, une seule avait eu une assistance moyenne inférieure à 30 000 spectateurs par match. En 1999, parmi les dix équipes ayant attiré le plus de spectateurs, on comptait seulement quatre équipes de premières places contre six équipes ayant un rendement inférieur à 0,500. Ces dix équipes avaient frappé en moyenne 205 circuits durant la saison, comparativement aux autres qui n'en avaient produit que 175. Pour l'ensemble des trois années, les équipes ont frappé plus de 200 circuits dans l'année à 21 occasions ; elles n'ont connu des assistances inférieures à 30 000 spectateurs par match qu'à quatre reprises (graphique 5.6).

L'impact du nombre de coups de circuit frappés par une équipe atteint cependant ses limites : 210 circuits par saison constituent un seuil qu'il ne sert à rien de franchir. Pour la saison 1999, si l'on fait exception de Montréal, qui vit une situation particulière, et de Cincinnati, la seule équipe à évoluer dans un marché de moins de deux millions d'habitants, et que l'on retranche les équipes qui ont frappé plus de 210 circuits, on obtient un coefficient de détermination (R^2) égal à 0,70. Les équipes qui ont attiré plus de 40 000 spectateurs avaient frappé entre 193 et 209 circuits.

TABLEAU 5.5
Évolution des assistances et du nombre de circuits (1990-2000)

	Assistances		Circuits		
Saison	Total	Par partie	Total	Par équipe	Par partie
1990	52 408 579	24 897	3 185	123	1,51
1991	56 813 760	27 003	3 383	130	1,61
1992	55 870 466	26 529	3 038	117	1,44
1993	70 257 938	30 964	4 030	144	1,78
1994*	50 010 016	31 246	3 307	118	2,07
1995*	50 469 236	25 022	4 081	146	2,02
1996	60 097 381	26 480	4 962	177	2,19
1997	63 168 689	27 877	4 640	166	2,05
1998	70 601 147	29 054	5 064	169	2,08
1999	70 103 204	28 873	5 528	184	2,27
2000	71 358 907	29 366	5 693	190	2,34

* Grève des joueurs.
Source : Forman (2000).

GRAPHIQUE 5.6
Variation des assistances moyennes par partie selon le nombre de circuits frappés par une équipe au cours de l'année (1997-1999)

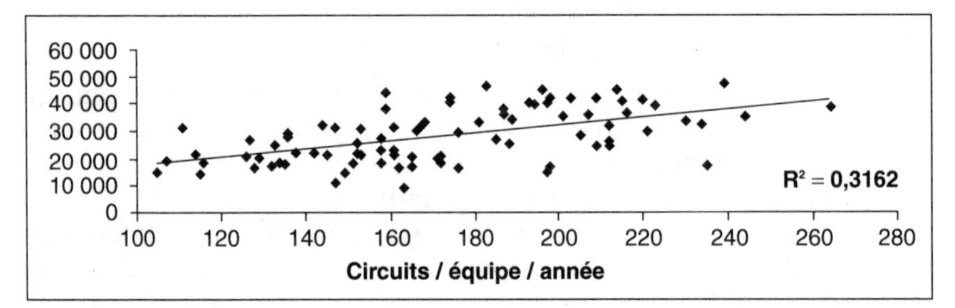

Source : Forman (2000).

En 1999, les 13 équipes qui ont frappé plus de 190 circuits avaient une masse salariale moyenne d'environ 50 millions de dollars américains ; elles ont attiré 34 532 spectateurs par partie, soit 37,4 % de plus que les autres équipes. À cet effet, elles n'ont dépensé que 22 % de plus en salaire pour leurs meilleurs joueurs.

5.8. POUR QUE LES FIDÈLES ACCOURENT

Il est donc possible maintenant de déterminer les conditions pour que les fidèles accourent aux stades. Il est dorénavant acquis que le baseball n'est plus en situation de monopole; il est de plus en plus menacé par le hockey et le basketball, qui étirent leur saison tard au printemps, mais aussi par la montée de popularité des centres-villes nord-américains qui se développent autour de nouveaux créneaux axés sur la participation populaire. La revitalisation des centres-villes, le développement du marché des festivals et des activités qui s'y rattachent, la création ou la remise en état des réseaux vert et bleu sont autant d'éléments qui viennent concurrencer le baseball professionnel.

À titre d'exemple, durant la saison estivale, les Expos sont en compétition avec plus d'une vingtaine d'événements culturels et sportifs d'envergure internationale – le Festival International de Jazz, le Grand Prix de Formule 1, les Internationaux de tennis, pour n'en nommer que quelques-uns –, et ce, sans compter les 26 sites et équipements récréotouristiques permanents qui se trouvent à Montréal et dont la plupart étaient inexistants au début des années 1980[13]. Bien que Montréal soit dans une classe à part, force est d'admettre que les Américains ont repris d'assaut leurs vieux centres-villes par le développement d'*Urban Entertainment Districts* (UED), lieux de concentration d'activités ludiques en tout genre[14].

Au cours des dix dernières années, les magnats du baseball ont su admirablement bien tirer leur épingle du jeu et convaincre les administrations publiques de leur importance dans la revitalisation des centres-villes, réussissant à faire payer en grande partie les coûts inhérents à une telle opération. Toutefois, il faut prendre note que l'implantation de ces nouveaux stades s'inscrit à la fin ou au milieu du processus de revitalisation urbaine, soit à la fin des années 1990, alors que la démarche de revitalisation des centres-villes remonte au milieu des années 1980[15].

5.8.1. PREMIÈRE CONDITION : UN STADE PRÈS DES GENS

La construction de nouveaux stades et leur déplacement vers le centre-ville étaient l'une des premières conditions pour favoriser le retour des fidèles au stade, l'emplacement des stades en périphérie ne pouvant plus

13. Lefebvre, S. et D. Latouche (1997). « L'impact socioculturel d'un nouveau stade de baseball pour les Expos de Montréal », rapport final, Montréal, INRS-Urbanisation.

14. Hannigan, J. (1998). *Fantasy 'City: Pleasure and Profit in the Postmodern Metropolis*, Londres, Routledge.

15. Zukin, S. (1993). *Landscapes of Powers : From Detroit to Disney World*, Berkeley, University of California Press.

faire le poids face à la concentration croissante des activités dans les centres-villes, devenus les nouveaux lieux de divertissement[16]. Ces déménagements, essentiels selon les propriétaires, ont ramené les fidèles déçus de la dernière grève, et enrayé un déclin qui semblait inévitable.

L'arrivée de nouvelles équipes et l'inauguration de nouveaux stades ont permis au baseball majeur d'atteindre des sommets historiques. En 2000, les équipes du baseball majeur auront attiré plus de 71 358 000 spectateurs, ce qui constitue une hausse de 1 219 500 spectateurs par rapport à 1999. Cette croissance est le fait du déménagement dans de nouvelles installations des Tigers de Détroit, des Astros de Houston et des Giants de San Francisco, qui ont vu leur assistance augmenter dans l'ensemble de plus de deux millions de spectateurs, ce qui signifie que les autres équipes de la ligue ont subi une baisse réelle d'assistance. De la même manière, la hausse spectaculaire de près de 7,5 millions de spectateurs en 1998 était due à l'arrivée de deux nouvelles équipes à Tampa Bay et en Arizona, lesquelles, avec 6,1 millions de spectateurs, représentent plus de 80 % de cette augmentation.

Bien que de nouvelles installations en UED soient un atout indéniable pour faire concurrence aux autres activités urbaines, la construction d'un nouveau stade en lui-même ne suffit pas et il va de soi que d'autres conditions s'imposent.

5.8.2. DEUXIÈME CONDITION : LES VEDETTES

Le baseball est devenu avant tout un spectacle, ou du moins il se doit dorénavant de rivaliser sur ce terrain. Au cours des dernières années, les sports majeurs ont mis de plus en plus l'accent sur les vedettes pour relancer leur discipline et améliorer le spectacle. On a adopté des règlements et la publicité des matchs est orientée autour d'eux. Ce ne sont plus deux équipes qui s'affrontent, mais une ou deux vedettes qui affrontent l'équipe adverse.

Au cours des quatre dernières années, les sports professionnels ont perdu une part importante de leur auditoire au profit de la télévision : baisse de 20 % au hockey et au football, 35 % au basketball, contre à peine 7 % au baseball[17]. D'aucuns considèrent que ces baisses, entre autres au

16. Gill, D. (2000). « De nombreux obstacles au deuxième "nouveau stade" », Montréal, *La Presse*, 17 février.
17. Trudel, P. (2000). « Le sport moins populaire », Montréal, *La Presse*, 10 novembre, p. S6.

basketball avec Jordan, sont dues au départ des grandes vedettes, Gretzky, Lemieux, Elway, Marino et quelques autres, alors que le golf n'a jamais été aussi populaire que depuis l'arrivée de Tiger Woods. Le baseball a pu atténuer cette baisse en se façonnant de nouveaux héros. La course au record de circuits de Roger Maris par Sosa et McGwire en 1998 a relancé l'attrait pour ce sport, faisant grimper les assistances moyennes de 5,2 % dans la Ligue nationale cette année-là.

Afin de concurrencer les autres formes de divertissement, les équipes sportives n'ont d'autre choix que de créer des vedettes afin de maintenir le lien entre le sport et les spectateurs, comme le soulignait Shannon Dortch[18] :

> *history is a good teacher, baseball needs more than a strong commissioner; it needs a superstar. Like Babe Ruth or Michael Jordan, the star doesn't have to be a perfect person, but he absolutely must be accessible, amiable, and sincere. The only player who has come close to this role in the past decade is the now-retired Bo Jackson. It was his potential, not his statistics that focused public attention on Kansas City and baseball. Americans had never seen anything like Jackson's ability to combine brute physical strength with speed and daring. His bare-handed catches, vaults to the left-field wall, and habit of breaking bats over his head in frustration were among the feats that brought widespread attention to the game.*

Les équipes qui connaissent un succès aux guichets ne sont plus celles qui dominent, mais bien celles qui comptent dans leurs rangs un nombre important de joueurs d'impact.

Dans un autre ordre d'idées, la masse salariale des équipes constitue le principal facteur d'attraction. Ainsi, plus celle-ci est importante et plus les assistances seront fortes. Pour obtenir un achalandage de 2,5 millions de spectateurs par année, soit 30 000 par match, il faudra prévoir une masse salariale dépassant les 50 millions de dollars américains par an, à la condition de mettre l'accent sur les meilleurs frappeurs, les véritables vedettes de ce sport, qui permettront à l'équipe de produire plus de 200 circuits par année.

Quant à ceux qui voudront aspirer au championnat, il leur faudra injecter une quinzaine de millions de dollars supplémentaires, sans pour autant voir augmenter les assistances, comme il a été démontré précédemment. La clé du succès repose en effet dans la main du lanceur ; ne dit-on pas d'ailleurs du baseball que *The name of the game is pitching* ?

18. Dortch, S. (1996). « The Future of Baseball ; American Demographics », <http://www.demographics.com/Publications/AD/96_AD/9604_AD/9604AF01.htm>.

Étant celui qui amorce le jeu, le lanceur a la responsabilité des succès de l'équipe. Ainsi, après chaque match on donne le nom du lanceur gagnant, du lanceur perdant et du sauveteur. La différence de 15 à 20 millions de dollars entre la masse salariale d'une équipe spectaculaire et celle d'une équipe championne provient des lanceurs. Les bons lanceurs exigent des salaires équivalents et même supérieurs à ceux des bons frappeurs. Cependant, comme chacun d'eux ne commence qu'environ 20 % des matchs (Rogers Clemens, le meilleur lanceur du baseball majeur, n'a lancé que 200 manches en 2000 pour les Yankees, soit à peine 15 % de toutes les manches jouées par son équipe), leur impact sur l'assistance ne peut qu'être marginal. Le lanceur partant n'exerce donc une influence sur l'assistance qu'une fois sur cinq. Les bons lanceurs coûtent cher, rapportent peu, mais sont essentiels au bon rendement de l'équipe. Cela explique la différence salariale d'environ 20 % entre une équipe spectaculaire et une équipe gagnante.

Les Yankees, malgré leurs nombreux championnats achetés à coups de millions, n'ont qu'une troisième place sur quatorze pour ce qui est des assistances dans la Ligue américaine, et ce, bien qu'ils évoluent dans le plus grand marché. Les résultats aux guichets des Yankees ne semble pas dus au succès de l'équipe, mais bien à l'augmentation des coups de circuit. Malgré leur championnat en 1996, ils n'ont attiré que 2,25 millions de spectateurs ; ils dépasseront nettement le cap des trois millions de spectateurs en 1998, alors que le nombre de circuits passe de 162 en 1996 à 207 en 1998. Leurs championnats sont dus à leur personnel de lanceurs dont la masse salariale annuelle dépasse les 30 millions de dollars américains.

Les grands gagnants du baseball sont ceux qui investissent dans le spectacle. En 1997, les sept équipes qui avaient frappé plus de 185 circuits ont accumulé des gains de 108 millions de dollars américains. Par contre, celles qui ont moins de 150 circuits à leur actif ont subi des pertes de près de 50 millions de dollars américains : « *In short, owners of baseball teams usually get what they pay for. When owners invest in quality or high-profile players, they raise attendance*[19]. »

Il ne peut y avoir de doutes, la qualité des équipes et leur réussite financière dépendent largement de la volonté de leur propriétaire d'investir des sommes importantes dans son équipe. Les cas comme celui de Jean Coutu, qui souhaite que la masse salariale des Expos de Montréal soit inférieure de 20 % à la moyenne de la ligue, traduisent soit une méconnaissance

---

19. Schiappa, E. (1998). *Op. cit.*

TABLEAU 5.6
Profits des équipes selon le nombre de circuits frappés (1997)

Équipes ayant frappé plus de 185 circuits			Équipes ayant frappé moins de 150 circuits		
Équipes	Circuits	Profits M$ US		Circuits	Profits M$ US
Boston	185	7,7	Philadelphie	116	–2,5
Texas	187	9,1	Chicago C	127	8,1
Baltimore	196	18,7	Pittsburgh	129	7,5
Oakland	197	7,5	Minnesota	132	–16,5
Cleveland	220	15,4	Houston	133	2,3
Colorado	239	38,3	Milwaukee	135	–4,8
Seattle	264	11,4	Floride	136	–5,5
			Cincinnati	142	–19,9
			St. Louis	144	2,4
			Toronto	147	–20,5
Total		108,1	Total		–49,4

Sources : Forman (2000) ; Rosentraub (1999b).

totale des facteurs de réussite d'une équipe professionnelle de la part des propriétaires eux-mêmes, soit une incapacité financière des investisseurs locaux à relever le défi d'une équipe sportive[20].

5.9. LES ÉQUIPES PROFESSIONNELLES : PRODUIT D'IMPORTATION OU D'EXPORTATION

Jusqu'à 50 millions de dollars américains par année pour une équipe spectaculaire ou 75 millions pour une équipe qui aspire au championnat, soit un budget global oscillant entre 75 et 100 millions de dollars américains avec les autres frais, c'est ce qu'il en coûte pour avoir une équipe qui attirera 2,5 millions de spectateurs par année, soit 30 000 spectateurs par match.

Tenir pour acquis qu'une équipe n'est pas rentable économiquement pour la collectivité constitue une grave erreur. Comme l'a démontré Marc Lavoie, les Expos sont une opération rentable pour la collectivité, grâce au partage des revenus. En fait, la ligue investit plus dans le club que les partisans eux-mêmes. Le même phénomène est observé à Milwaukee où les Brewers reçoivent 29 millions de dollars du partage des revenus

20. Beaudet, G. *et al.* (2000). *Le pays réel sacrifié*, Québec, Éditions Nota Bene.

et à peine 18,7 de la vente des billets. D'ailleurs, dans le cas des Brewers, près de 40 % de toutes les dépenses sont assumées par le fonds de partage des revenus de la ligue[21].

Seule une analyse détaillée des revenus et des dépenses permettra de bien évaluer les retombées pour la collectivité d'une activité sportive ou culturelle. Il ne suffit cependant pas de chiffrer les revenus et les dépenses par poste, mais de bien déterminer pour chacun la provenance des revenus ou des achats, et ce, non pas seulement au stade, mais également dans la collectivité.

La tâche demeure fastidieuse : quelle est la part de billets vendus aux gens de l'extérieur de la ville et de la région ? Quel est leur apport aux autres revenus de l'équipe et durant tout leur séjour ? Les revenus de télévision proviennent-ils de la publicité nationale ou locale ? De la même manière, quelle proportion de la masse salariale demeure dans la communauté sous forme de dépenses ou d'impôts retenus ? Où sont achetées et produites les marchandises vendues par les concessionnaires ?

Avant de condamner les équipes sportives professionnelles, car il y a fort à parier que le bilan sera négatif, il faudra peut-être comparer les résultats avec d'autres activités sportives et culturelles, financées ou non par les fonds publics. Quelle différence y a-t-il pour une région, d'un point de vue économique, entre une partie de baseball et un spectacle musical, une sortie au cinéma, un Grand Prix de Formule 1 ou une exposition au musée ? La question demeure entière. De toutes ces activités, quelles sont les plus profitables pour la collectivité ?

Avec le nombre croissant d'activités événementielles en quête de fonds publics et privés, l'analyse des retombées économiques d'un événement doit se faire avec un plus grand raffinement ; elle ne peut plus seulement se résumer à un simple calcul de multiplicateurs appliqués à l'ensemble ou à une partie des revenus qu'on en tire.

CONCLUSION

Depuis une dizaine d'années, la folie des stades a envahi le sport professionnel et aucune ville n'a été épargnée par le chantage odieux des propriétaires, membres de cette industrie oligarchique qu'est le sport professionnel. Les nombreux investissements publics finalement consentis aux mieux nantis de la société en ont amené plusieurs à se poser des questions quant à la pertinence de tels investissements.

21. Schiappa, E. (1998). *Op. cit.*

Lentement, les études progressent : pendant que certains évaluent les retombées directes et indirectes des événements à partir des sommes dépensées par les spectateurs, d'autres s'intéressent aux retombées touristiques ou tentent de cerner les coûts exacts des opérations, souvent tenus secrets. Par leurs efforts, tous contribuent à mieux définir les véritables retombées du sport professionnel et des événements culturels.

Ces analyses portent, pour la plupart, sur des variables économiques, comme si le sport se suffisait à lui-même ; elles semblent considérer que la seule présence du stade suffira à le remplir, et font trop souvent abstraction des individus, des amateurs, des fidèles. Pourtant, ce sont eux qui sont au cœur du débat, qui déterminent, par leur présence, le succès d'une équipe sportive et l'ampleur des retombées. La présente étude visait, non pas à connaître le spectateur, mais plutôt à comprendre son comportement. Qu'est-ce qui fait courir les foules ? Les résultats pourront varier en fonction des activités, mais, dans le cas du baseball, le résultat final semble importer peu. Ce que les spectateurs recherchent, avant tout, c'est le spectacle offert par les meilleurs joueurs, et plus particulièrement les frappeurs de circuits.

Les propriétaires qui privilégieront avant tout le rendement de leur équipe, par l'embauche de lanceurs, plutôt que la force des frappeurs, risquent de connaître des difficultés à très court terme. Par contre, ceux qui miseront sur de bons frappeurs s'en tireront beaucoup mieux. Quant aux propriétaires qui rêvent d'une bonne petite équipe, formée de joueurs moyens à rabais, ils pourront continuer à rêver d'un certain succès sans jamais le connaître. Le sport professionnel subit des pressions de toutes parts, et seuls les propriétaires qui oseront investir pleinement dans leur équipe pour offrir un spectacle de qualité connaîtront le succès. Cet investissement représente un minimum de 100 millions de dollars américains par année, et il semble bien que toute équipe qui ne peut espérer générer des revenus de cet ordre est vouée à l'échec.

BIBLIOGRAPHIE

BAADE, R.A. (1996). « Professional sports as catalysts for metropolitan economic development », *Journal of Urban Affairs*, vol. 18, n° 1, p. 1-17.

BEAUDET, G. *et al.* (2000). *Le pays réel sacrifié*, Québec, Éditions Nota Bene.

BUSINESS OF BASEBALL (s.d.). « The Baseball Archive », <http ://baseball1.com/c-economics.html>.

DORTCH, S. (1996). « The Future of Baseball ; American Demographics », <http ://www.demographics.com/Publications/AD/96_AD/9604_AD/9604AF01.htm>.

FORMAN, S. (2000). « The Baseball Reference », <http ://www.baseball-reference.com/>.

GILL, D. (2000). « De nombreux obstacles au deuxième "nouveau stade" », Montréal, *La Presse*, 17 février.

HANNIGAN, J. (1998). *Fantasy City : Pleasure and Profit in the Postmodern Metropolis*, Londres, Routledge.

HUDSON, I. (1999). « Bright Lights, Big City : Do Professional Sports Teams Increase Employment ? », *Journal of Urban Affairs*, vol. 21, nº 4, p. 398-408.

JUDD, R.D. et S.S. FAINSTEIN (dir.) (1999). *The Tourist City*, Boston, Yale University Press.

KAY, J. (2000). « To the Rich Go the Spoils », *The National Post*, Toronto, 28 octobre, p. A17.

LAVOIE, M. (2000). « Les équipes sportives professionnelles n'ont pas d'impact économique significatif : le cas des Expos », *Avante*, vol. 6, nº 1, p. 56-86.

LEFEBVRE, S. et D. LATOUCHE (1997). « L'impact socioculturel d'un nouveau stade de baseball pour les Expos de Montréal », rapport final, Montréal, INRS-Urbanisation.

MUNSEY ET SUPPES (2001). <http ://www.ballparks.com>.

NARCOWICH, M. (1998). « Sports and Economic Development : A Literature Review », <http ://www.unc.edu/depts/dcrpweb/courses/261/narcowich/r.htm>.

OZANIAN, K.M. (1997). « Fields of Debt », *Forbes Magazine*, <http ://www.forbes.com/forbes/1997/1215/6013174a_3.html>.

PORTER, K.P. (1992). « The Role of the Fan in Professional Baseball », dans P.M. Sommers (dir.), *Diamonds Are Forever : The Business of Baseball*, Washington, The Brookings Institution, p. 63-76.

ROSENTRAUB, M.S., D. SWINDELL *et al.* (1994). « Sport and Downtown Development Strategy : If You Build It, Will Jobs Come ? », *Journal of Urban Affairs*, vol. 16, nº 3, p. 221-239.

ROSENTRAUB, M.S. (1997). *Major League Losers : The Real Cost of Sports and Who is Paying for It*, New York, Basic Books.

ROSENTRAUB, M.S. (1999a). « Are Publics Policies Needed to Level the Playing Field Between Cities and Teams ? », *Journal of Urban Affairs*, vol. 21, nº 4, p. 377-395.

ROSENTRAUB, M.S. (1999b). « Stadium Financing and Franchise Relocation Act of 1999 S.952 », Testimony for the Senate Committee on the Judiciary, June 15, <http ://www.senate.gov/~judiciary/61599msr.htm>.

ROSENTRAUB, M.S. (2000). « Revenue Sharing, Competitive Balance, And a Plan for Major League Baseball's Future », *Milwaukee Journal Sentinel*, 30 avril, <http ://www.jsonline.com/sports/brew/apr00/baseball42900.asp>.

SCHIAPPA, E. (1998). « Squeeze Play : The Campaign for a New Twins Stadium », University of Wisconsin, <http ://www.comm.umn.edu/twinsreport/appendix2.htm>.

TRUDEL, P. (2000). « Le sport moins populaire », Montréal, *La Presse*, 10 novembre, p. S6.

U.S. CENSUS BUREAU (2000). « Metropolitan Area Population Estimates », <http ://www.census.gov :80/population/www/estimates/metropop.html>.

WALKER, D. (2000). « Brewers Again Bled Money in '99 : Analysis Pegs Loss at $12.1 Million ; Team Hopes New Stadium Will Help », *Milwaukee Journal Sentinel*, 27 avril, <http ://www.jsonline.com/sports/brew/apr00/ball28042700.asp>.

ZUKIN, S. (1993). *Landscapes of Powers : From Detroit to Disney World*, Berkeley, University of California Press.

CHAPITRE

WHAT IS A TEAM WORTH TO A CITY?

INTANGIBLE BENEFITS AND THE PUBLIC SECTOR INVESTMENT

Mark S. Rosentraub*

School of Public and Environmental Affairs
Indiana University

State and local governments across the United States have become increasingly responsible for financing many of the new arenas and stadium demanded by professional sports teams.[1] These actions have an important effect on professional sports franchises located in Canada where local governments have been somewhat more reluctant to pay for the facilities used by professional sports teams. Those Canadian teams playing in facilities that do not have public sector partners are less profitable than those located in the United States. As a result, several teams have left Canada in search of more profitable locations and other franchises are demanding public assistance so that they can generate a level of revenues to match teams in the United States.

---

* mrosentr@iupui.edu ; M.S. Rosentraub is now at the Maxime Goodman Levin College of Urban Affairs, Cleveland State University.

1. Olbermann, K. (1997). « Ballparks and Arenas », dans *Information Please Sports Almanac*, New York, Houghton Mifflin, p. 541-570.

While local, state (provincial), regional, and national governments have been debating the wisdom and value of paying for all or part of the facilities used by professional sports teams, a growing base of research now exists indicating teams and the facilities they use do not produce any economic development for investor communities. Why would communities or the public sector be convinced to invest in these facilities and then allow the teams to retain all the revenues generated at the ballpark or arena? Communities generally thought teams and the facilities they used generate both tangible economic benefits and wide range of intangible benefits.

Academic studies[2] produced in the 1970s and 1980s cautioned that there was little if any evidence that the economic benefits accruing to cities that paid lavishly to be the home of a professional sports team were sufficient to cover or were less than the public money spent for the facility. By the 1990s there was an extensive set of studies[3] clearly indicating professional sports teams and the facilities they use do not generate economic development for host communities.

These studies for the most part did not consider whether the intangible benefits from a team could offset any subsidies resulting from the public sector's use of tax dollars and the very low level (or nonexistent nature) of the economic returns.

At the same time that economists have been forging an essentially unified position with regard to the economic value of teams and the facilities they use for communities, the popularity of team sports and the interest of cities in hosting franchises have never been more robust. As there can be little debate that there is no economic development from franchises, there can also be no agreement with the observation that sports do produce a set of intangible benefits. Indeed, the need to understand the scope and scale of these benefits was made clear by Hamilton and Kahn[4] who concluded that Camden Yards cost Baltimore taxpayers $9 million per year or about $12 per household. If the intangible benefits of having the team were worth more than $12 for each family or household, then the public's investment would have been worth the subsidy provided to build Camden Yards. Taxpayers from Cuyahoga County,

2. Noll, R.G. (1974); Rosentraub, M.S. et S. Nunn (1978); Rosentraub, M. S. (1988).

3. Baade, R.A. et R.F Dye (1988); Quirk, J. et R. Fort (1992); Baim, D.V (1994); Rosentraub, M.S. *et al.* (1994); Baade, R.A (1996); Noll, R.G et A. Zimbalist (1997); Rosentraub, M.S (1997) et (1999).

4. Hamilton, B.W. et P. Kahn (1997). « Baltimore's Camden Yards Ballparks », dans R.G. Noll et A. Zimbalist (dir.), *Sports, Jobs, and Taxes*, Washington, The Brookings Institution, p. 245-281.

home to the Cleveland Indians and Cavaliers, will likely pay more than three times as much as taxpayers in Baltimore. Yet, there can be no debate that the presence of both teams not only has helped to redefine the image of downtown Cleveland, but the games and events at the two facilities attract more than 5 million visits to an area largely avoided by consumers and suburbanites for decades. Are these benefits greater than the subsidies provided?

The public policy issue or question is not whether or not teams and the facilities they use generate sufficient economic returns to justify the use of public dollars. This policy debate has been resolved and the economic returns or development cannot justify the use of public dollars to subsidize a team. However, what has not been answered is whether or not the intangible benefits of a team's presence are worth the investments frequently made by the public sector. As Hamilton and Khan concluded, our inability at this time to measure these benefits "is unfortunate, because each ballpark is, or is not, worth the subsidy, depending on whether the public consumption benefits are greater than the subsidy."[5]

The goal of this paper is to review the research that has attempted to assess the intangible benefits of sports teams, and then to identify the needed research to help public officials evaluate or quantify the possible benefits that extend from teams. Preceding this discussion is an exploration of the concepts of externalities and public consumption benefits. This discussion establishes the framework for analyzing the research done and needed to help address the relative value of the intangible benefits from teams and the facilities they use.

6.1. THE BENEFITS FROM A PROFESSIONAL SPORTS TEAM

Traditionally, justification for the use of public funds to produce a particular good or service is based on the concept of market failure. Prices cannot be charged nor markets established for goods or services that can be consumed at the same time by more than one person and for which it is impossible or inefficient to exclude non-paying users. Governmental action or intervention into the free market is necessary to ensure production of these goods and services (e.g., public safety, roads, parks, etc.). Public goods are financed with taxes. The particular tax chosen reflects a society's view of equity. Taxes are required to prevent "free-riding" by

5. Hamilton, B.W. et P. Kahn (1997). *Op. cit.*, p. 245.

those who would not voluntarily pay for the collective good. A public good, as described by economists, political scientists, and public choice theorists, then, has two fundamental characteristics. *First,* public goods generate benefits that, when enjoyed by one person, can also be enjoyed by another without decreasing the satisfaction received by the initial consumer. *Second,* the benefits from public goods cannot easily be restricted to those who paid for the service.

At one level, then, professional sports are not a public good and require no government intervention to correct a market failure. Although someone watching a game in a stadium does not take away from someone else's enjoyment of the game (joint consumption), it *is* possible to "package" the good, attach a price for this benefit that becomes a consumption charge (ticket price), and exclude those unwilling to pay for the benefit. Teams play in facilities for which admission is charged (eliminating non-attendees from enjoying the benefit of the game) and for which excess crowding would indeed reduce the benefits enjoyed by individuals who paid for the privilege of attending the game. Even those fans who watch games on television (or listen on the radio) are "charged" for this privilege through the commercials that are part of most broadcasts or the fees they pay for cable or satellite transmission services (pay-per-view is another extension of this service). Rather than being a public good, sports are similar to a toll good that *can* be produced in a private market (e.g., music concerts).

However, there is another characteristic that some goods and services have that can justify public support or government intervention and the commitment of tax dollars to eliminate another form of market failure. Some goods generate unintended costs and/or benefits that "spillover" and affect (positively or negatively) those who are not direct consumers. Investments in sports facilities have the potential for generating spillover effects. As already noted, some advocates for public sector investments in facilities have argued that there are tangible economic spillover benefits through the movement of economic activity to downtown areas and the intangible spillover benefits (enhanced civic image and identity as well as the enjoyment received by fans who do not attend games). These benefits are in addition to the basic entertainment product of sports produced through the charging of an admission fee and reflect the public consumption benefits that Hamilton and Kahn[6] discussed in their assessment of the sports facilities developed in Baltimore.

6. Hamilton, B.W. et P. Kahn (1997). *Op. cit.*, p. 245-281.

If spillover benefits exist and market efficiencies are to be encouraged, there is clear justification for public activity to ensure that the benefits continue to be produced. This can occur if those who enjoy the spillover benefits help pay for the good that generates the positive externalities or spillovers. For instance, if taxpayers or a community benefited from the economic activity transferred to a downtown area by the presence of facilities in areas long avoided by a region's residents, those beneficiaries should be taxed to sustain the team's presence. In addition, if important intangible benefits also are generated for a community and these benefits accrue to those who attend and do not attend games, then there would be a clear justification for the use of tax dollars to pay for a portion of a facility. That portion would be best reflected by the simple equation that the total benefits produced by a team's presence equal the private consumption benefits enjoyed by fans at the ballparks and watching or listening to broadcasts plus the intangible benefits accruing to all residents of a region.

6.1.1. Total Benefits from a Sports Team = Private Benefits + Public Consumption Benefits

If the private benefits amounted to 80 percent or 90 percent of the total benefits, then the public sector's investment in a facility to secure a team's presence should be no more than 10 or 20 percent to insure the production or existence of the public consumption benefits. The balance of the cost for the facility should be handled through private market transactions or the fees paid by fans for tickets and the fees paid by advertisers whose commercials the fans are forced to watch or listen to in exchange for the broadcast of a game. From this discussion, then, two issues emerge. *First,* how do we measure the public consumption benefits? *Second,* how do we estimate the proportion of benefits that are public ad the proportion of benefits that are private?

6.2. MEASURING THE SOCIAL SPILLOVER BENEFITS OF SPORTS TEAMS

In societies as sports-conscious as the nations of North America and Western Europe, the potential for intangible benefits from teams cannot be regarded lightly by public officials or dismissed in a cavalier fashion by the academic community. Indeed, several recent books discussing the "place wars" between regions have underscored the pressures encountered by community leaders in their efforts to establish an identity for their region. For public officials and other urban constituencies, sports teams and the facilities they use are important components of the efforts to establish regional identities. Numerous cities have also endured a movement of businesses and residents to suburban areas and this process has left many downtown areas devoid of commerce and residents. Virtually every city in North America has relied on some form of urban tourism to regenerate downtown areas, and sports teams and the facilities they use figure prominently in these plans. The focus on sports has included the expectation or goals of changing the image of downtown areas, attracting visitors to the downtown area, and transferring some level of recreational spending and retail consumption from the suburbs to the downtown area. These goals then reflect both private and public consumption benefits.

A first attempt to quality for intangible or public consumption benefits involved a telephone survey of residents of the Indianapolis region. Indianapolis, similar to many other cities that are home to a National Basketball Association (NBA) team, was confronted with a demand for a new arena. Market Square Arena opened in 1974 as home to the Indiana Pacers. While Market Square Arena was an excellent facility relative to site lines, it lacked luxury suites, club seats, and the retail facilities that small market teams need to generate the revenues required to meet current costs. In addition, the existing restaurant facilities could not serve the crowds that began to be attracted to games as the team's popularity increased. The Indianapolis market area, with less than two million residents, is one of the smallest with a NBA franchise and the team had long complained about their revenue situation before demanding a new arena. The dire nature of the Pacers' revenue position relative to the income levels generated by other NBA teams was even independently described by Scully[7] in his analysis of league economics long before the team presented plans for a new arena to the city of Indianapolis.

While the Pacers' owners were discussing their need for additional revenues, the city's National Football League (NFL) team also presented demands for a renegotiated lease for the use of the RCA Dome. The agreement between the city of Indianapolis and the Colts was signed in 1984 when the team relocated from Baltimore. The lease initially gave the vast majority of income from the rental of luxury suites to the public sector. Even though this arrangement was adjusted in the 1990s to provide the team with half of the revenues, the city still receives all revenues from the operation of the facility, including all advertising and naming

7. Scully, G.W. (1995). *The Market Structure of Sports*, Chicago, University of Chicago Press.

rights and profits from the sale of food and beverages. The Colts, pointing to leases that secured far more income for other NFL teams in other cities, wanted all revenues from the stadium's operations and for the public sector to pay for the installation of club seats and the expansion of luxury suites to permit more amenities to be provided to corporate fans.

Indianapolis's interests in retaining both teams was tied to the usual hopes for economic development, but also because the teams are anchors in the city's effort to rebuild its downtown area, attract visitors to the downtown area, and to enhance the city's image. As a result, while the public leadership was interested in the economic or tangible gains possible from both teams, there was also keen interest in the intangible or public consumption benefits. A key issue for the city's leadership was how to assess these benefits and make them part of a proposal that would attract taxpayers' support for the anticipated public expenditures for the new arena and to remodel the RCA Dome.

As a result, a major portion of the city of Indianapolis's evaluation of the need for a new arena and a lease for the Colts involved an assessment of the importance of the teams to residents. In May 1996, after the conclusion of the Pacers' season, a telephone survey of 1,536 randomly selected households was performed. To measure the "intangible" value and provide a view of the public consumption or spillover benefits produced by the Pacers and Colts, especially compared to other regional assets, five different indicators that captured different dimensions of the contribution of sports to local identity and pride were used.

6.3. SPORTS, CIVICS ASSETS, AND THE PRIDE GENERATED FOR RESIDENTS

In order to determine the value placed on sports *vis à vis* other cultural amenities, metropolitan respondents were asked how important the various sports teams, sports events, other events, museums, performing arts, and cultural amenities were in "making you feel proud" to be a resident of the Indianapolis region. Responses were coded from a high of 5 for an asset that was described as "very important" to a 1 if a respondent believed the regional asset was "very unimportant." Respondents also were permitted to indicate if they were "unsure" of the value of an asset, event, or amenity. Unsure ratings were coded with a value of "3" establishing a neutral position within the 5-point scale. The results of this civic pride measure are presented in the first column of Table 6.1.

TABLE 6.1
Measures of Civic Pride and Identity

Asset or Event	Civic pride	National reputation	Others mention (%)	Visitors see (%)	Loss hurts reputation (%)
Auto racing	3.94	4.49	31.7	14.5	85.1
Black Expo	3.17	3.55	0.8	2.1	36.8
Colts (NFL)	4.07	4.33	10.5	4.3	74.9
Ice (IHL)	3.22	–	0.2	0.4	–
Indians (AAA)	3.65	–	0.5	1.1	–
Museums	4.27	4.29	2.3	6.6	68.3
Music	4.02	4.03	0.4	3.2	59.4
Other sports	3.98	4.17	1.1	2.4	59.5
Pacers (NBA)	4.26	4.47	15.5	5.0	81.1
Shopping	4.00	3.87	1.5	3.5	58.8

Source: Rosentraub (1999).

Sports teams clearly are critical in establishing the sense of pride respondents had in living in Indianapolis. Although museums generated the most pride, professional sports teams ranked second and third. Indeed, the Pacers virtually tied the museums as a source of pride for community residents. "Other sports" (e.g., the RCA tennis tournament, golf tournaments, etc.) ranked in the middle of the list (6th) whereas the minor league Indians (baseball) and Ice (hockey) were 8th and 9th, respectively, suggesting that they are considered relatively less important.

Respondents also were asked to describe the importance of these assets and events in defining Indianapolis's national reputation using the scale from the civic pride question. There are interesting differences in terms of how respondents view the role of these amenities in determining reputation. For instance, auto racing (the Indianapolis 500) is ranked highest though it ranks only 7th in terms of generating civic pride (see Table 1). This is the result of different dimensions of pride and identity. The greater importance of an amenity in the everyday life of individuals and families can account for a higher ranking on a question focusing on pride associated with living in an area. The length of the Indiana Pacers' season also might explain the relatively higher profile it has on the issue of pride relative to auto racing or the Indianapolis Colts. Auto racing is clearly thought to be very important for the region's reputation, but the Pacers score nearly as high. Even though respondents hold museums in high esteem in creating local pride, they do not think museums play as important a role in establishing the region's reputation.

Respondents were also asked "When you tell people who do not live in the Indianapolis region that you live here, what organization or event do you hear them mention when you say Indianapolis?" Each respondent could list up to four events or organizations. The results presented in Table 6.1 show the percent of all responses and the pattern is almost identical to the national reputation question. Auto racing, the Pacers, the Colts, and museums, in that order, were the most frequently noted assets. This may indicate that respondents' ideas of what determines a city's national identity is reflected or mirrored by those outside the area.

Similarly, all respondents were asked what activities, events, or amenities in Indianapolis brought friends and family members to the region. In this manner, respondents were not asked where they took visitors, but what amenities, if any, brought their out-of-town family and friends to Indianapolis. The percent of responses related to each of the assets and events are presented in Table 6.1. Again, the pattern is generally consistent with the previous indicators. Most often, visitors requested to visit the Indianapolis 500 racetrack; however, the Pacers and Colts fall to 3rd and 4th places behind museums with regard to out-of-town visitors. Auto racing is a major draw for out-of-town guests; museums and professional sports teams are not perceived to be as valuable (though they are still ahead of the remainder of the assets and events in the list).

The final indicator used to measure civic pride and identity asked respondents to report whether or not the loss of a given asset or event would hurt the reputation of the community. The percent of respondents reporting that a loss would hurt the community is reported in the final column of Table 6.1. Yet again, auto racing, professional sports, and museums ranked highest. In fact, the ranking pattern is identical to the national reputation question (column 2). Given that these two questions were not asked consecutively during the survey, the consistency of the rankings adds a degree of reliability to the findings. Furthermore, the generally consistent results across all five measures suggest the questions are measuring the same concept and that only one is necessary. To simplify the remainder of the analysis, the focus is upon the civic pride measure.

The results from Table 6.1 add support to the argument that residents enjoy substantial social spillover benefits related to the presence of the Pacers and the Colts. However, just as important as the individual scores are for understanding the feelings of pride generated by each asset, so are the values placed on each asset by different groups of respondents. In other words, who enjoys the benefits the most, or is enjoyment evenly distributed across the population? The answer to this question may help estimate the proportion of benefits that are indeed public consumption and the proportion that accrue to those people who attend the games. The data indicate that there are very distinct patterns in the pride respondents derive from different assets.

The most consistent set of differences was related to attendance or "direct consumption" of an asset. This issue is particularly important when considering civic pride since sports proponents have argued that people receive a sense of pride or enjoyment from teams even if they do not attend games or events. For example, respondents who lived in households where at least one member had attended a Pacers game within the last 12 months gave the team a rating of 4,65 in terms of its importance in making them feel proud to be a resident of the area. If no one in the household had been to a game, the team's rating declined to 4,01 (see Table 6.2). Similarly, if someone in the household had been to a Colts game, the importance of the team rose from an average of 4,07 to 4,54. In households where people did not attend a game, the importance of the team to a person's pride in living in Indianapolis declined to 3,86. The relationship between frequent contact with an asset and a respondent's sense of its importance is probably best underscored by the different ratings accorded to auto racing. If people had attended the Brickyard 400 or the Indianapolis 500 the importance of auto racing in establishing their pride as a resident increased from a rating of 3,94 to 4,40 (see Table 6.2).

The overall pattern of more favorable impressions if the respondent or a household member had attended an event is consistent across each of the assets (for which specific attendance questions were asked). The differences are statistically significant. If respondents or members of their households visited the asset or attended a game (event), that asset was

TABLE 6.2

The Importance of Different Assets in Establishing Pride in Living in Indianapolis by Attendance

(5 = Very important, 1 = Very unimportant)

Asset or Event	Mean score	Attended	Did not attend	t-test[a]
Museums	4.27	4.42	3.97	7.3
Indiana Pacers	4.26	4.65	4.01	12.3
Indianapolis Colts	4.07	4.54	3.86	12.6
Music	4.02	4.30	3.71	10.2
Auto racing	3.94	4.40	3.62	12.4
Indianapolis Indians	3.65	4.19	3.46	12.3
Indianapolis Ice	3.22	3.95	3.08	11.3

[a] All statistical tests exhibit significance ($p < 0.0001$).

Source: Rosentraub (1999).

far more important to a respondent's pride in living in Indianapolis than if they or another household member had not attended an event (game) or visited the asset (see Table 6.2).

For several of the regional assets, there also is a linear effect. As the directions of the correlations in Table 6.3 show, the more events attended, the higher the rating. In addition, the magnitude of the correlations indicates that attendance is an important element in determining pride. Overall the regional assets were a greater source of pride for those who lived in households where individuals had attended events or games, and those who attended more events (games, concerts) had more feelings of pride from the presence of the asset. In other words, non-users of different elements of the region's quality of life do not feel as positive nor receive as much benefit from the existence of the asset as do direct users. Thus, these correlations suggest the largest concentration of the intangible benefits is private and enjoyed by those attending events.

However, these results can provide a view of the differences between the private and public consumption benefits produced by the team. For example, with regard to the Pacers, those respondents who lived in households where at least one member had attended a Pacers game within the last 12 months gave the team a rating of 4,65 in terms of its importance in making them feel proud to be a resident of the area. If no one in the household had been to a game, the team's rating declined to 4,01 (see Table 6.2). Similarly, if someone in the household had been to a Colts game, the importance of the team rose from an average of 4,07 to 4,54. In households where people did not attend a game, the importance of the team to a person's pride in living in Indianapolis declined to 3,86.

TABLE 6.3
Correlations of Civic Pride with Attendance Levels

Asset or Event	Number of times attended[a]
Museums	0.19
Indiana Pacers	0.18
Indianapolis Colts	0.22
Music	0.20
Auto racing	0.11
Indianapolis Indians	0.17
Indianapolis Ice	0.19

[a] Statistically significant at the 0.001 level.

Source: Rosentraub (1999).

These data provide a rather crude measure of the difference in public consumption benefits from those who attend games, and those who do not (or whose households members do not). Those who had been to a game or had a household member who had been to a game placed more value on the team for civic pride, and their rating was 16 percent greater than the ratings given by those who did not live in households with members who attended a game. This would suggest the private elements of financing the program should be at least 16 percent larger than the public's share in this small market. In effect one could argue the public's share of the cost of the facility should not exceed 42 percent. However, that is but one part of the assessment. For example, if the share of the cost is 58 percent private and 42 percent public, what proportion of the revenues produced by the facility should accrue to the community? If the public sector does not receive any income, would people want the 58 percent 42 percent split of construction costs be changed? The differential between the public and private share for the building of a football facility in Indianapolis would be 18 percent. It should also be noted that the relatively high level of public consumption benefits could be related to Indianapolis's small size as an urban center. In larger cities, teams may mean less to residents who may believe a city's reputation can be built on other factors.[8]

6.4 PAYING FOR A FACILITY INCORPORATING PUBLIC CONSUMPTION BENEFITS

How did these proportions play out relative to the cost of the new arena for the Indiana Pacers? The total cost of the new arena is reported to have been $183 million.[9] Directly, the public sector provided $79 million for construction of the facility with local corporations providing $47 million and the team contributing $57 million from arena revenues. However, the team's facility was able to pay its share of the cost of the new arena through payments of $3.4 million each year. These $3.4 payments take the form of an annual rental payment for parking facilities. The facility was built by the city, and the team retains all parking revenue from this facility. As the team has a 20-year lease, the present value of these rental payments is $42.5 million (using a 5 percent discount rate). As a result, the public's

8. Rosentraub, M.S. (1997). *Major League Losers: The Real Costs of Sports and Who's Paying for It*, New York, Basic Books.
9. Gruen, T.D. *et al.* (dir.) (2000). *2000 Inside the Ownership of Professional Sports Teams*, Chicago, Team Marketing Report, Inc.

share of the construction cost is not $79 million as indicated above, but $79 million plus the income foregone from the parking facility since it is assumed the public sector could have earned the $42.5 million in parking fees by simply building the garage and collecting the fees instead of giving this money to the team to pay for construction of the arena. As a result, the public's share rises to $121.5 million ($79 million plus $42.5 million) or 66.4 percent of the total cost. Without focusing on the appropriate distribution of income from the arena, the public sector in this instance would seem to have paid more than their fair share relative to the range of public consumption benefits from the team's presence.

CONCLUSIONS

There is no debate among policy analysts from the academic community (and many employed by governmental agencies) that sports teams and the facilities produce no real economic development for a region. These facilities can and do move economic activity, and that movement may have a public policy value, but the real benefits from teams and the facilities they use lies in the intangible gains of pride, identity, and the other spillover benefits created by teams that enliven discussions and improve the quality of life. These externalities do indeed warrant some level of public investment, but the issues that need to be addressed are how do we enumerate these benefits and how do we then translate the enumeration in the appropriate proportion of a facility's cost that should be paid by the public sector.

The approach discussed here focused on asking people to identify and rank the various forms of intangible benefits a team could generate and then compare those rankings from households where people attend and do not attend games. In every instance those households that attend games place a greater value on the intangible benefits suggesting these people should pay for those benefits along with their direct consumption benefits (through ticket prices or more advertising during the broadcast of games). There were some questions that were not asked that could be incorporated into future surveys. For example, respondents were not asked what value they placed on the redevelopment of downtown. Respondents were also not asked if they believed the teams were essential to the rebuilding of the downtown area. These questions and others of this nature should be part of the analysis.

More discussion is also needed to put forward a framework for establishing the proportion of a facility's cost that should be paid by the public sector relative to the public consumption benefits that were found to exist. The first and simplistic approach taken here was to look at the differential in valuation of public consumption benefits between users and non-users. Within this logic it was deduced that users should pay for these benefits through ticket and other user fees. The public consumption benefits accruing to non-users should be paid from taxes, but as in the example in Indianapolis, the actual proportion paid by the public sector seemed to exceed the public consumption benefits received by non-users meaning users are receiving more benefits that far exceed their payments.

It is accepted that public consumption benefits are indeed an important part of the public policy process and should commit the public sector to the financing of sports facilities. However, before we justify all public expenditures by these intangible benefits, we need to be confident that we have accurately measured the benefits and fairly charged the users for their personal and public consumption benefits. If we fail to do that, we may create just another guise under which the professional sports leagues continue to extract extraordinary subsidies from the public sector.

BIBLIOGRAPHY

BAADE, R.A. (1994). « Stadiums, Professional Sports, and Economic Development: Assessing the Reality », *Heartland Policy Study*, nº 68, Chicago, The Heartland Institute.

BAADE, R.A. (1996). « Professional Sports as Catalysts for Metropolitan Economic Development », *Journal of Urban Affairs*, vol. 18, nº 1, p. 1-17.

BAADE, R.A. et R.F. DYE (1988). « Sports Stadium and Area Development: A Critical Review », *Economic Development Quarterly*, vol. 2, nº 4, p. 265-275.

BAIM, D.V. (1994). *The Sports Stadium as a Municipal Investment*, Westport, Greenwood Press.

DANIELSON, M.N. (1997). *Home Team: Professional Sports and the American Metropolis*, Princeton, Princeton University Press.

GRUEN, T.D. *et al.* (dir) (2000). *2000 Inside the Ownership of Professional Sports Teams*, Chicago, Team Marketing Report, Inc.

HAMILTON, B.W. et P. KAHN (1997). « Baltimore's Camden Yards Ballparks », dans R.G. Noll et A. Zimbalist (dir.), *Sports, Jobs, and Taxes*, Washington, The Brookings Institution, p. 245-281.

JUDD, R.D. et S.S. FAINSTEIN (dir.) (1999). *The Tourist City*, New Haven, Yale University Press.

KEARNS, G. et C. PHILO (dir.) (1993). *Selling Places: The City As Cultural Capital, Past and Present*, New York, Pergamon Press.

KOTLER, P., D. HAIDER et I. REIN (1993). *Marketing Places*, New York, The Free Press.

NOLL, R.G. (dir.) (1974). *Government and the Sports Business*, Washington, The Brookings Institution.

NOLL, R.G. et A. ZIMBALIST (dir.) (1997). *Sports, Jobs, and Taxes*, Washington, The Brookings Institution.

NUNN, S. et M.S. ROSENTRAUB (1997). « Sports Wars: Suburbs and Center Cities in a Zero Sum Game », *Journal of Sport and Social Issues*, vol. 21, n° 1, p. 211-236.

OLBERMANN, K. (1997). « Ballparks and Arenas », dans *Information Please Sports Almanac*, New York, Houghton Mifflin, p. 541-570.

QUIRK, J. et R. FORT (1992). *Pay Dirt: The Business of Professional Team Sports*, Princeton, Princeton University Press.

ROSENTRAUB, M.S. et S. NUNN (1978). « Suburban City Investment in Professional Sports: Estimating the Fiscal Returns of the Dallas Cowboys and Texas Rangers to Investor Communities », *American Behavioral Scientist*, vol. 21, n° 3, p. 393-414.

ROSENTRAUB, M.S. *et al.* (1994). « Sports and a Downtown Development Strategy: If You Build It Will Jobs Come? », *Journal of Urban Affairs*, vol. 16, n° 3, p. 221-239.

ROSENTRAUB, M.S. (1988). « Public Investment in Private Businesses: The Professional Sports Mania », dans S. Cummings (dir.), *Business Elites and Downtown Development*, Albany, State University of New York Press, p. 71-96.

ROSENTRAUB, M.S. (1997). *Major League Losers: The Real Costs of Sports and Who's Paying For It*, New York, Basic Books.

ROSENTRAUB, M.S. (1999). *Major League Losers: The Real Costs of Sports and Who's Paying For It*, 2e éd., New York, Basic Books.

SCULLY, G.W. (1995). *The Market Structure of Sports*, Chicago, University of Chicago Press.

CHAPITRE

SAVING BASEBALL FROM ITSELF

A REVENUE SHARING PLAN FOR OWNERS, PLAYERS, FANS AND TAXPAYERS

Mark S. Rosentraub*
School of Public and Environment Affairs
Indiana University

The increasing globalization of the business of professional sports such as Major League Baseball (MLB) raises anew the issue of how international associations, nations-states, and national sports leagues should or could share responsibilities for the management of a sport. Underpinning this issue is how the interests of club owners, players, fans, other businesses, and the public interest of different societies are represented in this governance system. Developing governance systems that can include the varied interests of these groups has become even more complex now that the leagues in separate nations are themselves developing international linkages outside of their associations with international organizations created to govern specific sports. Leagues in North America and Europe are developing marketing programs involving themselves in transnational

* mrosentr@iupui.edu

relationships at the same time that there are international organizations for virtually every sport. A few examples can illustrate how complex the world of sports has become in terms of governance issues.

The Fédération Internationale de Football Association (FIFA) is the international governing body for world soccer. However, the elite soccer leagues in England, Italy, Spain, and Germany each market their products beyond their national boundaries and in countries where they do not have teams. Unlike the sports leagues in North America, the English Premiership and the first-division national leagues of Italy, Spain, and Germany do not have teams in other countries, although two of Scotland's teams may indeed join the Premiership in the not to distant future. However, each of these elite leagues televises its games in many different countries in Europe, the Middle East, and North America. The marketing of teams and games in these other nations may well have an impact on viability of domestic leagues. Simply put, the presence of these leagues in other nations raises questions of competition for fans, players, and media access.

The situation is even more complex and intriguing for North America's professional sports leagues. Numerous countries have indigenous leagues playing baseball, basketball, and hockey, but the champions of North America's leagues are not only regarded as the best teams, but for at least Major League Baseball and the National Basketball Association (and perhaps the National Hockey League), the leagues themselves are the most visible and leading organizers of their sport.[1] Yet, these leagues are merely nation-state associations (bridging but two countries) and thus in a world organizational chart of sport, below the stature of international baseball and basketball federations and associations. While FIFA organizes international competitions to venerate the best national team (World Cup) and the best team (Club Championships) who would or should organize the true world championship of baseball, basketball (now agreed to), or hockey? To effectuate such a championship, whose schedules should conform to the others, whose rules should be followed, and which league or organization should have final control over resource or other organizational elements?

1. The National Football League does operate a European League, but the game of American football is not played in other countries to the same extent or at the same level as basketball, hockey, or baseball. In that sense, basketball, hockey, and baseball are truly international games with independent leagues in other nations. American football has a limited following in other countries but no indigenous leagues outside of the NFL and its European subsidiary.

These questions are but a subset of the larger issue and the one of concern to this paper. As sports continue to both globalize and seek global markets for players and fans, what is the best form of governance to protect the interests of all of the stakeholders in the operation and organization of a sport? International sports now involve a "crazy quilt" map of associations including the International Olympic Committee, various world associations for teams sports of differing levels of power and authority, transnational and national sports leagues, and transnational (European Union), national, regional, and local governments each controlling or effecting some aspects of sports. Does this fractionated and overlapping system of governance represent the interests of stakeholders? How could or should the governance of sports be organized to represent the interests of club owners, players, fans, national governments, regional and local governments?

To address these issues this paper is organized into six sections. Following this introduction, the appropriateness of a focus on the development of a governance system for sports and baseball is discussed through a validation of the role of sports in societies. This if followed by an identification of the stakeholders in sports and their interests. A theoretical approach for governing a sport is discussed in the fourth section of this article, and a look at the use of different models for governance is included in the fifth section. The conclusions are presented in the final section of the paper.

7.1. GOVERNING SPORTS: WHY IS THIS AN ISSUE?

Raising the question of how sports should be governed might appear to some as a misplaced priority or an irrelevant issue. After all, sports are entertainment and a diversion from some of the more tedious elements of life. Does this form of entertainment deserve special consideration relative to the level of control different groups have over the management of its business affairs and economics? Why isn't this an issue best left to markets and the individuals who enjoy sports and those who organize games and leagues? Sports, because of the role they do have in many societies, may well warrant a higher level of discussion. Sports are much more than a diversion.

While sports are but a small fraction of the global economy or the economy of any city, athletics is far from trivial if its role in society is considered. Sports have been and remain fundamental components of life in many societies. European experiences with large-scale sporting events as major celebrations or popular events date at least to the Olympics in ancient Greece. The Romans, it is argued, established a professional orientation for sports with the establishment of training academies for gladiators, the sale and trading of combatants to and between different families, and the awarding of substantial benefits including freedom for slaves to the most successful gladiators. In a cross-cultural context, long before the arrival of colonizing Europeans, sporting events were part of the festivals of some of North and Central America's indigenous peoples. In addition, Islamic and Asian societies can also point to sporting events as integral parts of their cultures for at least 1000 years.[2] Do these examples of the presence of sports in different societies establish it as an institution deserving of a special governance system or can sports be left to individuals and markets to regulate their activities? Balancing the issues of private control and the implied rights of individuals to pursue their economic self-interest with collective or societal interests requires agreement that sports are indeed "a defining element" of a society and not merely a pleasurable diversion. If sports or baseball are not a critical element for a society, then there may be little reason to suggest that other constituencies should be involved in any governance plan or that the interests of individuals should in any way be curtailed to satisfy the interests of other constituencies.

To be sure, within certain societies sports have been used as entertainment to occupy the attention of a workers' class.[3] While this theme dominates some discussions of the role of sports and society, there is ample evidence to suggest sports are far more than a diversion to keep the masses entertained and docile. As a result, before considering the range of governance structures that could be used for baseball or any sport in the global economy of the 21st century it is necessary to sustain the position that sports are a defining element of a society. If sports were a defining element one would anticipate finding its use by various institutions and in many elements of life.

Whether one looks at religious or civic celebrations, the organization of social life, political structures and process, or language, sports are ubiquitous. Religion and sports have been tied together through both ancient festivals (Chichén Itzá located in Mexico's Yucatan Peninsula was built to host an annual event that involved games and sacrifices to a deity) and the benedictions or prayers that are part of some athletic events in the modern era. One could also point to the inter-mixing of sports and religion by the building of the Hippodrome adjacent to the

2. Michener, J. (1976). *Sports in America*, New York, Random House.
3. King, A. (1998). *The End of the Terraces: The Transformation of English Football in the 1990s*, Londres, Leicester University Press.

Aya Sofya (Hagia Sofia) and the Blue Mosque in Istanbul. Civic holiday celebrations in the US, of course, involve sporting events. Independence Day, Memorial Day, Labor Day, New Year's Day, and the celebration of the life of important leaders (Martin Luther King, George Washington and Abraham Lincoln) are marked by special athletic events. Major sporting events such as the Super Bowl, the Indianapolis 500, and others frequently unify patriotic themes (use of military aircraft, etc.) with the staging of the event.

Sports have also been used to underscore the supremacy of different political systems.[4] The last few decades have seen different sets of Olympic Games used to make various political statements and emerging nations continue to seek athletic events to underscore their modern nature. China's pursuit of the 2000 Olympics underscores this point as does South Africa's quest to be the site of the first World Cup championship ever held on their continent. Nazi Germany, East Germany, the Soviet Union, and the United States each used their hosting of Olympic games to illustrate the benefits of their social systems or orders.

Turning to the organization of social life, Sunday afternoon professional football games, Monday Night Football, Saturday afternoon college football games, and Friday night high school games all define the social calendars of millions of families. Lastly, language itself has adapted to sports by including numerous idioms that relate to sporting concepts (e.g., be a "winner," "teamwork," "long shots," etc.). Relative to the importance of sports for social life, decades ago when the National Football League (NFL) did not televise sold-out home games, the Congress first threatened and then implemented legislation to insure that sold-out games would be telecast in a team's local market. While the provisions of that legislation have expired the NFL continues to follow the law's guidelines rather than risk further review of actions by the Congress.[5]

One can note that sports are indeed a critical part of the organization of a society, but does that justify some form of collective control over professional sports and MLB in particular? After all, there are a myriad of sporting activities in every society and numerous levels including school, collegiate, amateur, and professional. Why should special scrutiny or consideration be extended to the economics of professional sports and baseball? An answer to this issue lies in the domination of professional

4. Edwards, H. (1973). *Sociology of Sports*, Homewood, IL, Dorsey Press.
5. Rosentraub, M.S. (1997 et 1999b). *Major League Losers: The Real Costs of Sports and Who's Paying for It*, New York, Basic Books.

athletics as the apex of the sports pyramid in all societies.[6] While there is certainly great interest in amateur and collegiate sports (especially in the United States), the most popular events are those involving professional teams. The most watched sporting events, FIFA's World Cup and the NFL's Super Bowl, involve professional athletes and teams. The vantage point of success in this realm of sports does elevate professional sports and in this case baseball to a special position that deserves consideration of the most appropriate governance structures.

If one accepts that sport is important and even a critical or defining element for a society, the issues that then emerges are: (1) how does a society organize its system of sports and (2) how do nations participate or interact with international elements of different athletic systems? Selected recent events underscore the importance of these issues. For example, in recent years the role of bribes and corruption in the awarding of the privilege to host Olympic games by the International Olympic Committee (IOC) has led to embarrassment and the convening of hearings and investigations by national and subnational governments in the United States and Australia. These hearings highlighted the extraordinary economic and political power of the IOC, and that organization is but one that controls the decision structures that defines sports in the modern year. Another example of the power of the non-governmental organizations that control sports involves professional hockey. The national pastime for Canada has become a victim of international economics and the sports governing unit, the NHL, and its member teams have issued demands for subsidies. Canada has been threatened with the loss of some of their teams to larger US markets if these demands are not met. At the same time the NHL has not agreed to a revenue sharing program to protect the interests of smaller markets and several of the Canadian teams.

Sports and MLB in particular, at the advent of the 21st century, are largely controlled by non-governmental organizations that span subnational and national boundaries. The power of these organizations to impact tax systems, economic development, and the lives of thousands of existing and aspiring athletes and billions of fans are just being understood.[7] As the political and economic strength of these organizations expand, societies are learning that teams such as the New York Yankees, the St. Louis Rams, the Montréal Canadiens, Manchester United, AC

6. Danielson, M.W. (1997). *Home team: Professional Sports and the American Metropolis*, Princeton University Press ; Houlian, B. (1997). *Sport, Policy and Politics*, Londres, Routledge.
7. King, A. (1998). *The End of the Terraces: The Transformation of English Football in the 1990s*, Londres, Leicester University Press.

Milan, and Real Madrid are not as important as seemingly innocuous organizations known by their initials. MLB, the IOC, FIFA, the NFL, the NHL and the NBA are the new multinational corporations of the 21st century reshaping individual societies. How these organizations interact to affect the interests of various constituencies is indeed a critical public policy matter.

7.2. THE STAKEHOLDERS IN SPORTS

Stakeholders can be divided into two groups: direct and indirect. Direct stakeholders are those individuals or groups immediately involved with the operation of a system. It is important to understand that these interests can vary considerably within and between groups of stakeholders and are more complex than they would appear at first glance. For sports, five such sets of direct stakeholders exist: team owners, players, fans who attend games, fans at large who enjoy the broadcast of the games, and society at large that wishes to use sports to achieve political or social objectives. Those groups that benefit from the operation of a sports system form a secondary set of stakeholders. For example, the media are secondary stakeholders in that they earn immense profits from sports through the broadcast or writing about games, events, and strategies. Local economic interests such as real estate developers, lawyers, investors, financiers, unions, and politicians become secondary beneficiaries. These groups can be seen to benefit from the construction of playing facilities for teams and the subsequent changes in real estate values, the costs of arranging financing programs and packages, the temporary increase in the number of construction jobs, and the opportunities to celebrate the opening of new facilities. These groups will each seek or support a particular form of a governance system that they can influence to pursue their goals and benefits. These groups also adopt the necessary strategies to influence and benefit from the existing governance structures.

In terms of identifying these groups and their concerns, it is probably best to start at the base of a pyramid of stakeholders. At the base of this pyramid of support for team sports are the fans as it is spectators that change sports from recreation to an event from which revenue can be generated to reward performance. In the absence of fans, players engage in sports for personal development, the pleasure of competition or recreation, or for exercise. Instead of earning income from this activity, the players actually accept costs to play the game. These costs include the fees needed for a field or court and expenses associated with having the needed equipment (uniforms, balls, etc.). Once people agree to watch games, fees can be collected to offset the cost of production (fields, uniforms, balls, etc.). If interest in watching games is sufficient there could be sufficient money to pay the players. As this interest in watching games increases, then players could be paid a sufficient salary to avoid other forms of work. The ability to earn a full-time salary from a sport provides players with additional time to enhance their skills and abilities and provide even greater value to the people who watch games.

What are the interests of the fans, the base of the sports pyramid? Their interests lie in having access to the greatest number of competitive games involving the best players at the lowest possible cost. Competitive games generate excitement as it is unclear who will win. One of the greatest joys from sports is the uncertainty of outcomes, and this is maximized when teams or athletes of relatively equal levels of talent play against each other. Fans want to pay the lowest possible price for attending games. A "fair price" for a fan would be one that insures that athletes will have the time to refine their skills rather than engage in other forms of labor but those that are market-driven through the establishment of teams and leagues (the supply side of sports) which matches the demand.

The players or athletes can be found in the second tier of the pyramid of stakeholders in sports. Fans or spectators pay to see players who generally seek to balance their interests in earning the highest possible salary with the opportunity to secure a championship. In other words, it is fair to assume that players seek to maximize profit but they will sometimes forego some income for the sake of playing for a championship team. The ultimate joy of competition is winning and as such at some point for different athletes there may well be a tradeoff if accepting fewer dollars increases the chances to win a championship. This could occur if a team needed one additional player with a specific talent to win a championship and if to afford this player others on the team had to settle for a slightly lower salary.

At the third tier in the pyramid are the club owners. Why are these individuals needed at all if the players could organize their own teams? *First*, capital may be needed to build the facilities where games are held and for other equipment. Players, focused on refining their skills, may have insufficient capital, time, and access to funds and other managerial talent to insure that games will be played, scheduled, advertised, tickets sold and marketed, and crowds controlled. Team owners then manage the business affairs of a team. *Second*, players may not be focused on issues of a team's preservation after they can no longer perform. Owners, on the other hand, have a long-term interest in a team's viability and as such insure continuance of a team.

With these responsibilities team owners, like players, can be assumed to be profit maximizers who may also, for the sake of winning a championship, be willing to sacrifice some profit to win a championship. For the most part, however, owners want to minimize costs, pay players as little as they can, and charge fans the highest fee possible to attend or see a game. Owners are also interested in maximizing revenues from all sources of income including the sale of souvenirs, advertising, and food and beverages. Another interest of owners involves sovereignty over a particular market area. In other words, owners do not want other teams in their areas that could also compete for fans. To this end the formation of leagues is an important task.

Some owners purchase sports franchises in an effort to indulge their competitiveness, and seek to win championships. These individuals may or may not be prepared to lose money to reach their goal, but profits are secondary to championships. In addition, these owners typically have other sources of income or business interests that generate their wealth permitting a focus on championships even if maximum profits cannot be earned. These individuals may not require the same level of control over every facet of the game and might be more willing to accept conjoint forms of control of their sport. A third type of owner purchases sports team to underscore their commitment to a particular community. Like the philanthropist that donates money for a symphony, art museum, or ballet, a team owner can endow a team so that it remains a vital part of a community. These three groups of owners will have different needs to control elements of the sports business. Profit maximizers will seek the greatest possible control while philanthropists will be most comfortable with conjoint systems. There is then a typology of owners, and this serves to underscore that within any other constituent group there may also be diverging interests.

Leagues form the fourth tier in the pyramid and these associations of owners are formed for three basic reasons. *First*, leagues exist to regularize competition along agreed to rules (everyone plays the same game by the same rules). *Second*, leagues exist to insure that teams will have other teams to play. Sports are unlike any other business in that to be successful a team or athlete requires the existence of other teams and athletes. While most other businesses can survive as the only one in their industry in a given area, a team requires another team to organize games and to be truly successful there must be several teams to insure variety. Leagues offer this framework to each of its members. *Third*, the existence of a league also permits the establishment of market areas or zones where each owner can be assured that no other team will be permitted to play their home games. In this way, leagues exist to establish monopoly areas and to protect this position all team owners agree that their teams will only play games against teams in their league. This precludes independent investors from establishing teams, as they would have to find other teams to play.

What are the stakeholder interests of leagues? The interest of leagues is in insuring that each team is as profitable as it can or wants to be and that there is an adequate supply of playing talent and fans. Extending the league's influence into other markets is also a priority and this can enhance profits. The natural expansion of this interest is to the international level. However, if there are several leagues each of which could attempt to enter another's market area, an international organization may emerge to regulate the actions among leagues and across boundaries. This is the fifth and highest tier in the pyramid of stakeholders and within it there are divisions. For example, FIFA is clearly a powerful governing body exercising leadership and some level of political power and control over the leagues of any nation. However, the international basketball, baseball, and hockey associations have less power over and prestige relative to the North American sports leagues for these sports. While the NBA has agreed to participate in a world championship of basketball, no such "world cup" exists for hockey or baseball. At the other end of the spectrum relative to leagues is the most powerful international sports organization, the International Olympic Committee (IOC). As the IOC has added more and more team sports and sought to include the world's best athletes regardless of professional status, a degree of conflict exists between this international organization and other international organizations and national leagues. For example, while baseball is part of the Olympics, MLB has yet to sanction the inclusion of its players (the union would also have to agree) and instead, preferred to begin its own internationalization of baseball by staging games in different countries. FIFA and the IOC have a tenuous relationship as soccer is part of the Olympics but for the men's division it is restricted with the age of participants. It is also not clear if all players eligible for Olympics would want to miss a portion of their season to play in the games. How can or should a governance system be developed to reflect these interests?

7.3. GOVERNING SPORTS: A THEORETICAL APPROACH

Developing a set of options for systems to oversee the political economy of baseball, from a theoretical perspective, involves at least two steps. First, without reference to the interests of any group in the pyramid of stakeholders, a typology of potential alternative structures should be established. This step should identify the broad range of available options. Second, the interests of the various stakeholders need to be applied against this framework to analyze the implications of different governance structures to understand points of confluence between stakeholders and point of conflict.

The discussion of options to consider should also be anchored in operational models that have been used to address some of the issues of concern to stakeholders. There are many different governance structures already in use, and some of these may offer important insight into what should guide baseball's economic future in the global economy.

There are three basic forms of governing systems that can exist to oversee sports, but this does not limit the number of actual mechanisms that can be considered. The basic structures can be combined into numerous partnerships or sets of conjoint relationships with components retaining or sharing certain powers. As a result, in formulating a strategy for governing a sport one can divide responsibilities between each of these components or assign the same powers to more than one to maintain a "check and balance" over critical issues. In looking at the basic elements detailed in Figure 1 it should be remembered that the horizontal axis is limited to discrete governance forms for convenience of presentation, but the three elements identified could be mixed together into overlapping or shared areas of jurisdiction.

In the least complex form of organization, the governance of a sport could be completely vested in private individuals permitting owners and athletes to pursue their interests and for fans and society to express their sense of the value of sports through market transactions. This free market approach to sports would empower owners, players, and fans to each pursue their self-interest. Leagues could be formed to permit championship schedules to be played with other teams with all decisions regarding the number of franchises that exist and their location to be made by individual owners. Club owners would also be free to develop international marketing relationships.

In this model there is no group decision making; each owner decides how to develop players, how much to pay players, how to market his or her team, and all other elements related to success and profitability. New investors can enter market areas with existing teams, but other owners could decide not to play games against the teams. Players would also make all of their own decision regarding where they would play and fans could elect to attend games or not. Under this model the only role for the public sector is to apply its rules relative to the integrity of markets and monopolistic behavior. In essence the public sector would exist to insure that all elements of a free market would exist. However, if clubs establish international linkages, the public sector may well be interested in developing treaties or agreements with other nations to protect their national interests.

Group control implies the creation of voluntary organizations to control certain or all elements involved with the business and economics of a sport. A group of owners, for example, could agree to establish a league with a commissioner and assign to this individual certain powers. The owners could also agree on a code of behavior or operating principles to protect their interests. For example, the owners could agree to establish territorial boundaries for each team and these market areas could be designated as the exclusive domain of each team. Any owner who moved his or her team into this market area without the permission of all owners or the owner most affected by the move would be excluded from playing in the league. The players could also form a group and seek to negotiate for power from the owners and/or insure adequate compensation is paid. Similarly, if a league involved itself with international markets or issues, the players might also have interests that should be represented.

Fans are relegated to a market position passing judgment on the actions of the governing groups by their decisions to attend games. For the public sector their activities are again limited to insuring that laws regarding anti-market activities are not violated. A potential conflict could emerge if the decisions of one group interfere with free market issues if anti-trust and anti-cartel rules exist in a society. However, assuming that the necessary conditions for group activity are met, under this model the leagues could decide to limit the number of franchises available. Such an action could influence the behavior of subnational governments that want teams in their areas. The players, united as a group, would also pursue their self-interest relative to maximizing incomes and improving work and retirement packages. Their interests could align with an owners group on the number of franchises created. An artificial scarcity in the number of teams would also serve to elevate salaries for players selected to be part of a team as each team's market area would be greater yielding more revenue. If players were assured a percentage of revenue through contracts or free agency, then a reduced supply of teams can be in this group's best interest.

The third form of governance would involve complete public control over a sport. Total public control would mean that governments would decide how many franchises would exist, where these teams would play, which players, coaches, and other staff would be assigned to particular teams, and the procedures to be used to identify athletic talent and develop players for the profession. Or, the public sector might limit itself to the issues of the supply of franchises and the location of teams leaving all other elements to private or group control. The public sector should also be considered a federalist model as some responsibilities could lie at the national level and others at a subnational level. Other issues will be at an international level and these too will likely involve the interests of state, regional, and local government in both countries. Figure 1 identifies a simple or abstract application of this typology to a small set of the decisions that must be made for a sport to be played. The list of actual decisions is, of course, much longer.

The grid lines in Figure 7.1 are clearly delineated; in operation, however as already mentioned, overlapping spans of authority between one or more governing groups are sharing responsibilities for certain elements. For example the issue of the supply of franchises could be determined by a group of owners organized into a league together with a players' union or the public sector. Rules regarding the development of players could also be a responsibility shared between owners and the players' union, or between the owners and the public sector that seeks to regulate certain aspects of labor policy.

FIGURE 7.1

A Typology of Governing Components for Sports

Decision issue	Governing component				
	Private/Market	Group control		Public/Federalist	
		Owners	Players	National	Subnational
Supply of franchises					
Location of franchises					
Development of players					
Assignment of players					
Facility construction					
Playing rules					
Broadcast of games					

Each combination of governance authority changes the ability of different groups to represent the interests of their members to the exclusion of others. For example, a highly organized group of owners could seek to minimize the role of players and the public sector in the governance of the sports. A sort of "Fordist" approach to the organization of sports would concentrate resources and power in the owners of franchises. A post-Fordist approach, however, would involve: (1) a level of power-sharing between the owners of franchises and players in terms of control of the game to maximize incomes and profits, or (2) a greater sharing of resources with the players while the owners continue to control sports. Under either of these perspectives the public sector is not in control of key elements and fans are limited to "voting with their pocketbooks" in terms of attending contests or not.

7.4. GOVERNING SPORTS: MODELS IN USE

In terms of focusing on the global economic future for professional baseball and the governance issues inherent in its political economy, it is valuable to review baseball's current governance structure and those models in use for other sports. These models can be compared and contrasted to the options identified in Figure 1 and the impact of various changes.

7.4.1. MLB AND THE NORTH AMERICAN LEAGUES: UNFETTERED GROUP CONTROL

Baseball today is governed by a conjoint relationship between groups, but power is not equally shared. Rather, there are domains reserved to the owners (supply and location of franchises) and shared authority with the players' union with regard to issue that directly impact conditions of employment (e.g., contracts, pay levels, free agency, revenue sharing, arbitration, etc.). There is no organized representation of fans, and the public sector also exercises little control over the baseball. Subnational governments have only been able to pursue their goals through litigation and negotiation from a rather weak position somewhat related to market size. MLB has also an international dimension, and here its power is relatively unfettered. Teams conduct business in many nations seeking talent and developing that talent in ways that maximize the interests of MLB. The players' union has no authority to deal with the working conditions for major league prospects in foreign countries even if the teams and MLB are involved in these nations. The union's jurisdiction is limited to players signed to MLB contracts and on the roster of a MLB team.

Governments are beginning to consider how they can represent their interests in the system, but the time consuming aspects of political process, together with the resource imbalance between MLB and those with opposing interests has not seen the evolution of any conjoint sharing of authority. The Congress has never readdressed the Supreme Court's ruling that MLB was exempt from elements of the nation's anti-trust laws. This has negated the ability of state and local governments to challenge the authority of MLB's control of economic aspects of sports.

To varying extents, the other major team sports in North America enjoy similar sets of power to frame the governance structures of their sports as they wish. Through its negotiations with the players' unions each league has formed a "group consensus" model for governance. While owners continue to be more powerful, sufficient authority has been devolved to groups of players that labor strife has been avoided. MLB may be on the brink of another confrontation, but the NFL has achieved a remarkable state of relations with their players and the players in the NBA also seem satisfied with the latest agreements and their control over issues related to salaries and employment conditions. Looking across the four major team sports, one would conclude their governance models would be described as "Group Control" with owners having a decisive level of control. However, sufficient compromises with players on compensation and employment conditions have been reached to assure the absence of work stoppages and the establishment of lofty salary levels for athletes.

In these systems fans have no real control over any specific management or economic issues. They can exercise general dissatisfaction by not purchasing tickets or watching games. Yet, given the long-term importance of sports to people's lives, this form of collective organization or response is both rare and then too broad to either focus on a specific complaint or to attract a large segment of supporters. The rare exception has been when some teams have moved from one area to another and in selected instances organized fan protests supplemented by public actions have led to remedial intervention (e.g., Seattle and the Pilots/Mariners, Cleveland and the Browns/Ravens, etc.).

Public sector involvement has largely been limited to facilitating the goals of the groups controlling sports, not in devising systems to pursue the public's interests. At the national level, laws permitting anti-market behavior have been molded to fit the needs of different leagues (e.g., the 1961 Sports Broadcast Act, approving mergers, failing to object to mergers, needed tax provisions, etc.). In this regard, the national government has facilitated group control, limited competition and protected the wealth and power of this governing system while seeking very limited authority to participate in the governance of sports or the economics of the four leagues.[8] State and local governments, fearing a captive environment in which many communities compete for an artificially controlled supply of team that is well below market levels, underscore the group

8. Rosentraub, M.S. (1999a). "Are Public Policies Needed to Level the Playing Field between Cities and Teams?", *Journal of Urban Affairs*, vol. 21, nº 4, p. 377-396.

control process by providing their own set of incentives. Across the past decades, state, provincial and local governments have provided or secured tax subsidies, profit guarantees, reduced rate loans, and land without seeking a level of control of the governance of sports.

7.4.2. Alternative Models: The State and the Nonprofit Sector

There are of course a myriad of other models used to govern different sports in use in the United States and elsewhere. One that involves a level of conjoint control between the public sector and a group involves collegiate sports. The National Collegiate Athletic Association (NCAA) controls numerous crucial elements of the multi-billion dollar industry that is college sports.[9] Yet, in so far as public institutions are concerned, government controls the supply of franchises and the distribution of these franchises. States are free to generate as many sports programs as they wish through the creation of colleges and the dedication of the necessary resources to establish of Division I, II, or III programs. Similarly, a State can have numerous private colleges and universities and each of these can become Division I, II, or III competitor in the NCAA. Under the governance system that exists with regard to collegiate sports, a group, the NCAA, controls vital elements of the governance system. The cartel or group establishes requirements for competition at certain levels that are designed to protect the economic interests of the most profitable college programs. Yet, the public sector has immense and important conjoint powers, and, if it wishes to spend sufficient revenues, can join the NCAA's elite levels.

This model with its modest sharing of controls has not retarded the economic clout of the industry notwithstanding the reports of the fiscal losses of individual programs.[10] In practice, of course, there are limits to what a State could if it wanted more Division I teams and the oversight authority of the NCAA could be used to sanction programs that too aggressively sought athletes. However, it is clear that the public sector's ability to create Division I teams for competition is far more extensive than their authority to create professional sports teams.

9. Zimbalist, A. (1999). *Unpaid Professions: Commercialism and Conflict in Big-time College Sports*, Princeton, Princeton University Press

10. Sperber, M. (1990). *College Sports Inc.*, New York, Henry Holt; Zimbalist, A. (1999). *Op. cit.*

7.4.3. ALTERNATIVE MODELS: PUBLIC SECTOR, INDIVIDUAL CONTROL AND NON-GOVERNMENTAL ORGANIZATIONS IN SOCCER

While FIFA (Fédération Internationale de Football Association) yields enormous power and control over the $300 billion world of international soccer,[11] individual nations-states can and do control issues related to the supply and location of franchises. For example, in some nations investors can create new franchises and attempt to attract the best players. While the team will be assigned to the lowest level or league, if the team dominated in its league it would ascend to the next highest division each year. In this way, a new team could move into the premier league after a few winning seasons. The movement between leagues is a result of the process of relegation where the two least successful teams in the highest league are relegated to the lower league and the two most successful from the lower league are ascending to the higher rank. Most important for the interests of fans and society, the supply and location of franchises is not controlled by the leagues or football clubs. A process exists in some nations where investors can pursue their investment objectives and join the existing league structure. This has not inhibited the financial success of the international soccer. The most valued franchise in all of team sports is now Manchester United, and gross revenues for international soccer exceed that of every North American based team sport.

In North America while the existing leagues control the supply and location of teams, investors can create new leagues. While many of these ventures failed, some were successful and eventually merged with the dominant league. As a result, some believe no issue exists relative to the monopoly or cartel control of sports by the dominant leagues. However, the increasing size of the leagues and their domination of the central sources of revenue now make the possibility of new leagues far less possible. Indeed, recent competitive leagues have failed (United States Football League) and other investors have decided not to create a venture (a new baseball league and Time Warner's recent dalliance with the creation of a new football league).

Returning to Figure 1, several issues are potential items for deliberations regarding the governance of baseball in the global economy. For example, in terms of the supply and location of franchises, control over the creation of teams has been visited in MLB as a group for the United

11. Sugden, J. et A. Tomlinson (1998). *FIFA and the Contest for World Football: Who Controls the People's Game?*, Cambridge, Polity Press.

States and Canada. This outcome has led to an undersupply of teams in the largest markets. In addition, several communities that want teams have been denied a franchise in MLB.[12] To this end the interests of fans and the public sector may not have been adequately represented by the existing structures. Conjoint authority for specification of the number of teams may be better able to address the interests of several stakeholders.

Related to this issue is the extent to which revenues are shared to insure competitiveness. If there is not agreement to share revenues between teams or to expand the number of teams in larger market areas, then those teams able to restrict access to the largest and most profitable regions will, over time, have a greater ability to attract and retain the best players. Such an outcome could conflict with the goals for communities or the public sector creating another set of conflicts. Conjoint government systems empowering the public sector to implement competitive market conditions or to insure market balance would seem to be desirable.

The development of players also is another issue that spans international boundaries and the interests of society, existing teams, and current and future players. For example, should teams or a league be permitted to operate baseball camps for potential players and then be permitted to sign these players to contracts before they graduate high school? When does participation in baseball camp become "work" or relative to a business's control of the supply of labor? What responsibilities if any exist for society or the public sector to oversee the development and signing of young players? Again, several stakeholders have interests here including existing players who may fear the inclusion of younger athletes from foreign countries on teams to reduce an owner's labor costs. Again, another issue emerges in terms of the international economics of baseball that effects several different constituencies and suggests a conjoint model of decision-making would be better able to represent different stakeholders than a system which emphasized control by single group.

CONCLUSIONS

Major League Baseball as an economic institution will continue to look for opportunities to expand its global markets and presence in other countries. The sport's future will include the involvement of more foreign-born

12. Thomas, G.S. (1999). « Norfolk Primed for the Pros », *Street and Smith's Sports Business Journal*, vol. 1, n° 38, p. 1-18.

players and this will create incentives to find talent in developing or underdeveloped nations. Within the next 20 years it is realistic to think about additional franchises in other countries, and a world cup of baseball involving the champions from North America against teams from Asia and elsewhere. Greater international competition between teams in the leagues of different nations may also evolve and baseball's role as an Olympics sport involving the best players from several nations could also emerge. The expanding success of professional sports for women suggest MLB might also consider a structure similar to the one used by the NBA to develop its Women's National Basketball Association.

How can or should the various constituencies affected by this globalization and economic expansion of baseball be represented in the sport's economic and business affairs? Within the next two years MLB and its Players' Association will again confront one another on governance issues and the compensation of athletes. Revenue sharing among large and small market teams will also be part of this negotiation process. At the first level, then, governance issues within the sport will again be confined to the two dominant groups, owners and players.

Lost within this calculus are the interests of other constituencies including fans and the interests of other nations and societies. If these are to be included in the structure that emerges to govern the internationalized economy of MLB, then it is appropriate for governments to insist that some forms of conjoint control be explored. It would indeed be easiest to think about a pure economic or market-based approach to the governance of baseball. This would mean free entry into MLB for new investors and the creation of more teams in the largest markets and teams in markets that MLB has refused to enter. The political reality of North America's experience is that leagues formed by groups of owners are able to effectuate outcomes that restrain free market systems; as such, there is little basis to suspect that MLB will adapt or be forced to adopt a market-based approach in the current political environment. The league and the players are too powerful and Congress too unwilling to create a market structure for sports. In addition, in some way the nations in which baseball's influence and market will expand are more comfortable with a larger role for society and government that one which asks the public sector to simply insure competitive markets.

The mere recommendation that conjoint governing systems should exist to represent the interests of all stakeholders does not mean these systems will evolve without careful planning and attention to the issues that are central to all constituencies. One might be left to conclude that only through legal challenges to elements of the structure of baseball will lasting change occur. If evidence is presented that MLB's practices with regard to the recruitment or signing of foreign athletes and youngsters violate elements of labor law in this country and elsewhere, the adjudicated outcomes must include conjoint governing systems. If it is accepted that the existing governing structure of baseball harms consumers by the league's control of the supply of franchises, then the settlement should involve greater formal roles for the public sector in the governance of baseball.

As non-governmental organizations (NGOs) similar to MLB become international NGOs, countries must respond with requirements that these institutions include governments and other constituencies in their governing structures or evidence that they can indeed represent the public's interests. North America's sports leagues, including MLB, have a weak record relative to their ability to sustain that position. Indeed, actions by the leagues have led to higher taxes and fewer franchises leading to higher prices and costs for fans.[13] With this information in hand, it is now time to turn attention to how NGOs should govern their sports in the international economies that are developing for these sports and the appropriate roles for all constituents.

BIBLIOGRAPHY

BARTHES, R. (1972). *Mythologies*, Londres, Paladin Press.

DANIELSON, M.W. (1997). *Home Team: Professional Sports and the American Metropolis*, Princeton, Princeton University Press.

EDWARDS, H. (1973). *Sociology of Sports*, Homewood, IL, Dorsey Press.

HOULIAN, B. (1997). *Sport, Policy, and Politics*, Londres, Routledge.

KING, A. (1998). *The End of the Terraces: The Transformation of English Football in the 1990s*, Londres, Leicester University Press.

MICHENER, J. (1976). *Sports in America*, New York, Random House.

NOLL, R.G. et A. Zimbalist (dir.) (1997). « Sports, Taxes and Jobs: The Economic Impact of Sports Teams and Stadiums », Washington, The Brookings Institution.

ROSENTRAUB, M.S. (1997). *Major League Losers: The Real Costs of Sports and Who's Paying for It*, New York, Basic Books.

13. Rosentraub, M.S. (1999a). *Op. cit.*

ROSENTRAUB, M.S. (1999a). « Are Public Policies Needed to Level the Playing Field Between Cities and Teams? », *Journal of Urban Affairs*, vol. 21, n° 4, p. 377-396.

ROSENTRAUB, M.S. (1999b). *Major League Losers: The Real Costs of Sports and Who's Paying for It*, 2e éd. rev., New York, Basic Books.

SPERBER, M. (1990). *College Sports Inc.*, New York, Henry Holt.

SUGDEN, J. et A. TOMLINSON (1998). *FIFA and the Contest for World Football: Who Controls the People's Game?*, Cambridge, Polity Press.

THOMAS, G.S. (1999). « Norfolk Primed for the Pros », *Street and Smith's Sports Business Journal*, vol. 1, n° 38, p. 1-18.

ZIMBALIST, A. (1999). *Unpaid Professions: Commercialism and Conflict in Big-time College Sports*, Princeton, Princeton University Press.

CHAPITRE

À LA RECHERCHE DE L'INDESCRIPTIBLE IMPACT SOCIAL DES ACTIVITÉS DU SPORT PROFESSIONNEL[1]

Jean Harvey*
Université d'Ottawa

En Amérique du Nord, au cours des deux dernières décennies, les subsides versés par divers gouvernements locaux, régionaux ou centraux pour la construction de nouveaux stades et l'acquisition de nouvelles franchises de sport professionnel ont été largement justifiés par des « études » d'impact économique. En outre, plusieurs acteurs sont présents sur la scène de la rhétorique de l'apport socioéconomique du sport professionnel. Par exemple, les impacts sociaux et économiques positifs sont fortement médiatisés par les propriétaires des clubs sportifs, activement soutenus par une presse qui est l'une des principales courroies de transmission dans leurs stratégies de marketing. Cette position est d'ailleurs appelée à se consolider dans le contexte actuel où les franchises de sport

* jharvey@mailbox.uottawa.ca

1. Nous remercions le Conseil de recherches en sciences humaines du Canada de son appui financier dans le cadre du programme d'initiatives de recherche. Nous tenons également à remercier Josianne Roma, assistante de recherche.

professionnel et les médias d'information sont progressivement intégrés dans de vastes conglomérats, eux-mêmes associés à l'oligopole de l'industrie du divertissement et des médias.

Par ailleurs, les chercheurs « indépendants » en économie du sport sont presque unanimes à soutenir que les études d'impact économique souffrent de grandes lacunes sur le plan méthodologique ; selon ces mêmes chercheurs, des études plus objectives, tenant compte à la fois des impacts négatifs et positifs, tendent à démontrer que si, dans des cas exceptionnels, les équipes sportives ont un impact économique positif, celui-ci ne saurait être que mineur. Par conséquent les subsides directs ou indirects dont plusieurs franchises ont pu bénéficier ou jouissent encore ne sont en aucun cas justifiés.

Ainsi, pour appuyer les demandes d'appui financier adressées aux divers paliers de l'État, plus d'un analyste met maintenant en avant soit les effets dits intangibles, soit les impacts sociaux positifs des équipes de sport professionnel. C'est précisément sur la question de la mesure de ces impacts sociaux que le présent texte se propose de s'attarder. Plus précisément, à partir d'une revue relativement exhaustive de la littérature sur les impacts sociaux de divers événements, il s'agit ici de dégager les pistes d'une méthodologie d'analyse des impacts, sur les collectivités locales, des activités du sport professionnel.

Les impacts sociaux positifs imputés au sport professionnel et justifiant l'appui financier des gouvernements à ces entreprises sont en effet claironnés sur tous les toits : vecteur de promotion de l'identité citoyenne locale ; lieu de fusion des cultures composant la mosaïque ethnique de la cité ; rituels d'expression de la culture locale, voire nationale ; diffuseur d'une image de marque – une cité de « classe mondiale » –, élément de la qualité de vie qui attire les élites cosmopolites de la nouvelle économie ; moteur de régénération de la sociabilité de la vie de quartier, le sport professionnel est investi de multiples impacts sociaux positifs par les partisans de subsides gouvernementaux à ces activités.

Toutefois, tous ne sont pas d'accord avec cette vision idyllique : créateur d'enclaves isolées du tissu social environnant, facteur de déracinement des populations défavorisées, agent de fractionnement des réseaux de sociabilité, vecteur de promotion d'une identité et d'une culture marchandisées, élément catalyseur d'exclusion sociale, lieu d'exacerbation des tensions entre la culture locale et la culture mondiale, le sport professionnel contemporain a, pour certains, des effets pervers, voire négatifs. Bref, les effets sociaux attribués au sport professionnel sont variés, contradictoires, quand ils ne sont pas tout simplement jugés insignifiants. Bien sûr, ces effets sociaux varient selon la position sociale des locuteurs.

Mais ce qui frappe quand on tente de dresser l'inventaire des méthodes utilisées pour mesurer ces impacts sociaux, c'est précisément l'absence d'études empiriques, de méthodes explicitement mises en œuvre pour estimer ces effets. Ainsi, une recherche relativement exhaustive des principales banques de données bibliographiques en sciences sociales et humaines, tant en français qu'en anglais, n'a donné aucun article s'attardant sur la question de la mesure des impacts sociaux des activités du sport professionnel dans les villes nord-américaines. Ce qui, il faut bien l'avouer, ne simplifie pas la tâche. C'est donc à partir d'un éventail couvrant plusieurs activités, notamment les activités touristiques, qu'il sera possible ici de discuter de méthodes d'analyse de l'impact social du sport professionnel.

Toutefois, avant d'aborder les questions proprement liées aux pratiques et aux méthodes d'analyse des impacts sociaux, quelques observations d'ordre épistémologique sont de mise. Premièrement, en raison des enjeux économiques et politiques rattachés aux projets et événements soumis aux évaluations des impacts sociaux, ce domaine d'activité est soumis à des forces sociales considérables, notamment celles liées au champ du savoir à titre de forme de pouvoir symbolique au sein de nos sociétés. Firmes de consultants, forums publics financés par les grandes fondations privées, experts universitaires commandités, experts universitaires dits indépendants, tous se drapent dans l'objectivité que leur confère la science qu'ils exercent pour appuyer leur analyse, cette science offrant tout autant une forme de savoir objectivé qu'une forme de capital symbolique qui exerce toute son influence dans la rhétorique des acteurs engagés dans le débat de la mesure des impacts sociaux. Ainsi, l'exposé qui suit n'est, lui-même, pas complètement détaché du champ de force dans lequel il intervient. Dans les premières lignes de *Homo Academicus*, Bourdieu[2] nous rappelait en effet la réalité suivante :

> En prenant pour objet le monde social dans lequel on est pris, on s'oblige à rencontrer, sous une forme que l'on peut dire *dramatisée*, un certain nombre de problèmes épistémologiques fondamentaux, tous liés à la question de la différence entre la connaissance pratique et la connaissance savante, et notamment à la difficulté particulière et de la *rupture* avec l'expérience indigène et de la restitution de la connaissance obtenue au prix de cette rupture.

En d'autres mots, le chercheur se penchant sur la problématique de la mesure des impacts sociaux est lui-même un acteur occupant une position précise dans le champ des forces sociales actives dans ce secteur ;

2. Bourdieu, P. (1985). *Homo Academicus*, Paris, Éditions de Minuit, p. 11.

donc, non seulement la prise de distance parfaitement neutre, garante de la légitimité scientifique du paradigme positiviste, n'est-elle pas possible dans ce contexte, mais toute prétention à celle-ci ne peut être qu'un simulacre, un masque dissimulant une prise de position politique précise. En définitive, il appert que la mesure de l'impact social est en elle-même tout autant un exercice technique d'objectivation d'une question essentielle subjective qu'une action politique qui doit être conçue et reconnue pour ce qu'elle est, soit un élément influant sur la dynamique sociale étudiée[3].

Deuxièmement, l'évaluation des impacts sociaux de projets et d'événements est, au dire même de certains des adeptes les plus fidèles de ces méthodes, une tâche des plus complexes, compte tenu de la nature et de la fluidité des phénomènes sociaux ainsi que des multiples réactions possibles de toute action humaine. Une des difficultés provient du fait que, pour ce qui est des impacts sociaux, on travaille tant dans l'ordre des réalités dites observables que dans celui du symbolique, ce dernier ne se laissant pas facilement saisir par les méthodes quantitatives normalement privilégiées.

8.1. QUELS IMPACTS SOCIAUX MESURER ?

Mais de quoi s'agit-il quand on parle d'impacts sociaux ? Certains auteurs recensés dans la revue de littérature ont proposé différentes définitions. Par exemple, pour Wolf, les impacts sociaux sont des : « *people impacts – what we are doing to folks (or failing to do them) where they live, in families and communities, as a consequence of formulating policies, instituting programs, and building projects.*[4] » À cette première approximation, Mathieson et Wall ajoutent que : « *The* ***social and cultural impacts of tourism*** *are the ways in which tourism is contributing to changes in value systems, individual behaviour, family relationships, collective life styles, safety levels, moral conduct, creative expressions, traditional ceremonies and community organizations.*[5] »

3. La saga des demandes d'appui de l'État de la part des franchises canadiennes de la LNH aux cours des dernières années est un exemple éloquent de l'utilité politique des études d'impact économique.
4. Wolf, C.P. (1983). « Social Impact Assessment : A Methodological Overview », dans K. Finsterbusch, L.G. Llewellyn et C.P. Wolf (dir.), *Social Impact Assessment Methods*, Beverly Hills, Sage Publications, p. 15.
5. Mathieson, A. et G. Wall (1982). *Tourism : Economic, Physical and Social Impacts*, Harlow, Longman, p. 133.

Ainsi, les impacts sociaux peuvent prendre plusieurs formes; qui plus est, le lecteur remarque que, parmi les aspects déterminés, certains relèvent des attitudes et des comportements individuels, alors que d'autres concernent la vie collective. En d'autres mots, on met ici en évidence des variables associées à une vision de la société basée sur le postulat de l'individualisme méthodologique et des éléments basés sur une vision plus relationnelle et collectiviste de la vie en société, ce qui, encore une fois, ne facilite pas la tâche. Aussi convient-il sans doute de formuler la question différemment, par exemple : À quoi sert la mesure des impacts sociaux?

L'utilité de la mesure des impacts sociaux diffère selon la position des acteurs présents. Ainsi, il est possible de classifier les usages en fonction de certaines positions, soit du côté des décideurs (privés et publics) ou du côté de la collectivité. Pour les décideurs privés, l'évaluation des impacts sociaux pressentis est d'abord une variable à prendre en compte dans l'analyse des coûts-bénéfices d'une initiative. Un impact social négatif est à additionner aux coûts, dans la mesure où il peut éventuellement entraîner des dépenses additionnelles. Dans la perspective opposée, un impact social positif peut s'avérer un puissant outil de légitimation d'un projet, allant même jusqu'à justifier une aide publique au financement du projet. L'analyse des impacts pressentis peut s'avérer également un outil efficace de communication sociale, voire de marketing pour un promoteur. Dans la foulée, une analyse d'impact faisant reluire des retombées positives peut s'avérer un moyen de pression efficace auprès des décideurs publics, dans la mesure où leur défaut d'appuyer financièrement un projet peut jouer en leur défaveur. Les décideurs publics peuvent être en effet dépeints comme des adversaires du progrès social, comme indifférents au bien public. Enfin, la perspective d'impacts sociaux positifs est un atout dans les plans d'affaires des promoteurs à la recherche de financement privé et public. Pour les financiers, les impacts positifs pressentis sont des signes d'incertitude diminuée, et donc de succès escompté du projet envisagé.

En ce qui concerne les décideurs publics, les analyses prospectives d'impacts sociaux peuvent leur servir soit d'outil de légitimation de l'utilisation de fonds publics à des fins privées, au nom du progrès social sous toutes les formes possibles, soit au contraire de justification contre toute mesure d'aide publique. Selon les méthodes utilisées, l'analyse prospective des impacts sociaux peut s'avérer un outil efficace de mesure du soutien populaire soit à l'égard d'un projet, soit éventuellement en faveur d'un apport de fonds publics auxdits projets. Enfin, certaines formules d'analyse des impacts pressentis, présentées et discutées dans le cadre de consultations publiques, peuvent s'avérer des outils favorisant la participation citoyenne sous différentes formes de délibération politique, menant à une prise de position collective mieux informée.

Du côté de la collectivité, la mesure des impacts sociaux est d'abord un moyen de contrôle de l'imputabilité de l'action des décideurs publics. Selon les méthodes mises en œuvre, elles constituent aussi, cela vient d'être souligné, une occasion pour les citoyens de particiter aux prises de décision collectives, qu'il s'agisse d'appuyer un projet en voie de réalisation ou de s'opposer à des impacts négatifs de projets en voie de réalisation ou de situations négatives induites par la réalisation de certains projets. Parfois, les citoyens peuvent même les transformer en forum de remise en question de certains aspects d'un projet ou d'un projet en entier, en faisant un lieu d'instigation de différentes formes de changements sociaux. Enfin, certaines méthodes prospectives des impacts sociaux peuvent au contraire s'avérer des outils d'exclusion ou d'aliénation sociale lorsque des points de vues jugés importants par certaines collectivités ne sont pas pris en considération, voire sont occultés.

Ainsi, la mesure des impacts sociaux des équipes de sport professionnel peut remplir plusieurs fonctions, certaines étant contradictoires les unes par rapport aux autres. Il en résulte que la prise en compte des études existantes doit mettre en perspective non seulement les habiletés des organisations qui les produisent, mais aussi les commanditaires de ces études, tout autant que les fins recherchées et les moyens mis en œuvre, tous ces facteurs ayant leurs forces et leurs faiblesses inhérentes. Mais quels sont précisément ces outils d'analyse disponibles ?

8.2. LE SPECTRE DES MÉTHODES D'ANALYSE DES IMPACTS SOCIAUX

Depuis leur essor au cours des années 1970, dans la foulée du développement des études d'impact environnemental aux États-Unis, une véritable industrie de l'analyse d'impacts a vu le jour ; y gravitent de multiples firmes privées de consultants en administration, en planification et aménagement du territoire ou en urbanisme, côtoyées par les fondations privées et les instituts universitaires à vocation commerciale ou non. Les a priori épistémologiques et méthodologiques de ces divers organismes ne sont pas, on le comprendra, indépendants de leurs sources de financement et de leurs attaches institutionnelles.

Néanmoins, avec les années, l'évolution des lois environnementales, les pressions publiques en faveur de la participation des collectivités et des différents groupes de pression de citoyens aux prises de décision collectives, de même que les avancées dans la recherche en méthodologie, ont conduit à un raffinement des méthodes utilisées. Ces méthodes sont très diverses, mais certaines sont plus courantes que d'autres. On pourrait les représenter sous la forme d'un spectre dont les nuances s'agencent selon deux sources de différenciation, soit leurs finalités, ex ante ou ex post, d'une part, et leur paradigme dominant, qualitatif ou quantitatif, d'autre part. Le graphique 8.1 est un essai de représentation spatiale, bien imparfaite, de la distribution de ces méthodes selon les critères venant d'être évoqués. Rappelons ici qu'aucune des études inventoriées pour cette analyse ne portait sur l'impact des équipes de sport professionnel.

Parmi les différentes méthodes utilisées, la *Social Impact Assessment* (SIA) ou évaluation des impact sociaux (EIS) est de loin la plus répandue. Cette méthode semble également souvent présente à titre de composante

GRAPHIQUE 8.1
Le spectre des méthodes d'analyse des impacts sociaux

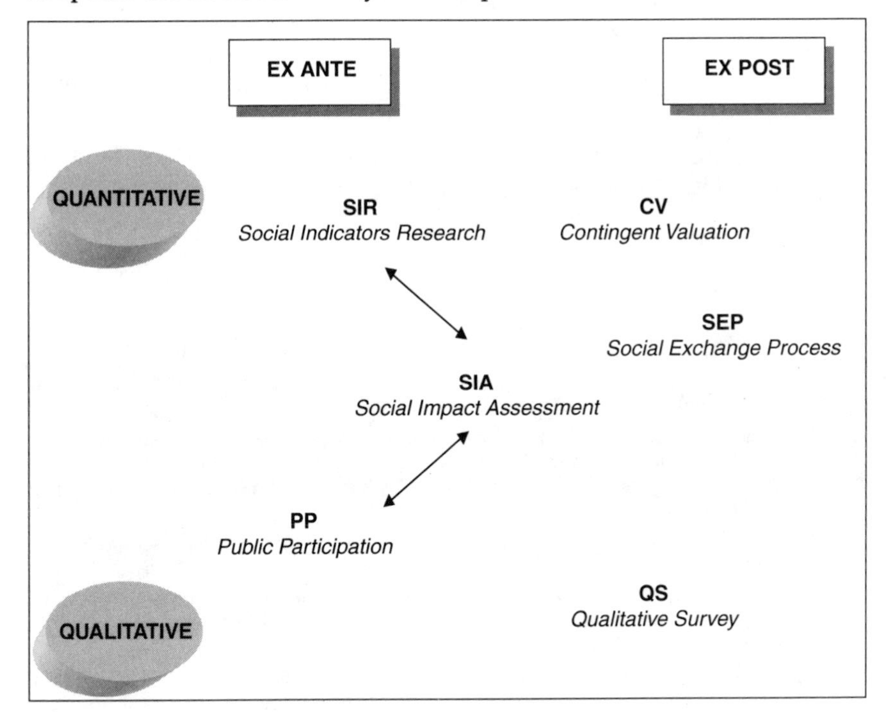

des études environnementales, notamment celles qui sont obligatoires en vertu des lois environnementales lorsqu'il s'agit de lancer de grands projets. En effet, pour la plupart des auteurs[6], la SIA est avant tout une méthode de prédiction, alors que d'autres[7] mettent en évidence des exemples où elle a été pratiquée ex post, ou soulignent qu'elle peut être utile à diverses étapes d'un processus, c'est-à-dire avant, pendant et après un événement. De plus, selon Carley[8], il existe deux camps bien définis chez les pratiquants de cette approche : les tenants de la quantification et ceux de l'analyse qualitative. Enfin, pour les uns, le but de la SIA n'est pas différent de celui de toute autre science sociale, soit de comprendre les causes, les conditions et les conséquences de la vie sociale[9], alors que pour d'autres la complexité des questions sociales rend illusoire toute prétention à une estimation adéquate des impacts, de telle sorte que la SIA ne doit pas prétendre à autre chose qu'à informer les preneurs de décision de tendances relativement prévisibles. L'appellation SIA est en fait accolée à diverses pratiques, de telle sorte qu'il s'agit d'une nébuleuse regroupant plusieurs méthodologies plutôt que d'une technique précise. Une première indication de l'étendue de cette nébuleuse nous est donnée par Finsterbusch[10] lorsqu'il avance que des SIA peuvent être menées à partir de six paradigmes éthiques différents que nous résumerons ainsi :

- l'utilitarisme, lequel juge comme étant les meilleures les politiques produisant le plus de bien pour le plus grand nombre ;
- le paradigme libertaire, lequel élève l'individu et ses droits et libertés au-dessus de toute autre valeur ;

6. Par exemple : Wolf, C.P. (1983) ; Carley, M.J. (1983) ; Burningham, K. (1995) et Finsterbusch, K. (1995).

7. Notamment : Gagnon, C. (1995). « Évaluation ex post des impacts sociaux du mégaprojet d'aluminerie sur la communauté laterroise », dans C. Gagnon (dir.), *L'évaluation des impacts sociaux vers un développement viable ?*, Chicoutimi, GRIR, coll. Développement régional, p. 65-82.

8. Carley, M.J. (1983). « A Review of Selected Methods », dans K. Finsterbusch *et al.* (dir.), *Social Impact Assessment Methods*, Beverly Hills, Sage Publications, p. 35-54.

9. Wolf, C.P. (1983). « Social Impact Assessment : A Methodological Overview », dans K. Finsterbusch, L.G. Llewellyn et C.P. Wolf (dir.), *Social Impact Assessment Methods*, Beverly Hills, Sage Publications, p. 15-33.

10. Finsterbusch, K. (1995). « In Praise of SIA. A Personal Review of the Field of Social Impact Assessment : Feasibility, Justification, History, Methods, and Issues », dans C. Gagnon (dir.), *L'évaluation des impacts sociaux vers un développement viable ?*, Chicoutimi, GRIR, coll. Développement régional, p. 13-40.

- la théorie de la justice, laquelle requiert que les politiques traitent de manière égale tous les individus étant partie au contrat social ;
- le paradigme marxiste, lequel met l'accent sur le fait que les institutions sont au service des puissants et constituent dès lors des outils d'aliénation des classes dominées ;
- le fonctionnalisme, selon lequel les politiques sont jugées adéquates dans la mesure où elles améliorent le bon fonctionnement du système social visé, ainsi que le système social dans son ensemble ;
- le paradigme de la prise de décision démocratique, selon lequel l'information doit être également partagée entre toutes les parties affectées par la décision.

Selon Wolf[11], la SIA est en effet une approche combinant normalement plusieurs méthodes. Ses tâches analytiques requièrent, selon lui, que les chercheurs cueillent de façon sélective dans une vaste panoplie de méthodes et de techniques de recherche, lesdites tâches incluant l'évaluation de l'étendue de l'impact, la définition des problèmes, la formulations d'alternatives, la projection, l'évaluation, la mitigation, le suivi, la gestion, etc. Par ailleurs, pour Carley[12], compte tenu du fait que la SIA peut servir à plusieurs fins dans la prise de décision, elle doit prendre en considération toute une série de facteurs dont les données nécessaires, les ressources disponibles, la désagrégation des données, la probabilité que l'impact pressenti se produise, l'importance des impacts, la validité et la fidélité des mesures, les jugements de valeur, la capacité de bien communiquer les résultats, etc.

Devant une telle diversité de paradigmes, d'approches et de techniques il n'est guère aisé de commenter les forces et les faiblesses de cette approche, ni d'estimer l'applicabilité de la SIA à d'éventuelles études de l'impact social des activités du sport professionnel dans les villes. Toutefois, il convient de noter au passage les faiblesses associées à cette approche par ses propres tenants. Pour Finsterbusch[13], deux enjeux conceptuels hantent la SIA : la faisabilité de la prédiction sociale et la légitimité de ces études. Pour d'autres, comme Burningham[14], la propension de ce type d'étude à tenter de quantifier les impacts mène souvent à une tendance

11. Wolf, C.P. (1983). *Op. cit.*, p. 15-33.
12. Carley, M.J. (1983). *Op. cit.*, p. 35-54.
13. Finsterbusch, K. (1995). *Op. cit.*, p. 13-40.
14. Burningham, K. (1995). « Attitudes, Accounts and Impact Assessment », *Sociological Review*, vol. 43, nº 1, p. 100-122.

à éviter toute analyse détaillée des différentes manières dont les individus peuvent se sentir affectés, une remarque à laquelle Gagnon[15] fait elle-même écho lorsqu'elle souligne que « la méthodologie est le plus souvent réduite à une sorte de *check-list* comprenant quelques variables classiques, mesurées quantitativement par des sous-contractantes de la firme chargée du projet ».

La *Social Indicators Research* (SIR) constitue une deuxième approche. Cette méthode cherche surtout à développer des indicateurs (*proxies*), tel le nombre de journées sans maladie comme indicateur d'un niveau de santé. Dans sa revue générale de cette approche, Carley[16] souligne, comme le suggère l'exemple ci-dessus, que cette approche repose avant tout sur des indicateurs quantitatifs, mais il ajoute que l'on peut également trouver des indicateurs qualitatifs et les mesurer par des questionnaires utilisant des échelles de satisfaction ou d'évaluation. L'approche des indicateurs sociaux tente de rendre opérationnels des concepts abstraits comme celui de la qualité de la vie. Ainsi il définit les avantages et désavantages inhérents à cette méthode. En plus de fournir des bases de données permettant la comparaison à différents moments dans le temps, cette méthode permettrait, selon l'étendue et la portée des questions étudiées, de mieux comprendre comment les gens évaluent divers aspects de la vie familiale, de la vie collective, etc. Par ailleurs, la difficulté d'établir hors de tout doute la signification des réponses et des résultats constitue le plus grave des problèmes associés à cette méthode. De plus, dans le cas de collectivités de taille réduite, le volume de statistiques produites, dont plusieurs seraient d'une importance limitée, peut s'avérer un fardeau onéreux. Enfin, l'utilité de cette approche n'est pas tout à fait évidente. Carley souligne par exemple que les efforts déployés pour établir des mesures globales de la qualité de la vie ont donné des résultats si vagues et généraux qu'il est difficile de leur accorder une valeur supérieure à n'importe quel sondage d'opinion.

La *Contingent Valuation* (CV) se distingue des deux premières méthodes par son objectif principal qui consiste à tenter d'accorder une valeur économique à certains impacts sociaux. Cette méthode peut s'avérer particulièrement attrayante pour les analystes des impacts économiques, car elle a l'avantage de traduire différentes réalités tant objectives

---

15. Gagnon, C. (1995). « La participation des communautés à l'évaluation : une pratique incontournable pour asseoir un développement viable », dans C. Gagnon (dir.), *L'évaluation des impacts sociaux vers un développement viable ?*, Chicoutimi, GRIR, coll. Développement régional, p. 7-10.

16. Carley, M.J. (1983). « Social Indicators Research », dans K. Finsterbusch *et al.* (dir.), *Social Impact Assessment Methods*, Beverly Hills, Sage Publications, p. 151-167.

que subjectives ou intangibles en une forme unique de mesure : l'argent. Ainsi, la tentation est grande de mettre en avant ce genre d'approche dans les analyses coûts-bénéfices ou dans les méthodes cherchant à atténuer les effets sociaux négatifs de certains projets ou événements. Au cours des dernières années, dans le cadre des débats sur les subsides gouvernementaux au sport professionnel au Canada, certains intervenants se sont d'ailleurs risqués à ce genre d'exercice en estimant des « équivalents dollars » pour toutes sortes de retombées intangibles de ces activités, par exemple la renommée continentale ou internationale de la ville. Toutefois, l'approche de la CV, en fait, ne cherche pas tant à donner directement une valeur monétaire à un impact qu'à déduire cette valeur par le biais de l'évaluation de la volonté qu'ont les personnes visées de payer (*willingness to pay*, WTP) pour contrecarrer les désavantages de telle ou telle mesure.

BIBLIOGRAPHIE

BOURDIEU, P. (1985). *Homo Academicus*, Paris, Éditions de Minuit.

BURNINGHAM, K. (1995). « Attitudes, Accounts and Impact Assessment », *Sociological Review*, vol. 43, nº 1.

CARLEY, M.J. (1983). « A Review of Selected Methods », dans K. Finsterbusch *et al.* (dir.), *Social Impact Assessment Methods*, Beverly Hills, Sage Publications.

CARLEY, M.J. (1983). « Social Indicators Research », dans K. Finsterbusch, *et al.* (dir.), *Social Impact Assessment Methods*, Beverly Hills, Sage Publications.

FINSTERBUSCH, K. (1995). « In Praise of SIA. A Personal Review of the Field of Social Impact Assessment : Feasibility, Justification, History, Methods, and Issues », dans C. Gagnon (dir.), *L'évaluation des impacts sociaux vers un développement viable ?*, Chicoutimi, GRIR, coll. Développement régional.

FINSTERBUSCH, K., L.G. LLEWELLYN et C.P. WOLF (dir.) (1983). *Social Impact Assessment Methods*, Beverly Hills, Sage Publications.

GAGNON, C. (1995). « La participation des communautés à l'évaluation : une pratique incontournable pour asseoir un développement viable », dans C. Gagnon (dir.) *L'évaluation des impacts sociaux vers un développement viable ?*, Chicoutimi, GRIR, coll. Développement régional.

GAGNON, C. (1995). « Évaluation ex post des impacts sociaux du méga-projet d'aluminerie sur la communauté laterroise », dans C. Gagnon (dir.), *L'évaluation des impacts sociaux vers un développement viable ?*, Chicoutimi, GRIR, coll. Développement régional.

GRAMLING, R. et W.R. FREUDENBURG (1992). « Opportunity-Threat, Development and Adaptation : Toward a Comprehensive Framework for Social Impact Assessment », *Rural Sociology*, vol. 57, nº 2, p. 216-234.

MATHIESON, A. et G. WALL (1982). *Tourism : Economic, Physical and Social Impacts*, Harlow, Longman.

WOLF, C.P. (1983). « Social Impact Assessment : A Methodological Overview », dans K. Finsterbusch, L.G. Llewellyn et C.P. Wolf (dir.), *Social impact assessment methods*, Beverly Hills, Sage Publications.

CHAPITRE

LE GRAND PRIX DE FORMULE 1 DE MONTRÉAL
LES RETOMBÉES ÉCONOMIQUES D'UN ÉVÉNEMENT À FORT DÉPLOIEMENT MÉDIATIQUE

Sylvain Lefebvre*
Université du Québec à Montréal
Lynda Binhas*
Université du Québec à Montréal

Pendant quatre années consécutives (1997, 1998, 1999 et 2000), les organisateurs du Grand Prix de Formule 1 de Montréal ont mandaté une équipe de recherche universitaire pour réaliser un profil détaillé de la clientèle de la course automobile sur le site de l'événement (circuit Gilles-Villeneuve, sur l'île Notre-Dame à Montréal). Si l'on exclut l'année 2000, où les États-Unis ont accueilli pour la première fois l'une des courses du championnat annuel dans la ville d'Indianapolis, Montréal était la seule ville nord-américaine à recevoir cet événement reconnu pour son fort déploiement médiatique international. Le circuit Gilles-Villeneuve est parmi les plus appréciés des pilotes et des amateurs de Formule 1. Sa situation sur une île comportant des percées visuelles spectaculaires sur le centre-ville de Montréal, la qualité de ses installations, son enchâssement

* lefebvre.sylvain@uqam.ca – binhas.lynda@uqam.ca

insulaire qui le protège et l'isole à la fois sont autant d'éléments qui rendent le circuit populaire auprès des amateurs, des écuries, des coureurs et des spectateurs.

9.1. DESCRIPTION DE L'ÉVÉNEMENT

Une course automobile dans le circuit international de la Formule 1 se divise généralement en trois parties distinctes : les essais libres le vendredi, les qualifications le samedi et la course finale le dimanche, en début d'après-midi. La compétition de Montréal a généralement lieu vers le début du deuxième tiers de la saison, qui compte généralement 17 courses internationales. Les billets donnant l'accès au site se répartissent en quatre catégories : or, argent, bronze et admission générale. Les trois premières catégories correspondent à des sièges numérotés dans des tribunes stratégiquement situées autour du circuit. Aussi, la catégorie « or » compte quatre tribunes érigées devant la grille de départ et les garages des principales écuries (environ 7 000 sièges), la catégorie « argent » compte environ une dizaine de tribunes pour un total d'environ 39 000 sièges et la catégorie « bronze » totalise près de 21 000 sièges[1]. Dans ces deux dernières catégories, les tribunes sont dispersées tout autour du circuit Gilles-Villeneuve. Les billets d'admission générale donnent accès à des zones situées le long des grillages du circuit de course, où les spectateurs peuvent s'installer avec leur propre siège ou fauteuil portatif. Debout ou assises, ces places sont offertes au premier arrivé, et la capacité du site de l'événement totalisait 25 000 entrées en 1997. En 2000, cette capacité a été ramenée à un maximum de 13 000. Dans les trois catégories « or », « argent » et « bronze », le spectateur doit payer son siège dans une tribune pour toute la durée de l'événement. L'imposition de ce forfait vise à assurer la vente des sièges lors des journées d'essais libres et de qualifications. Il existe aussi des forfaits de trois jours en admission générale, mais, dans cette catégorie de billets, on autorise la vente d'un droit d'entrée pour une seule des trois journées.

1. Le nombre de sièges par catégorie de billets et par tribune fluctue selon les saisons. Des modifications sont constamment apportées à la localisation des tribunes, au nombre de sièges et à l'aménagement du site, tant pour améliorer la qualité du spectacle que pour accroître la rentabilité de l'événement.

9.2. LE SPECTATEUR TYPE

Les profils de clientèle du Grand Prix de Formule 1 de Montréal, effectués lors des éditions de 1997 à 2000, indiquent une certaine tendance en ce qui concerne les caractéristiques sociodémographiques des spectateurs (Lefebvre et Binhas, 1998 ; 1999, 2000 ; Lefebvre, 1997). Le portrait du spectateur type qui se dégage est celui d'un homme âgé de 35 ans, professionnel, dont la langue d'usage est le français et dont le revenu annuel brut se situe, pour 1997 et de 2000, autour de 40 000 $ CA et pour 1998 et 1999 autour de 30 000 $. Il faut noter que la présence des femmes connaît une croissance constante depuis 1997. Pour cette année témoin, la présence féminine est évaluée à 20 % de l'échantillon[2], alors que pour les années subséquentes on parle respectivement de 22 %, 23 % et 26 %.

Le spectateur type se rend généralement à l'événement accompagné d'une autre personne. Cet amateur de Formule 1 (proportion moyenne : 94 % de l'échantillon) est un passionné depuis plus de huit ans, un inconditionnel qui accorde une importance particulière à l'ambiance régnant sur le site, une importance moins marquée à la présence de Jacques Villeneuve, et qui n'hésite pas à qualifier sa passion fervente de quasi-religion[3]. La course automobile est réputée pour « capter » et fidéliser efficacement son public. La fidélité de cette clientèle témoigne d'une demande explicite pour un tel événement et confirme le succès de son organisation.

Cet engouement pour la Formule 1 a conduit plus d'une fois ce « vrai » amateur à l'événement montréalais (proportion moyenne : 53 % de l'échantillon) dont il apprécie significativement la qualité générale des différents types de courses, l'ambiance qui règne sur le site et le rapport qualité-prix des billets ; d'ailleurs, un éventuel accroissement notable du prix ne viendrait en rien freiner sa présence à la course.

2. Pour chacune des éditions, nous nous sommes assurés de la représentativité de l'échantillon relativement au nombre total d'entrées et relativement à la dispersion par catégorie de billets (*or, argent, bronze, admission générale*). En 1997, la taille de l'échantillon était de 1 494, de 1 743 pour l'édition de 1998, de 1 992 pour l'édition de 1999 et de 1 970 pour celle de 2000. Précisons que pour l'édition 2000 une nouvelle catégorie de billets a été testée, celle de la *tribune populaire*. Du point de vue statistique, cette catégorie a été fusionnée à celle de l'*admission générale*.

3. En effet, la présence au Grand Prix de Formule 1 de Montréal motivée exclusivement par la présence de Jacques Villeneuve, seul coureur en F1 originaire du Québec, ne concerne que 15 % des spectateurs.

9.3. LES FACTEURS LIÉS AUX RETOMBÉES ÉCONOMIQUES

La présentation des retombées économiques du Grand Prix de Formule 1 de Montréal doit être menée parallèlement à une lecture plus fine des résultats obtenus. Certains facteurs qui seront pris en compte ne se présentent pas comme étant des éléments de quantification des retombées, mais bien plus comme des éléments qui permettent d'en apprécier l'intensité et de les qualifier.

Dans un premier temps, il faut se tourner vers l'occupation principale des spectateurs. Une large dispersion de pourcentages, variables selon l'édition considérée, place en tête les professionnels (près de 40 % de l'échantillon), suivis des cols blancs et des cols bleus (respectivement, des proportions moyennes de 20 % et de 15 % de l'échantillon). Ce premier facteur pourrait avoir une incidence sur le choix du billet ainsi que sur les dépenses effectuées sur le site. En 1997, 9 % des répondants avaient acheté un billet de catégorie « or », 28 % un billet de catégorie « argent », 30 % un billet « bronze » et 29 % avaient opté pour l'admission générale.

Dans un deuxième temps, il faut cibler les revenus, ce qui nous permet de constater qu'en moyenne 15 % des répondants ont un revenu annuel plafonnant à 19 999 $ CA, alors que 44 % des répondants ont un revenu annuel dépassant 60 000 $ CA. Malgré cette distribution moyenne, ce sont les billets de catégorie « argent » et « bronze » qui remportent année après année le pourcentage de ventes le plus élevé, alors que le partage des billets « forfait trois jours[4] » est pratiqué par 31 % des répondants.

La mesure des retombées économiques doit aussi se faire en fonction d'autres événements qui, à l'échelle du Québec, attirent une masse critique de spectateurs du Grand Prix de Formule 1 de Montréal. Ainsi, la catégorie de course automobile Indy-Cart attire en moyenne 40 % des répondants et 25 % d'entre eux assistent à la course qui se tient à Trois-Rivières (Formule Atlantique). On observe toutefois des changements dans ces tendances moyennes en 2000 : l'Indy-Cart se fait alors déclasser par un Grand Prix de Formule 1 qui, pour une première année, se déroule aussi aux États-Unis, ce qui a attiré 65 % des répondants qui prévoyaient, au moment de leur présence à l'événement montréalais, assister à d'autres courses de véhicules motorisés.

4. Les détenteurs de billets-forfaits (billets valides pour la durée de l'événement) effectuent parfois un partage avec des amis, des membres de leur famille ou encore avec des collègues de travail. Ce partage peut prendre la forme d'une vente partielle ou d'un cadeau entre ces spectateurs qui assistent alors soit aux essais libres, aux qualifications ou à la course de Formule 1.

Il faut aussi se tourner vers une autre masse critique : celle des personnes qui accompagnent le spectateur type sur le site du Grand Prix de Formule 1. Généralement, celui-ci assiste à l'événement avec une seule personne (une proportion moyenne de 53 % de l'échantillon) ; 20 % des répondants se rendent sur le site en compagnie de plusieurs personnes et 14 % des spectateurs assistent à la course en compagnie de deux autres personnes.

Le mode de transport utilisé pour se rendre sur le site du Grand Prix, bien qu'il ne soit pas mesuré pour ce qui est des coûts associés réels, n'en constitue pas moins un facteur à considérer du point de vue des retombées. Alors qu'en moyenne 18 % des spectateurs utilisent l'automobile, 74 % préfèrent le transport en commun, 5 % prennent un taxi et 1 % profitent de l'autobus navette expressément mis à la disposition de certains spectateurs du Grand Prix.

L'examen de l'origine géographique du spectateur type s'impose : il s'agit là d'un facteur central, incontournable dans l'optique d'une prise en compte de l'ampleur économique de l'événement (voir les figures 9.1, 9.2

FIGURE 9.1
Répartition des visiteurs provenant de la région métropolitaine de recensement de Montréal

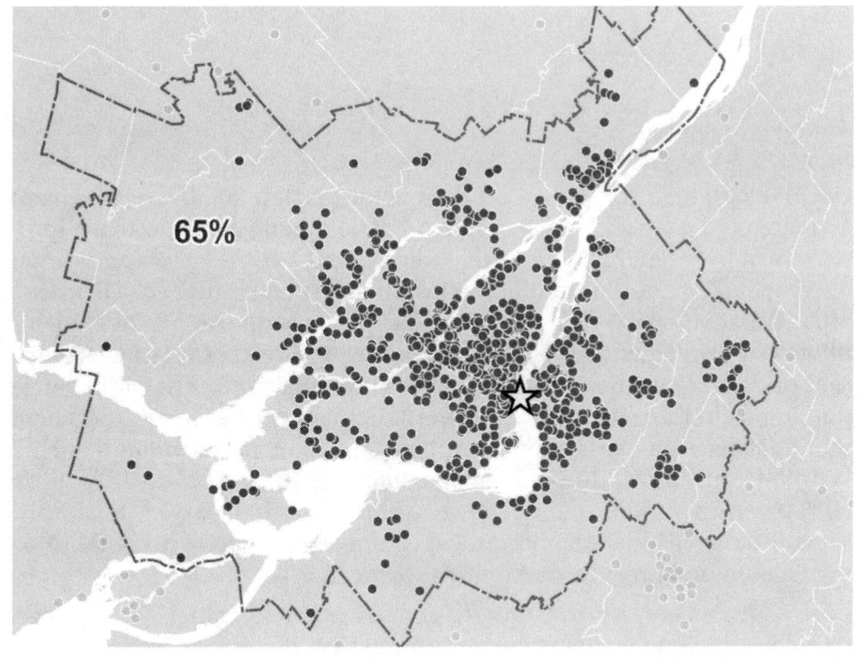

Source : Patrice Pitre, Département de géographie, Université du Québec à Montréal, décembre 2002.

FIGURE 9.2
Étalement des visiteurs en fonction de la distance les séparant du circuit Gilles-Villeneuve

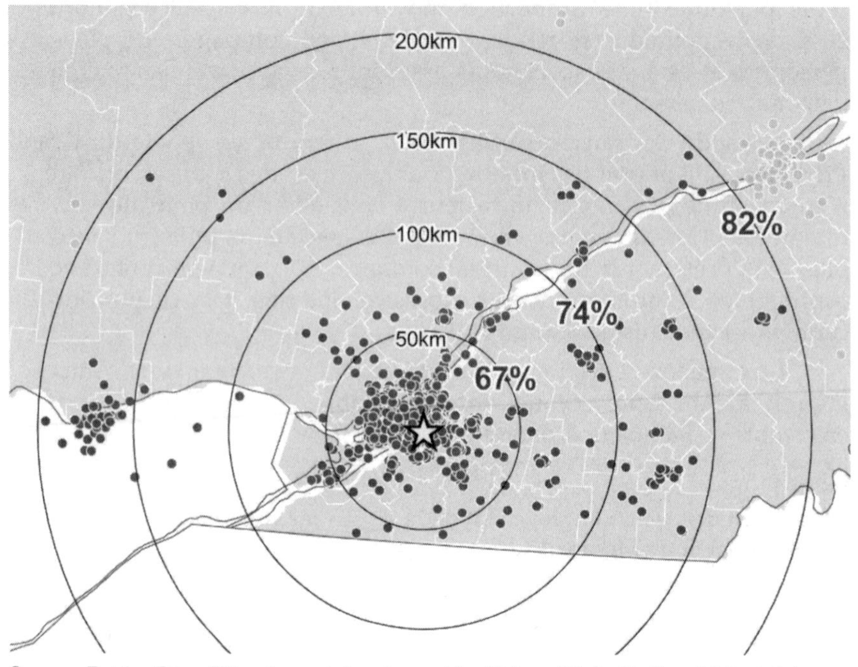

Source : Patrice Pitre, Département de géographie, Université du Québec à Montréal, décembre 2002.

et 9.3). Le premier constat est celui d'une dispersion notable relativement à la langue d'usage. L'anglais est la seconde langue en importance (proportion moyenne : 25 % de l'échantillon), après le français (proportion moyenne : 70 % de l'échantillon) ; les autres langues (italien, allemand, espagnol et japonais) ne dépassent donc pas le seuil des 5 % de l'échantillon, et ce, indépendamment de l'édition considérée. Ces constats laissent présager l'origine géographique des répondants. En effet, la clientèle du Grand Prix de Montréal est majoritairement québécoise et fortement montréalaise ; on parle alors, respectivement et indépendamment de l'édition considérée, de pourcentages moyens de l'ordre de 18 % et de 60 %. Avec les années, une tendance s'est peu à peu dégagée : un accroissement de la clientèle québécoise, avec une légère baisse du nombre de spectateurs de la région de Montréal (tableau 9.1).

Globalement, les trois quarts des spectateurs viennent du Québec, ce qui est quelque peu surprenant compte tenu de l'image internationale de la clientèle souvent projetée par les organisateurs du Grand Prix. Et,

FIGURE 9.3
Répartition des visiteurs à travers le Canada

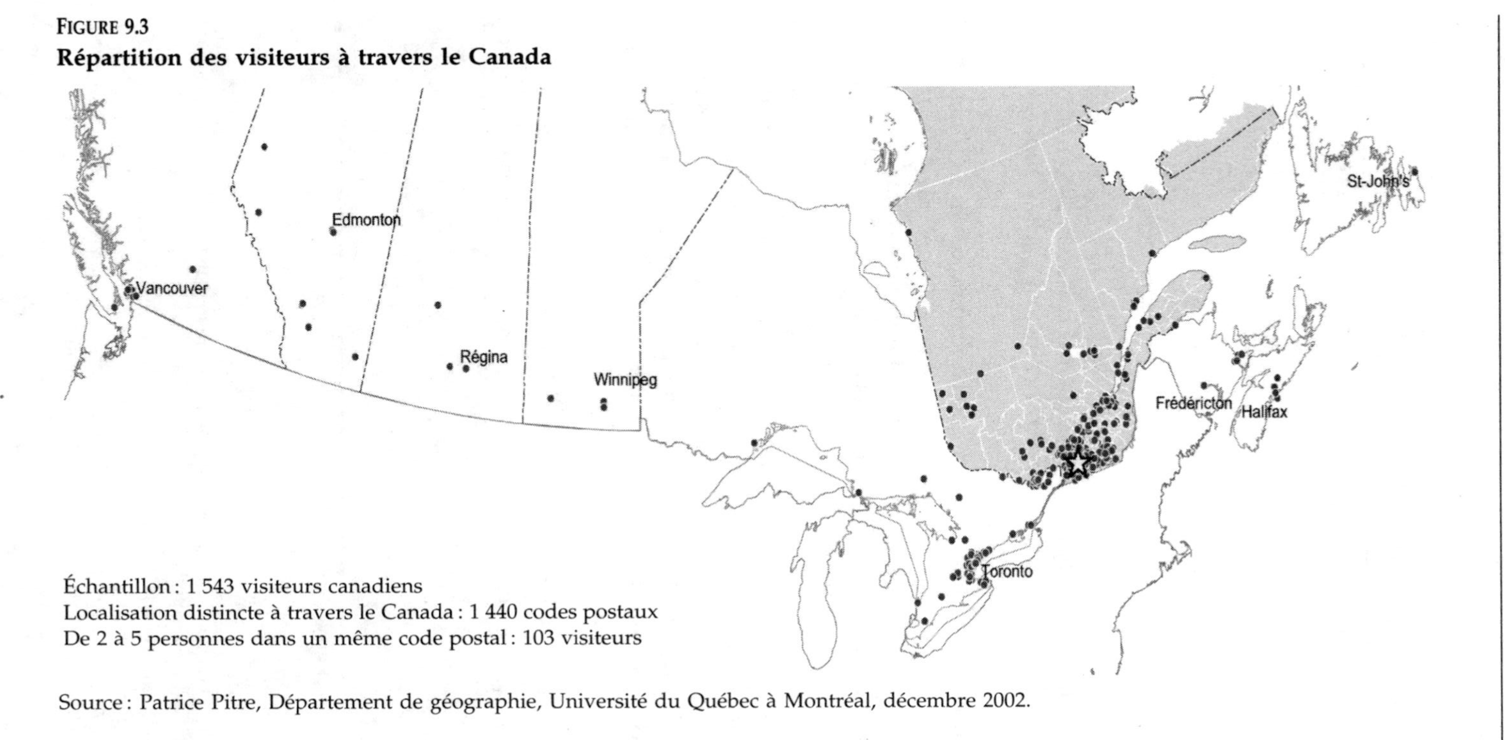

Échantillon : 1 543 visiteurs canadiens
Localisation distincte à travers le Canada : 1 440 codes postaux
De 2 à 5 personnes dans un même code postal : 103 visiteurs

Source : Patrice Pitre, Département de géographie, Université du Québec à Montréal, décembre 2002.

TABLEAU 9.1
Origine géographique des spectateurs (1997 à 2000)

Origine géographique des spectateurs	1997 (%)	1998 (%)	1999 (%)	2000 (%)
Région de Montréal	59	62	59	58
Ailleurs au Québec	14	18	19	20
Ailleurs au Canada	10	8	9	9
États-Unis	11	8	9	8
Europe	4	3	3	4
Autre origine	2	1	1	1

Sources : Lefebvre et Binhas (1998, 1999, 2000) ; Lefebvre (1997).

comme en témoignent plusieurs événements culturels et touristiques se déroulant à Montréal, la clientèle américaine est parfois supérieure ou équivalente à la clientèle venant du reste du Canada.

La popularité autant que le caractère unique de l'événement à l'échelle nord-américaine (du moins pour les éditions[5] de 1997, 1998 et 1999) nous ont conduits à considérer notamment les variables liées à l'origine géographique et aux dépenses effectuées sur le site en fonction de la constitution de deux sous-échantillons : les touristes[6] et les non-touristes. Cette façon de faire présente aussi l'avantage de cibler, pour les touristes, les dépenses effectuées hors site, donc durant leur séjour dans la région métropolitaine. Précisons que le sous-échantillon des touristes a été constitué sur la base d'une discrimination axée sur une provenance extérieure à la région de Montréal et sur la base d'un minimum d'une nuitée dans l'agglomération (tableau 9.2).

TABLEAU 9.2
Origine géographique des touristes (1997 à 2000)

Origine géographique des touristes	1997 (%)	1998 (%)	1999 (%)	2000 (%)
Ailleurs au Québec	31	37	46	49
Ailleurs au Canada	26	23	21	22
États-Unis	30	26	21	18
Europe	11	9	9	9
Autre origine	2	5	2	2

Sources : Lefebvre et Binhas (1998, 1999, 2000) ; Lefebvre (1997).

5. En 2000 les États-Unis ont accueilli pour la première fois un Grand Prix de Formule 1 dans la ville d'Indianapolis.

6. La moyenne (sur l'ensemble des éditions 1997, 1998, 1999 et 2000) des nuitées passées dans la région métropolitaine est de 3,96. Précisons que l'événement du Grand Prix de Formule 1 de Montréal dure trois jours (essais libres la première journée, qualifications la deuxième journée et course finale la troisième journée).

9.4. LES DÉPENSES EFFECTUÉES

Les dépenses moyennes effectuées sur le site, par l'ensemble des répondants, ont fluctué depuis l'édition de 1997 (tableau 9.3).

TABLEAU 9.3
Dépenses moyennes sur le site (1997)

Types de dépenses	Dépenses moyennes ($ CA)
Restauration sur le site	76,40
Souvenirs sur le site	41,50

Sources : Lefebvre et Binhas (1998, 1999, 2000) ; Lefebvre (1997).

En comparaison avec l'édition témoin de 1997 (dépenses moyennes en restauration : 76,40 $ CA), les dépenses en restauration n'ont pas cessé de chuter. Les dépenses en souvenirs ont, depuis cette même édition du Grand Prix de Formule 1 de Montréal, connu une fluctuation plus marquée. Après une croissance en 1998, les dépenses liées à l'acquisition de souvenirs sur le site de l'événement connaissent, entre 1998 et 1999, une chute significative et, entre 1999 et 2000, une diminution notable[7].

Bien que ces tendances caractérisent aussi les dépenses effectuées sur le site par les touristes, il convient de noter qu'en moyenne ceux-ci consacrent des montants plus importants que les non-touristes, ce qui vaut pour la restauration autant que pour les souvenirs. Les dépenses effectuées par les touristes en dehors du site doivent être considérées en relation avec la durée de leur séjour dans la région métropolitaine. Précisons d'entrée de jeu que le Grand Prix de Formule 1 est la motivation principale du passage à Montréal. À l'exception de l'édition de 1999, le nombre de nuitées passées dans l'agglomération est en croissance constante et significative depuis l'édition témoin de 1997 (moyenne en 1997 : 3,23 nuitées).

Les touristes qui se déplacent pour assister au Grand Prix de Formule 1 de Montréal prolongent donc leur séjour dans la région. Ce qui peut, en partie, expliquer les tendances affichées par les dépenses moyennes effectuées par les touristes durant leur séjour.

7. En raison de certaines clauses de confidentialité liant les chercheurs à l'organisateur de l'événement, certaines données des éditions de 1998, 1999 et 2000 ne peuvent être divulguées.

TABLEAU 9.4
Dépenses moyennes des touristes (1997)

Types de dépenses	Dépenses moyennes ($ CA)
Restauration sur le site	100,30
Souvenirs sur le site	70,85
Transport durant le séjour	123,86
Hébergement durant le séjour	273,76
Restauration durant le séjour	246,18
Loisirs durant le séjour	110,46

Sources : Lefebvre et Binhas (1998, 1999, 2000) ; Lefebvre (1997).

Les montants consacrés à la restauration (moyenne témoin : 246,18 $ CA) connaissent, après une légère baisse jusqu'en 1999, une remontée significative en 2000. Les dépenses effectuées pour l'hébergement (moyenne témoin : 273,76 $ CA) et le transport (moyenne témoin : 123,86 $ CA) dans la région métropolitaine affichent une évolution semblable, toutes proportions gardées. En comparaison avec l'édition témoin de 1997, une tendance à la croissance s'amorce dès 1998, en 1999 une diminution vient freiner cette tendance, qui se renforce en 2000. Notons qu'en moyenne 47 % des touristes séjournent dans un hôtel, alors que 31 % résident dans une demeure privée, donc chez des amis, des parents ou encore des connaissances. Enfin, croissance (1998), chute (1999) et stagnation (entre 1999 et 2000) sont les phases affichées par les dépenses en loisirs (moyenne témoin : 110,46 $ CA).

Le séjour écourté de l'édition de 1999 a donc significativement marqué l'ensemble des types de dépenses effectuées par les touristes dans la région métropolitaine. Précisons que la proportion de touristes, établie sur la base de l'échantillon total, a connu une croissance entre les années 1997 et 2000. L'édition de 1998 a, quant à elle, été marquée par une diminution significative de cette proportion (1997 : 34 % de l'échantillon total ; 1998 : 28 % de l'échantillon total ; 1999 : 41 % de l'échantillon total ; 2000 : 41 % de l'échantillon total). Voilà qui vient relativiser les chiffres et les tendances observées.

En synthèse, la courbe descendante caractérisant les dépenses moyennes effectuées sur le site, touristes et non-touristes confondus, pourrait s'expliquer par les fluctuations de l'occupation professionnelle des répondants. Année après année, on assiste à un déplacement vers les cols blancs et les cols bleus, et ce, bien que la moyenne des répondants soit depuis 1997 située dans la catégorie occupationnelle des professionnels. Les fluctuations du revenu moyen des répondants, chiffré à 30 000 $ CA pour les éditions de 1998 et de 1999 et à 40 000 $ CA pour les éditions de 1997 et de 2000, doivent, elles aussi, concourir à infléchir la courbe des dépenses moyennes effectuées sur le site. Les touristes, de plus en plus nombreux, prolongent leur séjour dans la région de Montréal. Combinés à une légère baisse du nombre de nuitées en 1999, ces facteurs expliquent l'alternance de tendances à la croissance et de tendances à la baisse que connaissent les dépenses effectuées par les touristes durant leur séjour dans l'agglomération.

On ne saurait mesurer les retombées économiques d'un événement comme celui du Grand Prix de Formule 1 de Montréal sans prendre en compte un certain nombre de facteurs « indirects » dont le rôle est cependant loin d'être négligeable. Au nombre de ceux-ci figurent la masse critique de spectateurs qui reviennent au Québec pour assister à d'autres courses de véhicules motorisés, le nombre de personnes qui accompagnent l'amateur de Formule 1 – certains étant motivés par la curiosité, d'autres par l'occasion qu'offre cet événement de passer une journée en famille ou entre amis –, le mode de transport utilisé pour se rendre sur le site et, enfin, le mode de transport utilisé par les touristes pour se rendre à Montréal.

9.5. UN ÉVÉNEMENT DE PLUS EN PLUS SÉLECT ?

Les quatre années d'enquête sur le site du Grand Prix de Formule 1 ont par ailleurs fait l'objet de plusieurs observations qualitatives sur l'aménagement des équipements et des infrastructures, sur l'accessibilité à certaines zones de l'île Notre-Dame, sur la sécurité des espaces et des sentiers piétonniers et, enfin, sur les pratiques et les comportements des spectateurs pendant la durée de l'événement.

Au départ, il est utile de mentionner que plusieurs espaces et quelques tribunes sont réservés à une clientèle corporative ou associée aux écuries et aux activités directement liées à la compétition. Ainsi, les espaces autour des *paddocks* de F1, les loges « Élite » et quelques autres tribunes sont destinées à une catégorie de clientèle privilégiée, qui bénéficie de plusieurs petites attentions des organisateurs[8]. L'ensemble des espaces et des sièges de cette catégorie est davantage concentré à l'extrémité sud-est du site, près de la grille de départ et de la courbe Senna (voir le plan du site[9]). En 1997 et 1998, la majorité des espaces longeant le circuit près

8. Notons ici que cette clientèle d'affaires privilégiée n'a pu être jointe aux fins de l'enquête en raison des directives des organisateurs.

9. www.grandprix.ca

des barrières de sécurité étaient accessibles aux détenteurs d'un billet en admission générale, ce qui pouvait gonfler considérablement la capacité portante en spectateurs de l'ensemble du site. Par la suite, cependant, l'accès à ces zones a été limité. Contrairement à plusieurs Grands Prix en Europe, en Asie ou en Amérique du Sud, le circuit Gilles-Villeneuve comporte une faible part d'espaces ouverts et des espaces exigus autour du circuit, ce qui s'explique par les dimensions restreintes de l'île qui, comme on le sait, est très étroite. Plusieurs spectateurs en admission générale pouvaient occuper des espaces névralgiques (le coin Senna et la zone Casino) avec des sièges surélevés, des mini tribunes ou estrades portatives leur permettant d'avoir une vue en plongée sur le circuit. Dès 1999, cette pratique a été interdite par les organisateurs, d'une part pour éviter les conflits avec les autres spectateurs des tribunes dont le champ de vision pouvait être gêné et, d'autre part, pour des raisons de sécurité. Malgré le mécontentement des spectateurs en admission générale, cette diminution de la disponibilité des espaces ouverts à tous a été maintenue et même renforcée depuis.

Avec une hausse prévisible du prix des billets d'un événement qui fait « salle comble » depuis plusieurs années, le Grand Prix de Formule 1 de Montréal est devenu un événement très recherché. L'embourgeoisement du spectacle sportif et des événements à succès n'est pas un phénomène nouveau en soi, mais il prend un visage pour le moins spectaculaire sur le site de F1 montréalais. Sécurité et respect des zones à accès restreint obligent, les agences de sécurité privées embauchées pour contrôler les déplacements des spectateurs sont particulièrement vigilantes dans leurs fonctions. Les navettes fluviales, les va-et-vient continus des hélicoptères derrière la zone des *paddocks*, les cartes magnétiques, les tentes d'entreprises où est accueillie une clientèle restreinte pour se restaurer ou se procurer diverses marchandises sont autant d'éléments qui renforcent l'image d'une ségrégation croissante de l'assistance.

CONCLUSION

Le Grand Prix de Formule 1 du Canada est probablement l'événement festif et sportif qui donne le plus de visibilité et de prestige international à Montréal depuis plusieurs années. Les quelque 23 000 chambres d'hôtel disponibles à Montréal sont mobilisées pour au moins une semaine, les touristes versent des sommes rondelettes dans l'économie métropolitaine et, comme événement promotionnel, seuls les jeux olympiques de 1976 ont été plus populaires. Le Grand Prix de Montréal est télédiffusé dans plus de 130 pays et on estime à près de 310 millions le nombre de téléspectateurs à l'échelle mondiale, dont 5,2 millions seulement au Canada. Plus de 500 journalistes internationaux couvrent l'événement qui compte autour de 225 000 entrées cumulées sur trois jours aux tourniquets du site.

Parmi les 17 circuits de la F1, Monaco est demeurée une ville mythique pour les amateurs tant pour le caractère spectaculaire de son circuit urbain que pour la qualité du spectacle offert. Monaco a d'ailleurs longtemps été considérée comme la course la plus prisée de la saison. Or, voilà que Montréal s'impose depuis quelques années comme une rivale de taille. La réputation du cadre de vie montréalais, la diversité des événements et des festivals en haute saison touristique, de même que la qualité de l'organisation de l'événement F1, attirent bon nombre de touristes et une clientèle d'affaires qui profitent de la tenue de l'événement pour organiser des colloques, congrès et réunions d'affaires diverses. À ce titre, dans le circuit des villes de Formule 1, Montréal se substituerait peu à peu à Monaco comme destination de choix pour le tourisme d'affaires. Il se brasse de grosses affaires à Montréal pour l'industrie de l'automobile et les domaines connexes, et pour tous les principaux commanditaires de Formule 1. L'événement F1 devient un prétexte pour organiser des réunions stratégiques et des réunions d'affaires dans une ville qui augmente sa capacité d'accueil et la qualité de ses services dans le domaine du tourisme d'affaires. Toutes proportions gardées, le Grand Prix de Montréal génère approximativement 70 à 75 millions de dollars pour l'économie métropolitaine, ce qui le place véritablement en tête des événements sportifs et festifs qui engendrent des retombées nettes et une visibilité internationale maximale[10].

L'enquête menée auprès des spectateurs de l'événement entre 1997 et 2000 révèle des tendances stables quant au profil socioéconomique, à l'origine géographique des touristes, aux dépenses et aux niveaux de satisfaction des spectateurs. Dans la foulée de ce succès commercial et sportif, une nouvelle course automobile de catégorie Indy-Cart s'est tenue pour la première fois à Montréal sur ce même circuit Gilles-Villeneuve (septembre 2002). La fréquentation intensive du site, la popularité de cette nouvelle course et un certain nombre de caractéristiques observées pour la Formule 1 s'est bien sûr reproduite pour ce nouvel événement. Par ailleurs, la présence des touristes des États-Unis a été plus

10. L'enquête menée pour les quatre années ne nous permet pas de chiffrer précisément les dépenses effectuées pour un tel événement. D'une part, l'enquête s'est effectuée auprès des spectateurs qui se présentent sur le site et non pas auprès des restaurants, hôtels, etc., et, d'autre part, l'estimation des dépenses réelles combine les dépenses effectuées et les intentions de dépenser des répondants.

importante, les Américains étant davantage friands d'Indy-Cart que de Formule 1. Toutefois, un certain nombre de questions pourraient rapidement surgir. Est-ce que la tenue de deux événements comparables, sur un même circuit (malgré les modifications de piste prévues entre les deux types de course), à trois mois d'intervalle, pourrait être problématique en ce qui a trait aux retombées, à la popularité ou à l'enthousiasme des amateurs ? Est-ce qu'une course d'Indy-Cart à Montréal peut enlever une part non négligeable de popularité bien établie à la Formule 1 ? Le marché montréalais est-il suffisamment solide pour accueillir deux événements majeurs de course automobile ? Un certain nombre de vérifications et de validations pourront certainement nous apporter des informations additionnelles utiles et pertinentes.

BIBLIOGRAPHIE

DEFRANCO, L.-J., W. LILLEY III ET INCONTEXT INC. (1996). « The Economic Impact of Indy Car Races on Dade County, Florida », *Political Economic Analysis*, Washington DC, février.

DEFRANCO, L.-J., W. LILLEY III ET INCONTEXT INC. (1996). « The Economic Impact of the Belgian Grand Prix on the Liege Province », *Political Economic Analysis*, Washington DC, octobre.

GANS, J.S. (1996). « Of Grand Prix and Circuses », *Australian Economic Review*, Third Quarter.

GIRARD, M. (1997). « Le cirque de la F1 : 4 milliards », *La Presse*, Montréal, 14 juin, p. F2.

LEFEBVRE, S. et L. BINHAS (1998). « Grand Prix F1 de Montréal ; Un profil de la clientèle, édition 1998 », Groupe d'études interdisciplinaires en géographie et environnement régional (GEIGER), Montréal, Département de géographie, Université du Québec à Montréal, août.

LEFEBVRE, S. et L. BINHAS (1999). « Le Grand Prix F1 du Canada ; Un profil de la clientèle, édition 1999 », Groupe d'études interdisciplinaires en géographie et environnement régional (GEIGER), Montréal, Département de géographie, Université du Québec à Montréal, septembre.

LEFEBVRE, S. et L. BINHAS (2000). « Grand Prix de Formule 1 du Canada, édition 2000 ; Un profil de la clientèle », Groupe d'études interdisciplinaires en géographie et environnement régional (GEIGER), Montréal, Département de géographie, Université du Québec à Montréal, juillet.

LEFEBVRE, S. (1997). « Le Grand Prix de Formule 1 à Montréal : Entre le dérapage contrôlé et les commandes qui ne répondent plus », *La Presse*, Montréal, 4 mars, p. B3.

LEFEBVRE, S. (1997). « Le Grand Prix de Formule 1 de Montréal : un profil de la clientèle, édition 1997 », Montréal, INRS-Urbanisation, septembre.

LEFEBVRE, S. (1998). « Analyse spatialisée du Grand Prix de Formule 1 de Montréal : la répartition des niveaux de satisfaction et des comportements de consommation », Montréal, INRS-Urbanisation, mars.

LOWES, M.D. (2000). « Indy Dreams and Urban Nightmares : Speed Merchants, Spectacle, and the Struggle Over Public Space », Département de communication, Université d'Ottawa, décembre.

PRICE WATERHOUSE (1992). « The Australian Formula 1 Grand Prix ; A Perspective », *Sports Economics*, vol. 3, février, p. 5-6.

CHAPITRE

LES TAUX D'OCCUPATION DES CHAMBRES D'HÔTEL DANS LES VILLES CANADIENNES

UNE AUTRE MESURE DE L'IMPACT ÉCONOMIQUE DES ÉQUIPES SPORTIVES PROFESSIONNELLES[1]

Marc Lavoie*

Université d'Ottawa

Depuis plusieurs années il ne se passe pas une semaine sans que les questions économiques fassent la manchette des nouvelles sportives. Tantôt il est question de « nos Amours » les Expos de Montréal, de la construction de leur nouveau stade au centre-ville, de son financement, de la subvention que le gouvernement du Québec veut bien lui accorder comme attraction touristique, des pertes financières de l'équipe, du changement de propriétaire, de la valeur des actions du commandité, des gains en capital potentiels des propriétaires actuels et, enfin, du déménagement de la franchise et des pertes économiques qui s'y rattacheraient pour la région montréalaise ou pour la province.

* mlavoie@mailbox.uottawa.ca

1. Je tiens à remercier mon assistante Joëlle Leclaire pour son enthousiasme, sa capacité à trouver les données et sa persévérance dans leur traitement économétrique. Son aide a été rendue possible grâce à une subvention du Conseil de recherches en sciences humaines du Canada, pour des projets dirigés par Jean Harvey et Sylvain Lefebvre.

Tantôt il est question de hockey, notre sport national. Nous avons eu droit au départ précipité des Nordiques de Québec, à la longue saga des Jets de Winnipeg, partis eux aussi, à la construction du nouveau forum devenu le Centre Molson (puis le Centre Bell), au fardeau trop élevé en taxes foncières du nouveau forum qui, en quelques années, aurait perdu 85 % de sa valeur. Ont suivi les demandes d'exemption de taxes des Canadiens de Montréal ; des demandes similaires de la part des Sénateurs d'Ottawa ; la commission Mills qui proposait des amortissements accélérés pour les arénas et les stades sportifs ; les rencontres convoquées par John Manley, ministre canadien de l'Industrie, pour empêcher le départ des franchises canadiennes de la LNH ; le plan Manley de sauvetage, et son retrait trois jours plus tard devant un tollé général[2] ; la mise en vente des Canadiens de Montréal, fardeau financier pour son propriétaire, les entreprises Molson ; les joueurs millionnaires qui refusent de signer leurs contrats, ou qui refusent de l'honorer ; les juges qui doivent trancher.

Le grand public est inondé de données économiques. L'exemple le plus frappant est celui du rapport émis par la Ottawa Economic Development Corporation, le 4 novembre 1999, à un moment où le propriétaire des Sénateurs d'Ottawa, M. Bryden, menaçait tous les jours de vendre et de déménager sa franchise[3] (OEDC, 1999). Selon ce rapport, le départ des Sénateurs aurait entraîné des pertes annuelles de 400 à 500 millions de dollars en activité économique. Le rapport estimait aussi que la présence du nom de l'équipe dans les pages sportives et sur les divers sites Internet constituait une visibilité rapportant jusqu'à 66 millions de dollars *par partie* retransmise aux États-Unis.

Il y a un gouffre entre les estimations des retombées économiques fournies par les bureaux d'études chargés de faire ces calculs pour les équipes ou pour les chambres de commerce, d'une part, et celles fournies par la plupart des chercheurs universitaires, d'autre part. J'en ai donné quelques exemples dans un article antérieur, portant plus particulièrement sur le cas des Expos (Lavoie, 2000)[4]. De plus, malgré des tentatives répétées, les économistes ont été incapables de définir empiriquement cet impact économique dont parlent tant les partisans des subventions publiques aux équipes sportives professionnelles. C'est sur cette question que le présent article se penchera, en proposant une autre méthode pour déterminer l'effet de la présence d'une équipe sportive professionnelle.

2. Sur tout ceci, voir Whitson, Harvey et Lavoie (2000).
3. Rapport de l'OEDC disponible à l'adresse <http://www.ottawaregion.com/news/senators_report.html>.
4. Voir aussi l'exemple de Siegfried et Zimbalist (2000, p. 107-108), imaginaire mais construit à partir de valeurs et d'hypothèses raisonnables.

10.1. LE CONSENSUS UNIVERSITAIRE SUR L'IMPACT DES ÉQUIPES SPORTIVES

Les subventions aux équipes sportives résultent fondamentalement de deux types d'arguments. D'une part, les équipes sportives auraient des retombées économiques directes, indirectes et induites telles que l'investissement public dans ces équipes et leurs stades seraient rentables pour la collectivité. On ne se penchera pas sur cette question. D'autre part, la présence d'équipes sportives professionnelles aurait d'importants effets de synergie sur l'activité économique. À cause de leur forte exposition médiatique, ces équipes attireraient des investissements, des emplois et des touristes dans leur ville d'accueil. Autrement dit, les équipes sportives constituent un bien public, une externalité favorable, que les autorités municipales, provinciales et même fédérales doivent encourager et soutenir.

Depuis plusieurs années, quelques chercheurs universitaires ont tenté de déterminer les effets de synergie qui pourraient être attribués aux équipes sportives professionnelles à l'aide de modèles économétriques. Si la présence dans une ville d'une nouvelle équipe de sport professionnel, ou la construction d'un nouveau stade, a des effets d'entraînement sur l'économie municipale, on devrait pouvoir les observer en comparant les taux de croissance de l'activité économique ou de l'emploi de cette ville à ceux des villes ne disposant pas de ces nouveautés. De fait, les critiques adressées à ces études par Lefebvre et Latouche[5] ratent la cible. S'il existe des effets substantiels de visibilité et de synergie, les études économétriques portant sur des agrégats sont celles qui devraient être en mesure de déterminer ces effets.

Les études les plus connues sont celles de Baade et Dye en 1988 et en 1990 et de Baade en 1996. Essentiellement, la méthode de Baade consiste à isoler les changements économiques associés à la tendance, par exemple le taux de croissance de la population ou le taux de croissance économique des principales villes du pays, et à estimer ensuite l'impact de la présence ou de l'absence d'une équipe sportive des ligues majeures. Sur la base de régressions multivariées, les nombreuses études de Baade montrent qu'une nouvelle franchise, un nouveau stade ou un stade rénové n'ont aucun impact sur l'emploi manufacturier, l'activité du secteur manufacturier, les dépenses en capital, le revenu par habitant ou les ventes au détail de la région métropolitaine.

---

5. Lefebvre, S. et D. Latouche (1997). *L'impact socioculturel d'un nouveau stade de baseball pour les Expos de Montréal*, rapport final, Montréal, INRS-Urbanisation, p. 7 à 22.

Plus récemment, Hudson, un économiste de l'Université du Manitoba, a aussi tenté d'isoler les effets de synergie en faisant appel à une approche différente, bien que toujours basée sur un modèle de régression multivarié. Le modèle de Hudson[6] est essentiellement un modèle de croissance régionale construit sur des variables liées à l'offre. Ainsi, Hudson régresse le taux de croissance de l'emploi sur des variables telles que le taux de croissance de la population jeune titulaire d'un diplôme de niveau postsecondaire, le taux de croissance du coût de la main-d'œuvre, le taux de croissance du coût de l'électricité et celui des taux de taxation. Dans ce nouveau modèle, comme dans les anciens, l'apport des équipes des quatre sports principaux n'a aucune influence statistiquement significative, et cet apport a même le mauvais signe deux fois sur quatre.

Baade et Matheson[7] ont eux aussi fait appel à des variables liées à l'offre dans leur plus récent modèle dont l'objet est d'estimer l'impact des vingt-cinq derniers Super Bowls, la grande finale annuelle du football américain. Encore une fois, les taux de croissance de l'emploi métropolitain semblent n'être aucunement influencés par ces événements sportifs, et, quand ils le sont, ils n'ont pas le bon signe dans la moitié des cas. Finalement, les résultats empiriques de Coates et Humphreys (1999) amènent à conclure que la présence d'équipes sportives et la construction de nouvelles installations sportives *réduisent* le revenu par tête des villes concernées !

Il faut toutefois reconnaître que tous ces résultats négatifs ne sont, dans un certain sens, guère convaincants et guère surprenants. Dans le cas d'événements sportifs ponctuels tels que le Super Bowl, ainsi que le reconnaissent d'ailleurs Baade et Matheson (2000), peut-on vraiment s'attendre à ce qu'une activité qui ne dépasse guère une semaine puisse avoir des retombées annuelles mesurables ? Par ailleurs, les dépenses d'une équipe sportive des ligues majeures comme les Expos de Montréal au Stade olympique, les Sénateurs d'Ottawa ou les défunts Nordiques sont environ de cinq fois inférieures à celles de l'Université d'Ottawa ou de l'Université Laval, dont les budgets sont d'environ 300 millions de dollars. Rosentraub[8] estime aussi que les équipes sportives moyennes

6. Hudson, I. (1999). « Bright Lights, Big City : Do Professional Sports Teams Increase Employment ? », *Journal of Urban Affairs*, vol. 21, n° 4.

7. Baade, R.A. et V. Matheson (2000). « An Assessment of the Economic Impact of the American Football Championship, the Super Bowl, on Host Communities », *Reflets et perspectives de la vie économique*, vol. 39, n°s 2-3, p. 35-46.

8. Rosentraub, M.S. (1996). « Does the Emperor Have New Clothes ? A Reply to Robert J. Baade », *Journal of Urban Affairs*, vol. 18, n° 1, p. 23-31.

représentent 20 % du budget d'une université d'État urbaine américaine. Zipp[9] soutient que la taille de l'industrie du sport d'équipe professionnel est équivalente à celle de l'industrie des fèves au lard !

Selon les estimations de Statistique Canada, les diverses activités liées au sport ne représentent qu'environ 1,1 % du produit intérieur brut (PIB). Or, l'industrie du sport professionnel ne constitue que le un vingtième de l'ensemble de l'activité liée au sport. Cela signifie que le sport professionnel, malgré sa très grande visibilité, ne représente que le un vingtième de 1 % du PIB, soit 0,05 %. Rosentraub (1996) rapporte des chiffres un peu similaires pour les États-Unis. L'industrie du divertissement ne représente que 1 % des salaires et le sport commercial ne représenterait que 0,18 % des salaires. S'il est certain que les activités d'une équipe sportive professionnelle représentent un pourcentage plus élevé dans la ville ou la région qui accueille une telle équipe, il n'en demeure pas moins qu'une activité de si faible importance relative n'a guère de chance d'avoir un impact mesurable sur le taux de croissance d'une ville ou de sa région.

Il n'est donc pas surprenant que les études économétriques, qui ont pour tâche de déterminer des facteurs statistiquement significatifs, ne puissent attribuer de rôle révélateur à l'arrivée ou au départ d'une franchise. C'est le contraire qui eût été étonnant. À moins de postuler des effets de synergie démesurément importants par rapport à la taille du secteur du sport professionnel, il est déraisonnable de penser que l'activité des équipes sportives professionnelles puisse avoir un impact sur les grands agrégats économiques de leurs régions d'accueil[10].

L'étude de Baim[11] et celle de Baade et Sanderson[12] constituent en quelque sorte une réponse à ces critiques. Plutôt que d'analyser l'évolution générale de l'emploi d'une ville, ces études ciblent l'emploi d'une industrie voisine du sport professionnel. Ces auteurs cherchent à découvrir les effets de synergie là où c'est le plus probable qu'ils existent. De

9. Zipp, J.F. (1996). « The Economic Impact of the Baseball Strike of 1994 », *Urban Affairs Review*, vol. 32, n° 2, p. 157-185.

10. Chema, T.V. (1996). « When Professional Sports Justify the Subsidy : A Reply to Robert A. Baade », *Journal of Urban Affairs*, vol. 18, n° 1, p. 19-22.

11. Baim, D.V. (1994). *The Sports Stadium as a Municipal Investment*, Westport, Greenwood Press.

12. Baade, R.A. et A.R. Sanderson (1997). « The Employment Effect of Teams and Sports Facilities », dans R.R. Noll et A. Zimbalist (dir.), *Sports, Jobs and Taxes : The Economic Impact of Sports Teams and Stadiums*, Washington, Brookings Institution, p. 92-118.

plus, à défaut de déceler les effets de synergie, on devrait au moins s'attendre à ce que leurs régressions établissent les effets directs de la présence des équipes sportives et de leurs nouvelles installations sportives. Baim analyse l'emploi dans le secteur des services. Ses résultats montrent que la présence des équipes des ligues majeures a un impact significativement positif sur l'emploi. Mais dans une étude plus approfondie, comportant un plus grand nombre de variables indépendantes, Sanderson et Baade obtiennent des résultats bien différents. L'agrégat choisi est l'emploi dans le secteur des divertissements, d'une part, et dans l'industrie du sport commercial, d'autre part. Baade et Sanderson trouvent en effet un impact statistiquement significatif pour près de la moitié des villes étudiées, mais presque une fois sur deux l'impact est négatif plutôt que positif !

L'approche que je vais proposer dans la prochaine section s'inspire en partie de deux études de Zipp[13]. Dans ces études, Zipp étudie deux moments particuliers dans le temps : la grève des joueurs de baseball du 14 août 1994 jusqu'à la fin de la saison régulière, au tout début du mois d'octobre, ainsi que la continuation de cette grève au début de la saison suivante, qui a forcé les équipes à jouer les parties hors concours du mois de mars avec des joueurs « remplaçants » qui ne venaient pas des ligues majeures. Zipp (1996) montre que la grève du baseball, en août et septembre 1994, n'a eu aucun effet négatif sur l'activité économique des villes disposant d'une franchise de baseball. De fait, pendant la grève, les ventes au détail ont *augmenté* plus rapidement que la moyenne annuelle dans 17 des 24 villes hôtesses américaines, alors que pendant les deux mêmes mois les ventes au détail ont diminué dans les 4 villes du groupe de contrôle, soit des villes de taille équivalente ne disposant pas de franchise de baseball. Des conclusions tout aussi peu concluantes s'appliquent aux deux autres indices d'activité économique choisis par Zipp : les ventes de biens non durables et les nuitées d'hôtel.

Zipp (1996) procède aussi à une analyse de régression, touchant toutes les villes choisies. La croissance d'un des trois agrégats mentionnés ci-dessus aux mois d'août et de septembre est expliquée par la croissance des mois précédents et par diverses variables comme le nombre de spectateurs perdus à cause de la grève. Encore une fois, les résultats attendus n'apparaissent

13. Zipp, J.F. (1996). *Op. cit.* ; Zipp, J.F. (1997). « Spring Training », dans R.R. Noll et A. Zimbalist (dir.) (1997). *Op. cit.*

pas : les villes avec des franchises n'ont pas subi d'impact négatif, et le nombre de spectateurs perdus ou le nombre de parties annulées ne peuvent expliquer l'évolution des agrégats d'activité économique.

Des régressions similaires sont utilisées par Zipp (1997) dans son étude sur l'impact de la grève sur les régions qui accueillaient les camps d'entraînement des équipes de baseball aux mois de février et mars 1995. Zipp (1997) conclut encore que la grève du baseball n'a eu aucun impact sur l'activité économique, cette fois dans le cas des petites villes qui accueillent les camps d'entraînement des équipes du baseball majeur.

Tout cela permet donc à Hudson[14] de conclure que « le consensus jusqu'à maintenant, c'est que les équipes sportives professionnelles ne peuvent guère prétendre engendrer des externalités positives ».

10.2. LA VARIABLE REPRÉSENTATIVE : LE TAUX D'OCCUPATION DES CHAMBRES D'HÔTEL

Pour qui est persuadé que les équipes sportives professionnelles ont d'importantes retombées économiques, on peut reprocher plusieurs choses à la plupart des études mentionnées ci-dessus. L'un des principaux problèmes de ces études est le petit nombre d'observations. Les études de Baade et Dye[15], par exemple, sont basées, pour chaque régression, sur une vingtaine d'observations. Il en va de même des régressions proposées par Zipp[16], qui ne sont guère convaincantes. Seules les régressions qui mélangent séries chronologiques et données transversales obtiennent un nombre vraiment adéquat d'observations, comme dans le cas de Hudson (1999). L'autre problème, déjà évoqué, c'est que la plupart des études portent sur des agrégats économiques trop vastes, étant donné l'importance économique relative du secteur de l'industrie du sport d'équipe professionnel.

14. Hudson, I. (1999). « Bright Lights, Big City : Do Professional Sports Teams Increase Employment ? », *Journal of Urban Affairs*, vol. 21, nº 4, p. 400.
15. Baade, R.A. et R.F. Dye (1988). « An Analysis of the Economic Rationale for Public Subsidization of Sports Stadium », *The Annuals of Regional Science*, vol. 22, nº 2, p. 37-47. Baade, R.A. et R.F. Dye (1990). « The Impact of Stadiums and Professional Sports on Metropolitan Area Development », *Growth and Change: A Journal of Urban and Regional Policy*, vol. 21, nº 2, p. 1-14.
16. Zipp, J.F. (1996). *Op. cit.*

L'idéal serait donc de trouver une série chronologique qui comporte un grand nombre d'observations, et qui porte sur un agrégat économique d'importance restreinte tout en étant lié à l'industrie du sport professionnel. Cet agrégat a été suggéré par Zipp (1996). Il s'agit des nuitées d'hôtel. On peut penser en effet que le sport professionnel devrait entretenir des liens étroits avec le nombre de nuitées dans l'agglomération. Comme le rappelle Zipp (1996 : 183), bien des partisans des subventions aux équipes sportives prétendent que celles-ci aident à rentabiliser les hôtels. De plus, ces partisans prétendent généralement que l'industrie touristique locale repose en partie sur l'attirance qu'exercent ces équipes, ainsi que sur la visibilité médiatique offerte par celles-ci. Les nuitées d'hôtel constituent donc un témoin privilégié de l'impact économique que pourraient engendrer les équipes sportives professionnelles.

Pour notre travail, nous avons retenu plus précisément le taux d'occupation des chambres d'hôtel. Cet agrégat a été choisi de préférence au nombre absolu de nuitées, car il permet d'isoler, dans une certaine mesure, l'impact des fluctuations qui résulteraient des mouvements de l'ensemble de l'économie. Ainsi, si la capacité hôtelière s'est accrue au cours des années, on peut supposer que c'est une conséquence de l'augmentation générale de la population et du nombre de personnes appelées à voyager. Par contre, les fluctuations du taux d'occupation des chambres devraient refléter des facteurs plus saisonniers, plus ponctuels et plus pointus.

Le taux d'occupation des chambres est disponible pour la plupart des grandes villes canadiennes. Cet agrégat est fourni sous la forme de données mensuelles. Au bout de dix ans, on dispose donc de 120 observations pour chaque ville, ce qui évite de devoir mélanger séries chronologiques et données transversales. Ces observations mensuelles permettent donc d'étudier l'impact de la grève au baseball et du lock-out des propriétaires de la Ligue nationale de hockey (LNH), en octobre 1994, tout en étudiant l'impact du départ de certaines équipes de la LNH ou de l'arrivée des équipes de la National Basketball Association (NBA).

Les données des taux d'occupation des chambres d'hôtel proviennent (presque) entièrement du rapport mensuel du *Canadian Lodging Outlook*, une publication de l'Association canadienne des hôtels. La période d'étude choisie va du mois de janvier 1990 au mois de novembre 1999. Différentes entreprises ont compilé les données durant les années 1990. La compagnie Laventhal and Horwarth Chartered Accountants/Management Consultants, Leisure Time Industries Division, rassemblait les données de 1990 à 1995. Cette compagnie a fusionné avec Price Waterhouse Coopers Global (seulement Price Waterhouse au moment de la fusion concernée). De 1996 à 1997, le centre de recherche canadien Economic

Planning Group produisait les taux d'occupation des chambres d'hôtel pour les grandes villes canadiennes, tandis que de 1997 jusqu'à présent c'est la compagnie HVS International qui en a été responsable. Étant donné cette diversité de sources, il est évident que la définition des taux d'occupation des chambres d'hôtel pour les grandes villes canadiennes pourrait avoir subi de légers changements. Il reste néanmoins qu'il s'agit là des meilleures données disponibles.

Le graphique présenté à l'annexe 1 illustre les taux d'occupation des chambres d'hôtel, pour chacune des huit villes canadiennes considérées. On constate que les fluctuations des taux d'occupation sont régulières, marquées par des variations saisonnières qui se répètent d'année en année.

10.2.1. Les villes étudiées et les variables dichotomiques considérées

La présente étude porte donc sur l'évolution des taux d'occupation des chambres pour les huit villes canadiennes hébergeant ou ayant récemment hébergé une équipe sportive professionnelle des ligues majeures. Ces huit villes sont : Vancouver, Calgary, Edmonton, Winnipeg, Toronto, Ottawa, Montréal et Québec.

Toutes ces villes ont dû subir le lock-out des propriétaires des équipes de la LNH, entre l'ouverture de la saison 1994, au début d'octobre, et le 15 janvier 1995. Aux fins de l'étude, nous n'avons retenu que les mois d'octobre, novembre et décembre 1994. Le mois de janvier 1995 a été exclu afin de s'assurer que la variable dichotomique ne couvrirait que les mois entièrement dépourvus de hockey.

Les villes de Toronto et Montréal ont connu la grève des joueurs de baseball, du 14 août au tout début du mois d'octobre 1994. Dans ce cas, puisque seulement deux mois étaient vraiment mis en cause, nous avons affecté la variable dichotomique à chacun des deux mois. Les villes de Toronto et de Vancouver ont aussi été les victimes du lock-out des propriétaires des équipes de basket-ball, entre l'ouverture de la saison 1998, au début d'octobre, et le 5 février 1999. Les mois d'octobre, novembre et décembre 1998, ainsi que le mois de janvier 1999, se sont donc vu attribuer une variable dichotomique égale à un dans le cas des villes de Toronto et de Vancouver.

Par ailleurs, les Nordiques de Québec, à l'automne 1995, et les Jets de Winnipeg, à l'automne de l'année suivante, ont transféré leurs activités vers Denver et Phœnix respectivement. Une autre variable dichotomique définit aussi cet événement. Enfin, la ville d'Ottawa a bénéficié de l'arrivée des Sénateurs d'Ottawa dans la LNH en octobre 1992, et les villes de Toronto et de Vancouver ont chacune acquis une nouvelle équipe de basket-ball de la NBA (les Raptors et les Grizzlis) en octobre 1995. Encore une fois, une variable dichotomique tient compte de ce fait.

Dans le cas des déménagements ou des créations de franchises, il a fallu faire un choix difficile. Fallait-il attribuer une valeur de un à la variable dichotomique pour l'ensemble de la période visée, ou était-il préférable de limiter cette période aux mois durant lesquels l'équipe évolue dans la ligue ? Prenons le cas des Raptors de Toronto, nouvellement arrivés dans la NBA en 1995. Fallait-il attribuer une valeur de un pour tous les mois à partir du mois d'octobre 1995, ou fallait-il restreindre cette attribution aux mois d'octobre 1995 à avril 1996, et ainsi de suite pour chacune des saisons de basket-ball ? Les mêmes questions se sont posées pour les Grizzlis de Vancouver, les Jets de Winnipeg et les Nordiques de Québec, et, à l'inverse, pour la période antérieure à l'arrivée des Sénateurs d'Ottawa

En définitive, j'ai opté pour la seconde possibilité. De plus, comme on le verra à la prochaine section, puisqu'il a fallu calculer les différences de taux d'utilisation, sur une base annuelle mais pour tous les mois, la variable dichotomique n'a pris la valeur de un qu'à la première saison du changement, comme le montre l'annexe 2 qui regroupe les diverses variables dichotomiques.

10.2.2. LA MÉTHODE PROPOSÉE : LE MODÈLE DE « BOX-JENKINS »

Dans le modèle que nous proposons, quelles vont être les variables qui permettront d'expliquer l'évolution des taux d'occupation des chambres d'hôtel, outre les variables dichotomiques représentant les interruptions aux saisons de baseball et de hockey, et l'arrivée ou le départ des franchises des ligues majeures ? La réponse est simple : ce sont les taux d'occupation passés qui vont permettre d'expliquer les taux d'occupation futurs.

Le modèle proposé est un modèle de type Box-Jenkins[17], un modèle généralement utilisé pour ses aptitudes à faire des prévisions à peu de frais. Posons l'hypothèse que les taux d'occupation des chambres de chaque ville évoluent selon un processus de type ARIMA univarié,

17. Box, G.E.P. et G.M. Jenkins (1970). *Time Series Analysis : Forecasting and Control*, San Francisco, Holden-Day.

c'est-à-dire un processus intégré autorégressif à moyenne mobile. Selon cette approche, le taux d'occupation des chambres d'hôtel va dépendre uniquement de ses propres valeurs passées (AR) et des erreurs résiduelles passées (MA). Autrement dit, on ne cherche pas à expliquer l'évolution de l'activité économique – dans ce cas-ci le taux d'utilisation des chambres d'hôtel – par la théorie économique ; il s'agit uniquement de tirer parti d'une analyse statistique qui permet de diagnostiquer l'évolution d'une variable dans le temps.

La méthode utilisée, qui se décline en trois temps, est la suivante. Dans un premier temps, on doit s'assurer que toutes les variables sont stationnaires. En effet, la méthode Box-Jenkins, comme les tests statistiques habituels, n'est valable que si les variables ne contiennent pas de racine unitaire. Pour vérifier la stationnarité des variables, on a tout d'abord procédé à des tests ADF (*Augmented Dickey-Fuller*), avec au moins 14 retards afin de tenir compte du fait que les données sont mensuelles et qu'il existe une forte saisonnalité. Dans tous les cas, on a inclus une constante dans le test ADF, puisque les taux d'occupation ont une moyenne différente de zéro. L'observation du graphique de la série permettait de savoir s'il fallait ou non inclure une tendance.

Dans tous les cas, les séries étaient non stationnaires en ce qui a trait au niveau. Il est bien évident, comme on l'a déjà dit, que les taux d'occupation des chambres d'hôtel ont un profil saisonnier. Pour rendre les séries stationnaires, on a pris la première différence de chaque série, mais en tenant compte de la forte saisonnalité, de douze mois en douze mois. Autrement dit, on a postulé que le processus étudié est de type $SARIMA_{12}$, c'est-à-dire un processus ARIMA saisonnier avec décalages de 12 mois. Les tests ADF effectués sur les nouvelles séries ainsi définies nous ont permis de conclure que les séries ainsi différenciées étaient stationnaires. On en déduit donc que le processus étudié est du type $SARIMA_{12}$ $(p, 0, q),(P, 1, Q)$.

Dans un deuxième temps, on a procédé à l'établissement de ce modèle SARIMA. Dans le cas de séries saisonnières, Box et Jenkins (1970) recommandent d'inclure un terme saisonnier autorégressif (SAR) et un terme de moyenne mobile saisonnier (SMA). Nous avons préféré inclure systématiquement des termes AR(12) et MA(12) dans chaque régression, car cela évite d'imposer des restrictions aux coefficients des opérateurs de retard ; ainsi on n'a introduit les termes SAR et SMA que pour améliorer les résultats[18].

18. Un terme AR(12) est équivalent à un terme SAR(12) quand il n'y a pas d'autres termes AR(p). Il en va de même pour MA(12) et SMA(12) par rapport à MA(q).

Des régressions SARIMA(p,q),(P,Q) où $p,q = 0, 1, 2$ et où $P,Q = 0, 1$ ont été faites pour toutes les villes étudiées. Toutes les estimations comprennent la constante (même si elle n'est pas significative parce qu'elle stabilise les coefficients) et les termes tenant compte de la saisonnalité AR(12) et MA(12). Les critères d'information Akaike (AIC) et Schwarz (BIC) ont servi de guide pour choisir le modèle approprié. Les deux critères donnaient systématiquement les mêmes résultats.

Par la suite, l'examen des fonctions d'autocorrélation et des fonctions d'autocorrélation partielle du modèle choisi, avec l'aide de la statistique portemanteau Ljung-Box Q, permettait de décider si des termes autorégressifs ou de moyenne mobile additionnels (AR(3), MA(3)...) devaient être ajoutés au modèle de base retenu. Une autre étude du corrélogramme des erreurs résiduelles et de la statistique Q devait ensuite nous permettre de vérifier que le modèle finalement retenu était adéquat.

Une fois le modèle SARIMA estimé pour chaque ville, on a procédé, dans un troisième temps, à l'inclusion des variables dichotomiques représentant les interruptions ponctuelles à l'activité des ligues majeures, ou à l'apparition ou la disparition des équipes sportives professionnelles. Selon Box et Tiao[19], c'est là la meilleure façon d'évaluer l'impact de perturbations extérieures dans le cadre d'un modèle de type Box-Jenkins. Il s'agit d'une analyse dite d'intervention. Il faut tout d'abord estimer le meilleur modèle possible en excluant ces perturbations extérieures, et ensuite ajouter les variables dichotomiques au modèle trouvé afin de vérifier si ces variables représentent une rupture de moyenne. C'est ce qui a été fait ici. Si la variable dichotomique est statistiquement significative, il faut en conclure que l'événement en question a modifié le comportement normal de la série chronologique considérée.

10.2.3. Les résultats

Le détail des résultats obtenus est présenté en annexe 3. Ici nous ne verrons que les résultats pertinents pour la question qui nous préoccupe, à savoir l'impact des équipes sportives sur les taux d'occupation des chambres d'hôtel. C'est ce qui apparaît au tableau 10.1. Le coefficient relatif à la variable dichotomique considérée est indiqué pour chaque ville affectée par l'événement pris en considération, et la statistique t se

19. Box, G.E.P. et G.C. Tiao (1975). « Intervention Analysis With Applications to Economic and Environmental Problems », *Journal of the American Statistical Association*, vol. 70, p. 70-79.

trouve entre parenthèses. Les astérisques précisent si la variable dichotomique est statistiquement significative au taux de 1 % (***), 5 % (**) ou 10 % (*), autrement dit s'il est probable qu'elle soit différente de zéro. Au delà de la norme de 10 %, on considère que le coefficient obtenu est statistiquement non significatif, c'est-à-dire que statistiquement ce coefficient n'est pas différent de zéro. On ne peut se fier ni à la valeur ni au signe obtenu.

Les colonnes du tableau 10.1 font ressortir quatre types d'événements. Dans les cas du lock-out au hockey, de la grève au baseball et du départ d'une franchise de la LNH, on se serait attendu à un impact négatif, et donc à un coefficient de signe négatif. Dans le cas de l'arrivée d'une franchise de sport professionnel, c'est un signe positif qui est anticipé. Autrement dit, puisque chaque donnée de la série mesure la différence entre le taux d'occupation du mois présent et le taux d'occupation douze mois plus tôt, on s'attend, dans le cas du lock-out par exemple, à ce que la différence ainsi mesurée soit affectée de façon négative par l'imposition du lock-out. Dans le cas de l'arrivée d'une nouvelle franchise, on se serait attendu à ce que cet événement ait un impact favorable sur l'écart mesuré.

TABLEAU 10.1

Impact de divers événements sur le taux d'occupation mensuel des chambres d'hôtel, 1990-1999

Ville	Lock-out au hockey (1994)	Grève du baseball (1994)	Lock-out au basket-ball (1998)	Départ d'une équipe de la LNH	Arrivée d'une franchise des ligues majeures
Vancouver	–0,54 (0,31)		–1,97 (0,78)		+1,11 (1,07)
Calgary	–2,13 (1,27)				
Edmonton	–0,91 (0,49)				
Winnipeg	–1,64 (1,08)			+0,47 (0,32)	
Toronto	–3,33** (2,50)	+1,80 (1,12)	+2,53* (1,97)		+1,20 (0,93)
Ottawa	–0,97 (0,76)				–3,56*** (3,08)
Montréal	–4,44*** (3,23)	+2,46 (1,44)			
Québec	–6,45** (2,44)			–2,05 (0,85)	

La consultation du tableau 10.1 montre que cinq des variables dichotomiques sont statistiquement significatives. Trois de ces cinq variables ont le bon signe, mais deux des variables ont le mauvais signe ! Dans le cas des Raptors de Toronto, il semblerait que le lock-out de la NBA ait eu des effets *positifs* sur le taux d'occupation des chambres d'hôtel de Toronto, qui aurait grimpé de 2,53 %, toutes autres choses étant égales par ailleurs. De même, l'arrivée des Sénateurs d'Ottawa semble avoir eu un impact *négatif* sur les taux d'occupation des chambres d'hôtel d'Ottawa. Par contre, comme on s'y serait attendu, les régressions du modèle indiquent que le lock-out de la LNH a eu un impact négatif sur les taux d'occupation des chambres d'hôtel pour *toutes* les villes canadiennes possédant une franchise de la LNH. Cependant, cet impact négatif est statistiquement significatif pour seulement trois de ces villes : Toronto, Montréal et Québec. Dans tous les autres cas on ne peut rien dire, car le coefficient de la variable dichotomique ne diffère pas suffisamment de zéro.

Que peut-on conclure de ces résultats ? Tout dépend de notre état d'esprit : le verre est-il à moitié plein ou à moitié vide ? Les partisans des subventions aux équipes sportives verront ces résultats avec une certaine satisfaction. Trois des dix-sept tests donnent le résultat escompté. Ces partisans pourraient donc en conclure que les présents résultats empiriques apportent de l'eau au moulin des propriétaires d'équipe et des politiciens qui les soutiennent dans leurs revendications. Mais les opposants aux subventions verront aussi les présents résultats d'un œil favorable : dans quatorze cas sur dix-sept on constate que les équipes sportives professionnelles n'ont eu aucun impact positif significatif sur l'activité hôtelière de leur ville d'accueil ; de plus, dans deux de ces cas, le résultat obtenu était contraire à celui qui était anticipé. Il faudrait en conclure que l'impact économique des équipes sportives professionnelles est vraisemblablement minime ou nul.

Bien que les modèles à partir desquels on a construit le tableau 10.1 aient été estimés le plus rigoureusement possible selon les critères statistiques actuels, il faut reconnaître que l'économètre doit parfois faire des choix un peu arbitraires. Autrement dit, il n'existe pas toujours de modèle optimal, celui dont le chercheur est nécessairement certain qu'il s'agit du meilleur modèle possible. L'analyse économétrique ne peut jamais être complètement objective.

Dans certains cas, le choix du modèle SARIMA ne change rien aux conclusions. Avant que l'on parvienne à la méthode ayant permis de choisir le modèle de chaque ville, d'autres modèles ont été testés. Par exemple, dans le cas de Vancouver, trois différents modèles ont été estimés, mais avec des résultats similaires pour ce qui est des variables dichotomiques. Par contre, dans les cas de Toronto et de Québec, des résultats entièrement différents, quant aux variables dichotomiques, ont été obtenus selon les modèles retenus[20]. Ainsi, dans ces cas tout au moins, les résultats obtenus sont fragiles et dépendent de la formulation retenue.

CONCLUSION

Les précédentes analyses économétriques qui ont cherché à établir l'impact économique des équipes sportives professionnelles et de leurs nouvelles installations aux États-Unis ont (presque) toutes conduit à conclure que cet impact était inexistant. C'est ce que j'ai affirmé lors de ma comparution devant le sous-comité sur l'étude du sport au Canada de la Chambre des communes, le 5 février 1998. Le président du sous-comité, le député Dennis Mills, a alors fait remarquer qu'aucune étude sur le sujet n'avait été faite pour le Canada et qu'en conséquence il restait légitime de croire que le sport professionnel avait un impact favorable sur l'économie canadienne[21]. La présente étude a pour objet de remédier à cette lacune, en étudiant la situation de huit villes canadiennes et en présentant une méthode qui, jusqu'à maintenant, n'avait pas été utilisée pour ce genre de recherches, la méthode Box-Jenkins. L'avantage de cette méthode, en sus de son ascendance statistique reconnue, c'est qu'elle requiert un minimum de variables pertinentes, une denrée relativement rare dans les études sur l'impact économique du sport.

La présente étude cherche aussi à répondre à la principale critique faite aux études précédentes, à savoir que, même si l'on suppose que les équipes sportives professionnelles puissent avoir des effets de synergie sur l'économie locale, il est peu probable qu'une si petite industrie ait un impact mesurable de façon statistiquement significative à partir des grands agrégats économiques. Si l'industrie du sport professionnel a des effets positifs sur l'économie locale, ces effets sont davantage susceptibles d'être déterminés dans le cas des industries immédiatement voisines de

20. Dans une version antérieure de ces tests, comme le rapporte Lavoie (2000 : 68), le coefficient de la variable illustrant le lock-out du hockey pour les villes de Montréal, Ottawa et Québec était non significatif. Il faut toutefois noter que l'échantillon portait sur des dates un peu différentes, que les variables utilisées n'avaient pas été différenciées et que les définitions des variables dichotomiques différaient (en particulier, D1 incluait le mois de janvier 1995).

21. Sous-comité de l'industrie sportive du Canada du Comité permanent du patrimoine canadien (1998). Témoignages, 5 février 1998, <http ://www.parl.gc.ca/36/1/parlbus...house/sins/evidence/sinsev05-f.htm>, p. 11-55.

l'industrie du sport professionnel, par exemple l'industrie touristique. Voilà pourquoi l'activité hôtelière des villes canadiennes a été choisie comme indice d'activité économique locale.

La présente étude mesure l'impact que l'industrie du sport d'équipe professionnel aurait pu avoir sur l'activité économique des villes canadiennes. Plus précisément, la présente étude procède à une modélisation de l'évolution des taux d'utilisation des chambres d'hôtel, à partir de la méthode des séries univariées de Box-Jenkins. Une fois cette modélisation effectuée, on procède à une analyse dite d'intervention, en introduisant des variables dichotomiques représentant des événements particuliers associés aux équipes sportives professionnelles, tels que le lock-out des propriétaires des équipes de hockey de la LNH et de la NBA, et la grève des joueurs de baseball, ou encore le départ ou l'arrivée de franchises canadiennes des ligues majeures.

L'analyse d'intervention associée à la méthode Box-Jenkins permet de conclure que, dans quatorze événements sur dix-sept, l'impact des équipes sportives professionnelles a été nul ou contraire à celui qui était attendu. Dans trois cas, tous associés au lock-out imposé par les propriétaires de la Ligue nationale de hockey, l'interruption des activités des équipes de sport des ligues majeures a eu un effet négatif statistiquement significatif sur les taux d'utilisation des chambres d'hôtel de Toronto, Montréal et Québec.

Ces résultats sont comparables aux résultats obtenus par Baade dans le cadre de ses recherches sur les villes américaines. Dans la très grande majorité des cas, le choc infligé par le monde sportif professionnel n'a aucun impact positif mesurable sur l'activité économique des villes concernées, bien qu'il y ait quelques exceptions. Les économistes concluent généralement de ces études que les équipes sportives professionnelles américaines n'ont pas d'impact sur l'activité économique. Il appert donc qu'on pourrait conclure de façon similaire dans le cas des villes canadiennes et de leurs équipes sportives des ligues majeures. Cependant, il faut reconnaître que l'absence de hockey de la LNH à l'automne 1994 semble avoir eu un impact néfaste généralisé sur les taux d'occupation des chambres d'hôtel des villes canadiennes, puisque, pour les huit villes mises en cause, le signe de la variable dichotomique est systématiquement négatif.

La méthode Box-Jenkins est loin d'être une panacée, et la modélisation exacte des séries chronologiques repose parfois sur des choix arbitraires du chercheur. On dit que son utilisation requiert une grande expérience. Mais une analyse de sensibilité plus poussée pourrait remédier à ce problème en confrontant les résultats obtenus avec différentes modélisations raisonnables. Une autre possibilité est d'accepter avec foi les estimations automatiques des modèles Box-Jenkins disponibles avec certains logiciels statistiques.

Aux États-Unis, les chercheurs disposent de statistiques mensuelles portant sur les recettes tirées des taxes de vente. Ces statistiques permettent de suivre l'évolution des ventes des produits imposables. La méthode Box-Jenkins, associée à ces recettes fiscales mensuelles, serait donc très utile pour tenter, encore une fois, de mesurer l'impact de la grève au baseball et du lock-out au hockey, ainsi que le récent lock-out au basketball. Les modèles Box-Jenkins appliqués à ces données mensuelles de prélèvements fiscaux seraient aussi tout à fait appropriés pour modéliser l'impact d'événements ponctuels comme les Super Bowls du football américain et les jeux olympiques d'Atlanta.

BIBLIOGRAPHIE

BAADE, R.A. (1996). « Professional Sports as Catalysts for Metropolitan Economic Development », *Journal of Urban Affairs*, vol. 18, nº 1, p. 1-17.

BAADE, R.A. et R.F. DYE (1988). « An Analysis of the Economic Rationale for Public Subsidization of Sports Stadium », *The Annals of Regional Science*, vol. 22, nº 2, p. 37-47.

BAADE, R.A. et R.F. DYE (1990). « The Impact of Stadiums and Professional Sports on Metropolitan Area Development », *Growth and Change : A Journal of Urban and Regional Policy*, vol. 21, nº 2, p. 1-14.

BAADE, R.A. et V. MATHESON (2000). « An Assessment of the Economic Impact of the American Football Championship, the Super Bowl, on Host Communities », *Reflets et perspectives de la vie économique*, vol. 39, nºs 2-3, p. 35-46.

BAADE, R.A. et A.R. SANDERSON (1997). « The Employment Effect of Teams and Sports Facilities », dans R.R. Noll et A. Zimbalist (dir.), *Sports, Jobs and Taxes : The Economic Impact of Sports Teams and Stadiums*, Washington, The Brookings Institution, p. 92-118.

BAIM, D.V. (1994). *The Sports Stadium as a Municipal Investment*, Westport, Greenwood Press.

BOX, G.E.P. et G.M. JENKINS (1970). *Time Series Analysis : Forecasting and Control*, San Francisco, Holden-Day.

BOX, G.E.P. et G.C. TIAO (1975). « Intervention Analysis with Applications to Economic and Environmental Problems », *Journal of the American Statistical Association*, vol. 70, p. 70-79.

CHEMA, T.V. (1996). « When Professional Sports Justify the Subsidy : A Reply to Robert A. Baade », *Journal of Urban Affairs*, vol. 18, n° 1, p. 19-22.

COATES, D. et B. HUMPHREYS (1999). « The Growth Effects of Sport Franchises, Stadia and Arenas », *Journal of Policy Analysis and Management*, vol. 14, n° 4, p. 601-624.

HUDSON, I. (1999). « Bright Lights, Big City : Do Professional Sports Teams Increase Employment ? », *Journal of Urban Affairs*, vol. 21, n° 4, p. 397-407.

LAVOIE, M. (2000). « Les équipes sportives professionnelles n'ont pas d'impact économique significatif : le cas des Expos », *Avante*, vol. 6, n° 1, p. 52-81.

LEFEBVRE, S. et D. LATOUCHE (1997). *L'impact socioculturel d'un nouveau stade de baseball pour les Expos de Montréal*, rapport final, Montréal, INRS-Urbanisation.

MILLS, D. (1998). *Le sport au Canada : leadership, partenariat et imputabilité*, Sous-comité sur l'étude du sport, Comité permanent du patrimoine canadien, Chambre des communes, Canada, novembre.

OEDC (1999). « Senators Contribute to Winning Conditions That Enable Business to Thrive », <http://www.ottawaregion.com/news/senators_report.html>, 4 novembre.

ROSENTRAUB, M.S. (1996). « Does the Emperor Have New Clothes ? A Reply to Robert J. Baade », *Journal of Urban Affairs*, vol. 18, n° 1, p. 23-31.

SIEGFRIED, J. et A. ZIMBALIST (2000). « The Economics of Sports Facilities and Their Communities », *Journal of Economic Perspectives*, vol. 14, n° 3, p. 95-114.

SOUS-COMITÉ DE L'INDUSTRIE SPORTIVE DU CANADA DU COMITÉ PERMANENT DU PATRIMOINE CANADIEN (1998). Témoignages, 5 février, <http://www.parl.gc.ca/36/1/parlbus...house/sins/evidence/sinsev05-f.htm>.

WHITSON, D., J. HARVEY et M. LAVOIE (2000). « The Mills Report, the Manley Subsidy Proposals, and the Business of Major League Sport », *Administration publique du Canada/Canadian Public Administration*, vol. 43, n° 2, p. 127-156.

ZIPP, J.F. (1996). « The Economic Impact of the Baseball Strike of 1994 », *Urban Affairs Review*, vol. 32, n° 2, p. 157-185.

ZIPP, J.F. (1997). « Spring Training », dans R.R. Noll et A. Zimbalist (dir.), *Sports, Jobs and Taxes : The Economic Impact of Sports Teams and Stadiums*, Washington, The Brookings Institution, p. 427-451.

ANNEXE 1 – GRAPHIQUES DES TAUX D'UTILISATION DES CHAMBRES D'HÔTEL

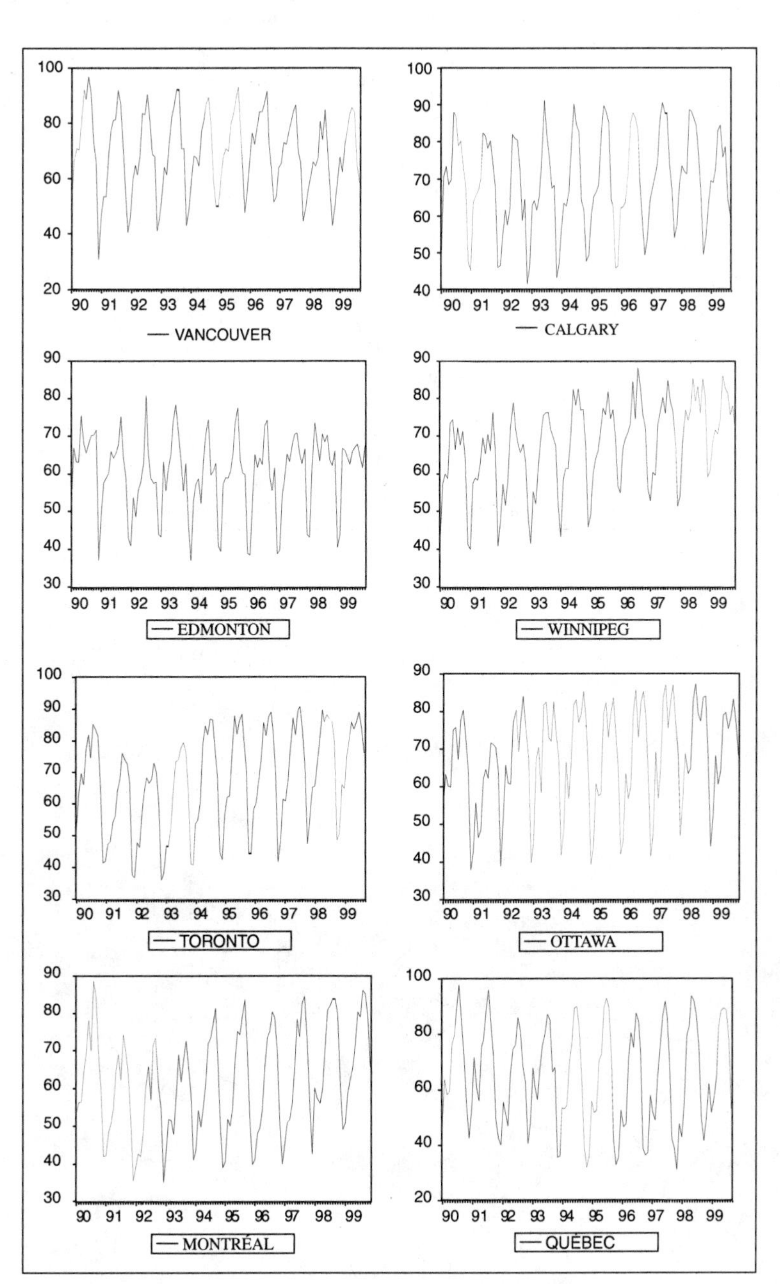

ANNEXE 2 – DÉFINITION DES VARIABLES DICHOTOMIQUES

Ville	Variable dichotomique	Période visée	Raison
Vancouver	D1=1	Oct. 1994 – déc. 1994	Lock-out du hockey
	D2=1	Oct. 1998 – janv. 1999	Lock-out du basket-ball
	D3=1	Oct. 1995 – avril 1996	Nouvelle équipe de basket-ball
Calgary	D1=1	Oct. 1994 – déc. 1994	Lock-out du hockey
Edmonton	D1=1	Oct. 1994 – déc. 1994	Lock-out du hockey
Winnipeg	D1=1	Oct. 1994 – déc. 1994	Lock-out du hockey
	D2=1	Oct. 1996 – avril 1997	Départ des Jets
Toronto	D1=1	Oct. 1994 – déc. 1994	Lock-out du hockey
	D2=1	Août 1994 – sept. 1994	Grève du baseball
	D3= 1	Oct. 1998 – janvier 1999	Lock-out du basket-ball
	D4=1	Oct. 1995 – avril 1996	Nouvelle équipe de basket-ball
Ottawa	D1=1	Oct. 1994 – déc. 1994	Lock-out du hockey
	D2=1	Oct. 1992 – avril 1993	Nouvelle équipe de la LNH.
Montréal	D1=1	Oct. 1994 – déc. 1994	Lock-out du hockey
	D2=1	Août 1994 – sept. 1994	Grève du baseball
Québec	D1=1	Oct. 1994 – déc. 1994	Lock-out du hockey
	D2=1	Oct. 1995 – avril 1996	Départ des Nordiques

ANNEXE 3 – RÉSULTATS DES RÉGRESSIONS

Vancouver

Variable dépendante : D (taux d'occupation, 0,12)
Méthode : Moindres carrés
Échantillon (ajusté) : 1992 : 01 1999 : 11

Variable	Coefficient	Std. Error	t-Statistic	Prob.
C	–0.547276	0.352654	–1.551880	0.1243
D1	0.575241	1.822601	0.315615	0.7531
D2	–1.976667	2.516506	–0.785481	0.4343
D3	1.116894	1.042922	1.070928	0.2872
AR(1)	0.236171	0.070484	3.350714	0.0012
AR(2)	0.274308	0.072072	3.806039	0.0003
AR(12)	0.065608	0.068904	0.952167	0.3436
MA(12)	–0.885775	0.000136	–6493.407	0.0000

R-squared	0.503990	Mean dependent var	–0.020000
Adjusted R-squared	0.464081	S.D. dependent var	5.528641
S.E. of regression	4.047322	Akaike info criterion	5.714440
Sum squared resid	1425.131	Schwarz criterion	5.929504
Log likelihood	–263.4359	F-statistic	12.62854
Durbin-Watson stat	2.134336	Prob(F-statistic)	0.000000

Calgary

Variable dépendante : D (taux d'occupation, 0,12)
Méthode : Moindres carrés
Échantillon (ajusté) : 1991 : 09 1999 : 11

Variable	Coefficient	Std. Error	t-Statistic	Prob.
C	0.723915	0.523763	1.382143	0.1702
D1	–2.130493	1.677089	–1.270352	0.2071
AR(1)	0.434615	0.090579	4.798206	0.0000
AR(8)	0.274494	0.096242	2.852111	0.0053
MA(12)	–0.858265	0.038314	–22.40073	0.0000

R-squared	0.517314	Mean dependent var	0.034343
Adjusted R-squared	0.496774	S.D. dependent var	4.683169
S.E. of regression	3.322165	Akaike info criterion	5.288296
Sum squared resid	1037.457	Schwarz criterion	5.419362
Log likelihood	–256.7706	F-statistic	25.18591
Durbin-Watson stat	1.965967	Prob(F-statistic)	0.000000

Edmonton

Variable dépendante : D (taux d'occupation, 0,12)
Méthode : Moindres carrés
Échantillon (ajusté) : 1992 : 02 1999 : 11

Variable	Coefficient	Std. Error	t-Statistic	Prob.
C	0.622399	0.224005	2.778500	0.0067
D1	–0.91355	1.842435	–0.495839	0.6212
AR(1)	0.332550	0.082906	4.011159	0.0001
SAR(12)	0.127721	0.067775	1.884488	0.0628
MA(12)	–0.885821	0.000154	–5753.165	0.0000
R-squared	0.490839	Mean dependent var		0.173404
Adjusted R-squared	0.467955	S.D. dependent var		5.496513
S.E. of regression	4.009234	Akaike info criterion		5.666802
Sum squared resid	1430.583	Schwarz criterion		5.802084
Log likelihood	–261.3397	F-statistic		21.44930
Durbin-Watson stat	1.967442	Prob(F-statistic)		0.000000

Winnipeg

Variable dépendante : D (taux d'occupation, 0,12)
Méthode : Moindres carrés
Échantillon (ajusté) : 1991 : 02 1999 : 11

Variable	Coefficient	Std. Error	t-Statistic	Prob.
C	1.675722	0.178410	9.392519	0.0000
D1	–1.646117	1.521221	–1.082103	0.2818
D2	0.474989	1.475994	0.321810	0.7483
AR(1)	0.381916	0.077926	4.901031	0.0000
MA(12)	–0.885785	0.000171	–5189.104	0.0000
R-squared	0.550963	Mean dependent var		1.256604
Adjusted R-squared	0.533179	S.D. dependent var		5.084206
S.E. of regression	3.473746	Akaike info criterion		5.374365
Sum squared resid	1218.758	Schwarz criterion		5.499999
Log likelihood	–279.8414	F-statistic		30.98146
Durbin-Watson stat	1.887837	Prob(F-statistic)		0.000000

Toronto

Variable dépendante : D (taux d'occupation, 0,12)
Méthode : Moindres carrés
Échantillon (ajusté) : 1992 : 04 1999 : 11

Variable	Coefficient	Std. Error	t-Statistic	Prob.
C	1.927971	0.570673	3.378415	0.0011
D1	–3.333329	1.329779	–2.506680	0.0141
D2	1.802439	1.602045	1.125087	0.2638
D3	2.538323	1.290138	1.967482	0.0525
D4	1.205914	1.293004	0.932645	0.3537
AR(1)	0.526916	0.064054	8.226096	0.0000
AR(3)	0.294654	0.070987	4.150804	0.0001
SAR(12)	0.119730	0.084456	1.417662	0.1600
MA(12)	–0.885777	0.000131	–6775.803	0.0000
R-squared	0.622740	Mean dependent var		2.088043
Adjusted R-squared	0.586377	S.D. dependent var		3.992901
S.E. of regression	2.567974	Akaike info criterion		4.816816
Sum squared resid	547.3429	Schwarz criterion		5.063513
Log likelihood	–212.5735	F-statistic		17.12592
Durbin-Watson stat	1.960334	Prob(F-statistic)		0.000000

Ottawa

Variable dépendante : D (taux d'occupation, 0,12)
Méthode : Moindres carrés
Échantillon (ajusté) : 1992 : 03 1999 : 11

Variable	Coefficient	Std. Error	t-Statistic	Prob.
C	0.780416	0.329228	2.370441	0.0200
D1	–0.972387	1.271226	–0.764920	0.4464
D2	–3.563825	1.154060	–3.088076	0.0027
AR(1)	0.337669	0.080113	4.214882	0.0001
AR(2)	0.288193	0.077833	3.702719	0.0004
SAR(12)	–0.049742	0.088587	–0.561506	0.5759
MA(12)	–0.885839	0.000160	–5547.791	0.0000
R-squared	0.630093	Mean dependent var		1.218280
Adjusted R-squared	0.604286	S.D. dependent var		5.029974
S.E. of regression	3.164147	Akaike info criterion		5.213930
Sum squared resid	861.0171	Schwarz criterion		5.404555
Log likelihood	–235.4477	F-statistic		24.41515
Durbin-Watson stat	2.165413	Prob(F-statistic)		0.000000

Montréal

Variable dépendante : D (taux d'occupation, 0,12)
Méthode : Moindres carrés
Échantillon (ajusté) : 1993 : 01 1999 : 11

Variable	Coefficient	Std. Error	t-Statistic	Prob.
C	1.857533	0.235951	7.872521	0.0000
D1	–4.441267	1.372416	–3.236092	0.0018
D2	2.468306	1.713557	1.440458	0.1538
AR(1)	0.227884	0.092238	2.470605	0.0157
AR(12)	0.223993	0.089154	2.512427	0.0141
AR(24)	–0.183078	0.061224	–2.990305	0.0038
MA(12)	–0.885785	0.000159	–5562.990	0.0000
R-squared	0.496969	Mean dependent var		2.227711
Adjusted R-squared	0.457256	S.D. dependent var		4.073960
S.E. of regression	3.001334	Akaike info criterion		5.116558
Sum squared resid	684.6083	Schwarz criterion		5.320557
Log likelihood	–205.3372	F-statistic		12.51402
Durbin-Watson stat	1.893921	Prob(F-statistic)		0.000000

Québec

Variable dépendante : D (taux d'occupation, 0,12)
Méthode : Moindres carrés
Échantillon (ajusté) : 1991 : 03 1999 : 11

Variable	Coefficient	Std. Error	t-Statistic	Prob.
C	0.587909	0.455110	1.291795	0.1994
D1	–6.454351	2.638378	–2.446333	0.0162
D2	–2.054722	2.414194	–0.851100	0.3968
AR(1)	0.243225	0.099558	2.443040	0.0163
AR(2)	0.247363	0.100098	2.471215	0.0152
MA(12)	–0.884677	0.028556	–30.98081	0.0000
R-squared	0.519268	Mean dependent var		–0.283810
Adjusted R-squared	0.494989	S.D. dependent var		7.311794
S.E. of regression	5.196065	Akaike info criterion		6.189125
Sum squared resid	2672.910	Schwarz criterion		6.340780
Log likelihood	–318.9291	F-statistic		21.38718
Durbin-Watson stat	2.027157	Prob(F-statistic)		0.000000

RÉSUMÉS
ABSTRACTS

CHAPITRE / CHAPTER 1

C'est à la fin des années 1980 qu'apparut, sur le marché américain, un nouveau sport urbain nommé le patin à roues alignées (PARA) communément appelé le « *rollerblade* ». Tout d'abord considéré comme une activité marginale et vouée à disparaître, il semble finalement que le PARA s'est taillé une place durable dans les habitudes des « sportifs urbains ». Utilisé autant comme moyen de transport que comme activité de plein air ou sport à sensations fortes, le PARA compte aujourd'hui, en Amérique du Nord, des millions d'adeptes qui sillonnent les rues et les pistes cyclables. Cette situation n'est d'ailleurs pas sans soulever des mécontentements et des questionnements, notamment en ce qui a trait à la sécurité des patineurs urbains plus téméraires ou encore inexpérimentés. Devrait-on soumettre le patin à roues alignées au Code de la sécurité routière, tout comme le vélo ? Devrait-on imposer un équipement de protection ou encore des cours d'initiation ? Une chose est certaine : tôt ou tard il faudra composer avec ce nouveau phénomène bien présent.

Since the end of the 80's, a new sport, called in-line roller skating or "rollerblading" as the trademark, conquered the American market. First seen as an eccentric activity meant to disappear, it seems that the in-line skating has built a good reputation and has entered in the habits of citizens. Using them as a means of transportation, as a physical or social activity or as an extreme sport, millions of North Americans now fill streets and cycle-paths in cities with in-line skates in their feet. Of course, this new urban "invasion" causes some dissatisfactions and questionings, for instance about the security of the in-line skaters more audacious or inexperienced. Should we apply, as we did for bikes, the usual road legislation to this new sport? Should we oblige skaters to wear a protection equipment or to take some initiation courses? One thing is certain: the in-line skating phenomenon has to be dealt with.

CHAPITRE/CHAPTER 2

Le sport ainsi que les activités qui lui sont liées jouent un rôle grandissant dans le monde contemporain. En s'imposant comme l'un des éléments majeurs de la culture telle qu'on la connaît, le sport a conquis une place de choix dans l'espace des pays occidentaux où les milliers d'équipements édifiés dans les villes participent à leur fonction culturelle, à leur expression et à leur représentation. L'offre d'équipements sportifs privés et publics, qui s'est renforcée depuis un demi-siècle, correspond à une forte demande de la part des populations, des fédérations et des collectivités. Elle rend possibles l'évolution des pratiques et la progression des effectifs. Ainsi s'instaure un ensemble de cultures sportives qui contribue à la création d'une urbanité flexible laissant à chacun la possibilité d'accéder à des lieux différenciés, d'entrer en relation avec des groupes variés et de participer à des occasions de rencontres programmées et non programmées.

Sport and related activities play an important role in our modern society. Since the last fifty years, cities have started to modernize their equipments, to enlarge their programs and to build new installations to answer the needs of the growing popularity of sports. More and more, physical activities are becoming part of "urban cultures." There is an increasing demand from collectivities and populations for such activity and equipments. "Sport culture" thus creates lots of occasions for people to participate in organized or non-organized activities with a flexible schedule, to maintain a good physical shape and to get in touch with others interested in the same activities.

CHAPITRE/CHAPTER 3

Dans un contexte de restructuration et de développement économique, les relations entre les forces locales et les forces globales s'intensifient, créant ainsi un renouveau dans les préoccupations à l'égard des grands centres urbains. Alors que les grandes entreprises scrutent le monde pour trouver des localités favorables à la production et à la consommation, les grands centres urbains sont forcés de se faire concurrence pour attirer ces investisseurs. Cette compétition interurbaine croissante se joue principalement autour des industries du spectacle et du divertissement, dont le sport professionnel fait partie. Le présent article s'intéresse aux mécanismes de réorganisation des grands centres urbains et, plus spécifiquement, à l'analyse du processus de « spectacularisation » de ces espaces où les alliances stratégiques ainsi que les synergies au sein du secteur privé s'imposent comme agents de changement futurs importants. L'exemple du nouveau forum de hockey à Montréal, le Centre Molson, sera analysé en tant qu'expression locale de cette nouvelle économie dans le processus de spectacularisation.

The last thirty years of economic restructuring and development have brought both an emphasis on the interplay between global and local forces in western societies and a renewal of interest in the economic importance of the "city" as a site of capital accumulation. In this context, urban centers worldwide have been swept by a new phase of entertainment consumption, which is an indication of the integration of a new entertainment economy. In its wake, this new phase, which can be called the "spectacularization" of space, is creating an urban landscape filled with casinos, megaplex cinemas, themed restaurants, simulation theatres, stadiums and sports complexes. In relation to this, cities around the world are being transformed into aggressive entrepreunarial actors through the industry of entertainment in which the professional sport is included. This article will take Montréal and the Molson Brewery Corporation as an example of integration of this new economy making a connection between the "spectacularization" of urban spaces and sports.

CHAPITRE/CHAPTER 4

Les caractéristiques des subventions attribuées à la construction des stades de sport professionnel subissent des transformations aux États-Unis et au Canada. L'évolution des modes de financement des équipements de sport professionnel ainsi que leurs impacts permettent de jeter un regard sur les modifications qui interviennent dans les relations entre le secteur privé et le secteur public. Les impératifs financiers définis et étudiés dans le présent article suggèrent que les arguments de base des municipalités additionnés aux mesures financières incitatives des ligues et des équipes de sport professionnel expliquent en majeure partie l'avalanche de nouvelles constructions depuis 1987, année de la construction du stade Joe Robbie à Miami.

Les résistances et le scepticisme grandissant du public face à l'implantation de ces nouvelles infrastructures de sport professionnel forcent le secteur privé à supporter une grande part des coûts. Pour calmer les appréhensions du public, les villes ont fait appel à diverses stratégies fiscales et foncières. Malgré tout, ce sont les contribuables locaux qui continuent, en majeure partie, à payer les coûts de construction des stades de sport professionnel, et cela restera inchangé jusqu'à ce que les municipalités s'élèvent contre la détention de monopoles par les équipes et les ligues de sport professionnel.

The type of subsidies for the construction of professional sport stadiums is changing in the United States and Canada. The incidence of these subsidies is noticeable and allows an insight into the evolving relationship between the public and the private sectors in building sport facilities. This paper identifies the changing financial imperatives and analyzes the basic arguments of local governments; the powerful incentives from leagues and teams and the enthousiasm for new stadiums, since Joe Robbie Stadium was built in Miami in 1987.

Growing public skepticism and resistance to stadium construction have forced the private sector to support a larger portion of the costs involved in these projects. Until cities adopt the same strategies, this reality remains: stadium's spending are being paid by local taxpayers. This situation will persist until municipalities recognize that they share similar interest and take a collective stand against the professional sport monopolies.

CHAPITRE/CHAPTER 5

Certains auteurs et citoyens croient que les nouveaux stades, mieux situés dans la ville, plus modernes et avec leurs loges corporatives luxueuses, ramèneront les ouailles au bercail, ces fidèles amateurs de la balle de plus en plus absents. Un nouveau stade est indéniablement un atout, mais prétendre que ce sera, à coup sûr, un gage de succès qui ramènera les foules et permettra la survie de l'équipe relève d'une analyse spéculative de la dynamique du baseball majeur. Qu'est-ce qui fait courir les foules, quelles sont les conditions qui permettent d'attirer les amateurs en grand nombre ? Quels sont les éléments importants sur lesquels il faut tabler pour assurer la rentabilité d'un stade au delà de l'effet de nouveauté qu'il pourra engendrer ? La présente étude se situe donc en amont de l'analyse économique dans la mesure où elle permet d'établir, selon différents paramètres, l'achalandage d'un stade et les impacts qui en découlent.

Since modern stadiums are being built in cities, some authors and citizens believe that this will revive baseball's popularity. Indeed, a project like a new stadium is an asset for a city, but to pretend that it will bring back fans to games and guarantee the survival of the team might be a mistake. On which components should we focus to make stadiums profitable in a long term period? What will attract crowds to baseball games beyond the new stadium?

This article will assess, with different economic parameters, the current state of stadium's business and the impact of this market.

CHAPITRE/CHAPTER 6

Depuis une trentaine d'années, plusieurs chercheurs soutiennent que la présence d'équipes de sport professionnel n'a que peu d'effet sur le développement économique des villes. Ce constat remet en question la valeur et l'efficacité des faramineuses subventions qui sont souvent accordées aux équipes et aux ligues. Les contribuables peuvent alors les percevoir comme un autre moyen d'augmenter les profits des propriétaires et les salaires des joueurs. Alors que certaines municipalités comptent sur la présence des équipes de sport professionnel pour soutenir un certain développement économique, d'autres mettent plutôt l'accent sur la création d'un sentiment de fierté collective et sur l'amélioration de la vocation festive de la ville. Si de telles contributions existent, qui bénéficie des retombées impalpables dues à la présence et au succès d'une équipe de sport professionnel ? Quelle valeur les résidents d'une aire métropolitaine leur accordent-ils et comment doivent-elles être comptabilisées dans le calcul de la pertinence des investissements publics dans le sport professionnel ?

For more than three decades, lots of researchers have cautioned that professional sport teams produce very little economic development for cities. These findings question the value and the efficiency of the subsidies frequently provided to teams and leave many wonderings if tax-supported stadiums and arenas do more than inflate the player's salaries and the profits earned by owners. While some communities seek teams to enhance economic development, others rather put the accent on the development of collective pride and identity. If these benefits do exist, who enjoys the intangible rewards of a team's presence and success? How much these benefits are worth to the residents of a metropolitan area and how should these improve the quality of life assessed in terms of public sector's investments in professional sport?

CHAPITRE/CHAPTER 7

Au printemps de chaque année, plusieurs magazines sportifs en Amérique du Nord émettent leurs pronostics sur les finalistes de la Série mondiale du baseball majeur. De plus en plus, cet exercice devient vide de sens, car ce sport est désormais dominé par une minorité d'équipes détentrices de la majeure partie du marché et d'énormes revenus. Ainsi, les problèmes de l'équilibre compétitif de la ligue majeure de baseball proviennent de l'échec des propriétaires d'équipes à parvenir à une entente équitable dans le partage des revenus générés par ce sport. C'est pourquoi des équipes telles que Montréal, Minnesota, Kansas City et d'autres doivent compter sur d'importantes subventions publiques pour gonfler leurs revenus et rester de la partie année après année.

Plusieurs solutions organisationnelles ne mettant en péril ni les salaires ni les profits sont offertes aux ligues de sport professionnel. Par exemple, la Ligue nationale de football (NFL) redistribue presque 80 % de ses revenus aux différentes équipes membres. Toutefois, cette solution est actuellement impossible à appliquer dans la Ligue de baseball majeure (MLB), où il faut donc avoir recours à l'injection massive de fonds publics pour compenser. Pourtant, un nouveau plan de partage des profits pourrait améliorer la compétitivité entre les différentes équipes de la MLB, mais ce dernier ne plairait certainement pas aux propriétaires et aux joueurs qui tirent profit du présent *statu quo*. L'article définit les problèmes auxquels devrait s'attaquer la nouvelle stratégie organisationnelle ; il présente aussi les éléments qui permettront de sauver le baseball et qui éviteront les demandes sans fin pour de nouvelles subventions, pour le bénéfice à la fois des partisans, des joueurs et des propriétaires.

Each spring season, magazines across North America offer predictions for the teams that will make the World Series. Increasingly, it's becoming a hollow exercise as baseball is now dominated by a few teams who own a large part of the market and high revenue. The Major League Baseball's (MLB) problem is with competitive balance results from the failure to share a larger part of the revenue earned by teams. As a result, teams in Montreal, Minnesota, Kansas City and other areas need large subsidies from taxpayers to inflate their revenues and especially to stay in the game year after year.

There are different ways to organize a league that does not jeopardize salaries or profits. For example, the National Football League (NFL) shares almost 80 percent of the league's revenues. Indeed, in the MLB, a new revenue sharing plan could be a good solution to improve competitiveness. But any new plan must meet the expectations of players and owners that benefit from the status quo. This paper identifies the issues that must be addressed in developing a new revenues sharing plan and presents a program to save baseball for its fans, players and owners while prospecting taxpayers from the endless demands for subsidies.

CHAPITRE/CHAPTER 8

Si les analyses d'impact économique bénéficient de l'apparente objectivité quantitative de l'économétrie, il en va tout autrement lorsqu'il s'agit de mesurer l'impact social des équipes de sport professionnel. Les impacts sociaux établis sont nombreux, parfois opposés les uns aux autres, selon les théories et les méthodes employées. Vocation festive, milieu de vie, identité civique, statut international de la ville sont évoqués, mais rarement définis et mesurés empiriquement. Le présent article passera d'abord en revue les méthodes proposées jusqu'ici en sciences sociales pour mesurer ces impacts. Une classification des approches et des méthodes présentées permettra d'en faciliter l'inventaire et de mettre en lumière les forces et les faiblesses de chacune. Ce processus nous mènera à l'objectif ultime qui est de dégager des pistes méthodologiques permettant d'améliorer les analyses empiriques des impacts que peuvent avoir les équipes de sport professionnel dans leur espace.

There is a lot of social impacts that are sometimes opposite to one another depending on the evaluation method or theories. The festive vocation of the city, quality of life, civic pride, international visibility are some of the impacts that are identified but never really measured. This article presents some of the existing methods in social sciences used to measure those impacts. A classification of these methods will be proposed with their advantages and disadvantages. This process will ultimately allow us to define a few methodological avenues to improve empirical analyses on these intangibles impacts.

CHAPITRE/CHAPTER 9

La renommée et l'exclusivité nord-américaine (jusqu'en 1999) du Grand Prix de Formule 1 du Canada en font un événement international dont les retombées économiques sont significatives à l'échelle métropolitaine. La mise en parallèle des portraits du spectateur type des années 1997, 1998, 1999 et 2000 a fait ressortir certaines caractéristiques constantes, au nombre desquelles figure l'aspect sociodémographique. Le profil dressé dans la présente étude concerne les habitudes de dépenses, l'appréciation et l'opinion du spectateur face à l'événement, son niveau de satisfaction et ses comportements. Les différentes éditions de ces recherches ne permettent pas d'établir un profil type constant, mais plutôt des caractéristiques communes, qui se déplacent d'année en année. Plus fortement ciblés pour l'année 1999, ces déplacements informent sur la qualité et la réception de l'événement autant que sur certaines spécificités qui permettent de comprendre le comportement type de l'amateur de Formule 1 au Canada.

Famed and exclusive in North America until 1999, the Formula One Grand Prix of Canada is indisputably an international event that has significant economic repercussions on a metropolitan scale. During four years, that is to say 1997, 1998, 1999 and 2000, surveys were made to emphasize the main sociodemographic characteristics of spectators. Interesting results were obtained about the expenditures, behaviors and appreciations of the event. There are a few modifications of this profile from year to year but the main observations indicate a constant satisfaction concerning the event and its characteristics.

CHAPITRE/CHAPTER 10

Est-il réellement rentable pour le gouvernement d'investir des sommes importantes dans le sport professionnel ? À en croire les études menées par le gouvernement, on pourrait affirmer que les subventions accordées aux équipes de sport professionnel ont un impact majeur sur l'économie directe et indirecte des villes d'accueil. Toutefois, les quelques études économétriques faites sur le sujet par des particuliers tendent à démontrer le contraire, c'est-à-dire que le retentissement économique d'une saison de sport ou d'un nouveau stade serait quasi nul dans la majorité des cas et parfois même négatif. Malgré cela, les dirigeants continuent à croire et à faire croire aux citadins que les subventions accordées aux équipes de sport professionnel sont rentables et influentes dans l'économie municipale. La présente étude tentera donc d'évaluer les impacts économiques réels du sport professionnel en utilisant comme paramètre l'achalandage des hôtels de huit villes canadiennes accueillant une équipe de sport professionnel sur une période de dix ans.

Are the public subsidies for professional sport really profitable? Each year, the government undertakes studies to analyze the real direct or indirect economic impact that professional sport has on a city. These results assert that a new stadium or a professional sport team have some positive financial repercussions on city's economy. However, the few econometric studies made on the subject by private individuals affirm the opposite; that is to say that there is no real impact on the municipalities economy. In spite of that, authorities still believe and make citizens believe that subsidies granted for professional sport are profitable and influential for cities. This paper will try to evaluate the real economic impacts that professional sport has on a city by analyzing the hotel's occupancy rate in eight Canadian cities accommodating a professional sport team over a ten-year period.

NOTICES BIOGRAPHIQUES

Jean-Pierre Augustin est professeur en aménagement à l'Université de Bordeaux-3. Spécialisé dans la géographie du sport, il a publié, entre autres, *Sport, géographie et aménagement* aux éditions Nathan. Il a mené des recherches et des travaux empiriques sur les sports de glisse, le sport fédéré, les équipements et les lieux sportifs ainsi que les pratiques en milieu urbain et périurbain. Jean-Pierre Augustin participe également au chantier « Sports et villes festives » depuis 1996.

Robert A. Baade est l'un des rares spécialistes à s'intéresser à l'impact des stades et des équipes de sport professionnel aux États-Unis. Depuis le milieu des années 1980, il étudie davantage les impacts et les retombées économiques des nouveaux théâtres sportifs.

Anouk Bélanger est professeure à l'Université Concordia et s'intéresse surtout au phénomène de spectaculariation ainsi qu'à la festivalisation croissante des grands centres urbains. Son expertise repose sur ses travaux de doctorat, plus spécifiquement sur la dynamique marchande et sociologique du déménagement du club de hockey professionnel Les Canadiens de Montréal de l'ancien forum au nouveau Centre Molson.

Lynda Binhas est sociologue de formation. Elle participe, à titre de chercheure associée, au chantier « Sports et villes festives » depuis 1996. Elle s'est également impliquée dans plusieurs dossiers, notamment ceux qui touchaient les enquêtes et les profils de clientèle lors des Grands Prix de Formule 1 du Canada entre les années 1997 et 2000.

Jean-Marc Chouinard est consultant associé chez le groupe DBSF. Athlète de haute performance en escrime, il a représenté le Canada pendant plusieurs années. Il s'intéresse depuis aux enjeux sportifs, au sport amateur et au sport de haut niveau. Il a mené quelques travaux empiriques sur les équipements et installations sportives ainsi que des études de faisabilité pour la tenue d'événements sportifs internationaux

Daniel Gill est professeur invité à l'Institut d'urbanisme de l'Université de Montréal. Bien que son domaine d'enseignement soit l'habitation et la promotion immobilière, il s'intéresse de plus en plus au rôle de l'industrie du divertissement dans la revitalisation des centres-villes, et ce, dans une perspective de mondialisation. Au cours de la dernière année, en plus d'écrire quelques articles sur Montréal et la mondialisation, il a régulièrement été invité par les différents médias montréalais à commenter le projet du nouveau stade des Expos.

Jean Harvey a une formation approfondie en sociologie et est professeur à la Faculté des sciences de l'activité physique de l'Université d'Ottawa. Il a coordonné, tout en y participant, plusieurs projets de recherche concernant, entre autres, les impacts sociaux du sport professionel sur la ville ou la société. Il a également été invité au Congrès de l'ACFAS en tant que chercheur.

Marc Lavoie est professeur au Département de science économique à l'Université d'Ottawa et membre du Centre de recherche du sport dans la société canadienne. Il a notamment publié *Avantage numérique, l'argent et la Ligue nationale de hockey* (1997) et *Désavantage numérique, les francophones dans la LNH* (1998). Outre l'économie du sport, ses autres intérêts sont l'économie monétaire et la théorie de la croissance, dans une perspective hétérodoxe. Il a compétitionné aux Jeux Olympiques de 1976 et 1984.

Sylvain Lefebvre est professeur au Département de géographie ainsi que directeur du DESS en planification territoriale et développement local à l'Université du Québec à Montréal. Il a mené des études sur les retombées socioculturelles et économiques des activités et événements « festifs » en milieu urbain. M. Lefebvre a également conduit quelques travaux empiriques originaux sur la Formule 1 au Canada, sur l'industrie du baseball professionnel ainsi que sur les festivals dans les villes.

Mark S. Rosentraub est professeur et doyen associé à l'École des affaires publiques et environnementales de l'Université d'Indiana aux États-Unis. Directeur du Center for Urban Policy and Environment, M. Rosentraub s'est grandement intéressé ces dernières années à l'impact des équipes de sport professionnel sur les villes d'accueil ainsi que sur leur économie locale. Il a notamment publié *Major League Losers : The Real Cost of Professional Sports and Who's Paying For It* en 1997, à New York.

Québec, Canada
2003